A E
& I

No estamos locos

D1548297

Autores Españoles e Iberoamericanos

El Gran Wyoming

No estamos locos

Planeta

No se permite la reproducción total o parcial de este libro, ni su incorporación
a un sistema informático, ni su transmisión en cualquier forma o por cualquier
medio, sea éste electrónico, mecánico, por fotocopia, por grabación u otros métodos,
sin el permiso previo y por escrito del editor. La infracción de los derechos
mencionados puede ser constitutiva de delito contra la propiedad intelectual
(Art. 270 y siguientes del Código Penal)
Diríjase a CEDRO (Centro Español de Derechos Reprográficos) si necesita fotocopiar
o escanear algún fragmento de esta obra. Puede contactar con CEDRO a través
de la web www.conlicencia.com o por teléfono en el 91 702 19 70 / 93 272 04 47

© José Miguel Monzón Navarro, 2013
© Editorial Planeta, S. A., 2013
Diagonal, 662-664, 08034 Barcelona (España)
www.editorial.planeta.es
www.planetadelibros.com

Diseño de la colección: © Compañía

Primera edición: noviembre de 2013
Segunda impresión: diciembre de 2013
Tercera impresión: diciembre de 2013
Cuarta impresión: diciembre de 2013
Depósito legal: B. 19.706-2013
ISBN 978-84-08-11865-7
Composición: Fotocomposición gama, s.l.
Impresión y encuadernación: Unigraf, S. L.
Printed in Spain - Impreso en España

El papel utilizado para la impresión de este libro es cien por cien libre de cloro
y está calificado como **papel ecológico**

A Marina, Miguel y Ángela para que sean buenos y no me olviden.

A Irene por su apoyo y, sobre todo, su cariño.

A mis detractores por mostrarme que estoy en el buen camino.

QUIÉNES SOMOS

—

Introducción:[1]

Este tratado, que así debe llamarse pues ha pasado por distintas terapias con dudoso resultado, no pretende otra cosa que ser un humilde referente de la peculiar historia del ser humano llamado español, desde sus orígenes hasta nuestros días. Por fin el lector encontrará respuesta a preguntas tan frecuentes como: ¿quién soy?, ¿de dónde vengo?, ¿adónde voy? Y, sobre todo, ¿por qué se lo llevan con tanto descaro?

Como se verá, se trata de un proyecto muy ambicioso, sobre todo teniendo en cuenta quién lo desarrolla, ya que, la mayoría de las veces, este tipo de trabajos se abordan desde el conocimiento o la erudición: es lo fácil. En este caso, al carecer el autor de ambas cualidades, tiene que inventárselo todo. Todo. No encontrará el lector un apartado citando bibliografía alguna porque no se ha recurrido a libros de consulta, está escrito «de cabeza», que es el sinónimo que usa el vulgo para referirse a la memoria.

Tampoco busque el lector objetividad entre estas páginas, pues semejante término hace referencia, no a la equidistancia en la observación, sino al empeño del que paga por que el autor le escriba al dictado. No, este libro, y es la primera vez que alguien se sincera de esta forma, está escrito desde el desprecio. Ese mismo que sienten los que llevan en el poder desde

1. Palabra de múltiples significados que encuentra en el idioma castellano la apoteosis de los sinónimos, la mayoría de los cuales no vienen al caso.

7

hace siglos, salvo breves períodos de interinidad, por este pueblo llano; llano en general, porque en lo orográfico somos ricos en estribaciones que, por desgracia, han sido una barrera impermeable a la verdadera civilización, ésa a la que hemos pertenecido durante un corto y onírico episodio de nuestra historia.[2] Cuando nos creímos miembros de pleno derecho del club europeo, nos han arrojado un jarro de agua fría para anunciarnos que vivíamos por encima de nuestras posibilidades y que debíamos regresar a la vendimia de Francia.

«Nosotros no hemos hecho nada para merecer esto», afirman muchos españoles perplejos. Y tienen razón, aunque es lo mismo que decía El Arropiero[3] (en su caso se cuentan por legiones los que creen que merecía un castigo).

Para entender lo que nos pasa debemos saber quiénes somos. Sólo desde la conciencia del «yo» colectivo accederemos a un diagnóstico certero y definido. A ese fin me encamino con dudosa disposición, dada mi natural desidia, gracias al empeño de la editora, que no soporta ver a alguien con los brazos cruzados. No es un tratado complaciente porque la desvergüenza delictiva de la élite que nos gobierna en lo político y en lo económico no tiene equivalente o referente en nuestros vecinos del norte y, no digamos, del Lejano Oriente, donde los presuntos expoliadores de lo público dimiten y, más tarde, en algunos casos, se suicidan. Nosotros no conocemos ni la primera fase, aquí el *presunto* brama exigiendo el restablecimiento del honor, pero jamás de lo sustraído.

Vamos allá.

2. Sí, con minúscula, todas nuestras hazañas y movimientos por el orbe han ido destinados al saqueo. Así nos luce el imperio donde no se ponía el sol.

3. El Arropiero asesinó a veintidós personas (y se cree que la cifra pudo llegar hasta cuarenta y ocho) a finales de los años sesenta y principios de los setenta. Al enterarse de que un mejicano había matado a más gente que él, pidió permiso, muy serio, al policía que le custodiaba para que el récord estuviera en manos de un español. Un patriota.

Este pequeño y desgraciado país. Con una reflexión mística

En fin, tal vez todo se deba a que estamos al sur, siempre teniendo como referencia a Europa. Referencia que, lejos de orientarnos, nos ha perdido, pues si nos hubiera dado por mirar al sur, al nuestro, a África, de donde venimos todos los humanos, también los españoles, según afirman los antropólogos de poderío, aunque hayamos perdido gran parte del moreno que lucen todavía los nativos en la parte tenebrosa del continente, donde sólo se va en busca de grandes animales para convertirlos en apliques de pared, o de mano de obra; si hubiéramos mirado hacia allí, decíamos, seríamos «el norte» y otro gallo nos cantara, pero siempre hemos dado la espalda a los que teníamos debajo, sin consentir que los de arriba nos miraran por encima del hombro.

Ésa es mi España, azote de pateras y orgullo de imperio ante el abismo industrial que nos separa de Europa. Ni siquiera Portugal, nuestro vecino más ibérico, es suficiente. Queremos ser como nuestros más odiados enemigos del norte. ¿Por qué? Porque nos tienen envidia. La razón apunta que debería ser al revés, el envidiado suele ser el modelo, pero tal apreciación es fruto del desconocimiento de nuestros gloriosos orígenes, que nos confieren esa característica altanería que se transforma, cuando la ocasión lo requiere, en la internacionalmente reconocida «furia española», y que es nuestra mayor aportación al motor que mueve la Historia. En eso y poco más consiste nuestra aportación al desarrollo de la civilización. Ellos nos envidian porque sus mujeres nos desean, porque como en España no se vive en ningún sitio, y porque el español es capaz de beber un litro de vino sin quitarse la camisa. Nosotros, sin embargo, sentimos por ellos una envidia sana, sólo por una cuestión material: son más ricos que nosotros (aunque espiritualmente somos superiores). De hecho, aquí, quitando los que han llegado de fuera últimamente, todo el mundo profesa la religión verdadera.

¿Cuál es ese origen del que nos sentimos tan orgullosos?

Venimos de un país de hidalgos, que constituían la parte más baja de la nobleza, pero nobleza al fin, que estaba exenta de pagar impuestos. Sí, exenta. Así estaba organizada nuestra sociedad, los que más tenían, o, mejor dicho, los amos de todo, no pagaban un guil,[4] igual que ahora; ¿y los hidalgos?, tampoco. Hidalgo viene a ser lo mismo que *fijodalgo*, o sea hijo de algo o alguien, dando a entender que tiene ancestros conocidos, que no es hijo del azar o del capricho, que no es un hijo de puta, vamos; si bien, aunque esté feo generalizar, podríamos decir, generalizando, que su comportamiento viene a demostrar lo contrario.

Ese privilegio de no pagar impuestos ha marcado nuestros cromosomas a fuego y nos resistimos a soltarlo. Todos los españoles sienten en lo más profundo de su ser la dualidad que heredan de este noble origen. Por un lado, la pertinaz resistencia a cumplir con las obligaciones fiscales, y, por otro, la necesidad de decir a la primera oportunidad: «Usted no sabe con quién está hablando»; en un afán de reivindicar su aristocrática raíz, al tiempo que con la elevación del tono de voz y la emisión de fomites[5] nasofaríngeos se empeñan en quemar el árbol genealógico para dar la razón a Darwin. Así somos, contradictorios, duales, esquizoides y pícaros. Bueno, pícaros los que no dan para más, los que tienen posibilidades ejercen la delincuencia de altos vuelos.[6] Baste recordar que desde tiempos inmemoriales la asociación que engloba a los empresarios (CEOE) ha estado presidida, vicepresidida y aclamada por personas que actúan al margen de la ley. Las estafas perpetradas por estos próceres que marcan el camino que seguir de la

4. Dinero.
Nota del autor: a lo largo del libro se usarán con frecuencia términos que no aparecen en el diccionario de la RAE porque tienen su origen en el caló, el lenguaje carcelario, argot de barrio o, simplemente, desconocido, pero daré cumplida y puntual cuenta de su significado prejuzgando que el querido lector ha estado a resguardo de semejantes influencias y viene de gente bien, de hidalgos. De nada.
5. Fomites: perdigonazos. Esta vez el término es desconocido por demasiado fino.
6. Llamada así por su amor al *jet* privado.

clase empresarial son rotundas en lo cualitativo y en lo cuantitativo, y, como suele ocurrir en el mundo de la política, sus fechorías no les restan un ápice de prestigio. Bueno, a no ser, lo que acontece rara vez y de forma fugaz, que acaben en la trena: entonces sus congéneres suelen darles la espalda por «pringaos».[7]

Volviendo a los orígenes, ese orgullo de hidalgos y, sobre todo, los montes Pirineos han impedido que seamos esclavos de otros más rubios; esclavos de los de grilletes, quiero decir. Los romanos lo consiguieron, a pesar de la resistencia «numantina» que opusieron algunos pueblos, como el que da nombre a la expresión, algunos de cuyos hombres prefirieron el suicidio antes que acabar picando piedra. En mis tiempos, en los libros de historia, no nos contaban quién construía las calzadas romanas, acueductos y demás obras públicas a las que eran tan aficionados los romanos, dando a entender que eran las propias legiones las que en sus ratos libres se dedicaban a colocar piedras en los caminos a falta de otra actividad más lúdica.

Abandonamos la antropología para valorar un aspecto geográfico que ha tenido mucha influencia en nuestra formación como pueblo portador de valores eternos. El Mediterráneo es sin duda el espacio ideal para la vida intelectual, entendiendo como tal el afán de rehuir el esfuerzo físico. Esa costa ha estado siempre en el punto de mira de los visionarios, sean griegos, fenicios, cartagineses, romanos y, más recientemente, guiris.[8]

Estrabón, en su *Geografía*, situaba aquí el Jardín de las Hespérides, que eran unas ninfas que cultivaban así, como quien no quiere la cosa, el huerto. Alegres, desenfadadas, acudían al tajo como se va al *spa*, de buen rollo y medio en pelotas. Bueno, algo de verdad habría, y a lo mejor las susodichas andaban por allí, otra cosa es que estuvieran dispuestas a darlo todo con el primero que pasara. Más bien parece que los marineros hacían de su capa un sayo, y de la nativa, sirena, mucho más accesible ya que rebajaba la barrera moral del acceso carnal

7. Los que no están a la altura.
8. Guiri: Alguien que lo es.

sin consentimiento de violación a brocheta, en su condición de medio merluza.

Evidenciado el peligro del abuso por parte del forastero, nuestra costa se ha preservado casi virgen hasta nuestros días. Cualquier insensato que osara vivir cerca del mar era carne de saqueo, violación o secuestro. La primera línea de playa, ya se sabe, tiene un precio abusivo. Resumiendo, nuestro litoral siempre ha estado muy valorado por toda clase de rufianes. Antes con garfio, parche en el ojo y cimitarra.[9] Ahora, con maletín.

Aparte de los que recalaban en busca de botín e himeneo, los nativos, obligados a vivir en el monte lejos del alcance de los catalejos, no se quedaban cortos en la carrera del pillaje. Aprendieron rápido a obtener beneficio del transeúnte haciendo embarrancar a los barcos al cambiar las señales luminosas de la costa, saqueando a los comerciantes y, en general, desarrollando actividades de piratería, costumbre que ha derivado en la cultura del alquiler de tumbona y la paella de chiringuito y, llegado el caso, una vez emborrachado el intruso, la sirla.[10] El malhechor, como vemos, se convierte en factor de mala influencia sobre la víctima, que cuando supera el trauma de la agresión es capaz de discernir los altos réditos que proporcionan las fechorías, el gran beneficio que rinde el choriceo en comparación con la agricultura y, en muchos casos, aparca la virtud para alistarse en las filas del «Maligno». Podríamos decir que se genera una corriente osmótica[11] del bien hacia el mal que no se da en el otro sentido por la vía del ejemplo. El corruptor cautiva cual cobra de desierto al corrompido que cae en sus brazos y sólo pide más y más, como los niños que describe Dickens[12] haciendo la cola de la zampa, con sus cuencos en la mano, en aquellos orfanatos británicos.

9. No es un instrumento musical.

10. Navaja; por extensión, dar el palo con la misma.

11. Se da entre dos fluidos de distinta densidad o concentración separados por una membrana semipermeable.

12. Un señor que hizo una fortuna relatando lo pobres que son los pobres.

Al margen de la antropología, que, al tener como protagonista al «ser elegido» por dios[13] en la Creación, todo lo enguarra, podemos analizar la cuestión del atractivo de nuestra especial ubicación planetaria desde otro punto de vista, el mío, que quedará vigente hasta el final de estas páginas.

Tal vez convendría hacer un pequeño inciso para reflexionar sobre una cuestión que nunca nos aclaran los que dedican su vida a los misterios que ellos mismos inventan y que dan en llamarse místicos. Son como los señores que contratan los periódicos para hacer crucigramas, sudokus o sopas de letras, pero los enigmas que pergeñan los místicos no tienen solución, con lo que consiguen llevárselo muerto a costa de putear a quien atrapan al agotar su paciencia, llenándole la cabeza de incógnitas que sólo se aplacan con la fe, una plantilla que sirve para todo, de uso exclusivo de creyentes a los que convencen de poseer con ella su mayor tesoro. ¡Ojo!, hemos dicho se aplacan, no resuelven. La fe sería la llave que encierra las dudas en un cofre para que dejen de dar el coñazo. Algo así como ir de turismo a Japón, que te parece precioso, pero no te enteras de nada y te importa todo un carajo.

Cuando hablaba del «ser elegido», hacía referencia al momento en que dios decide crear al hombre «a su imagen y semejanza». Si uno tiene ancestros aragoneses y tiende a llamar al pan pan, entiende de sus palabras que cuando moldeó a Adán estaba haciendo un autorretrato. Si además aceptamos que es divino en general, y en concreto representa la divinidad absoluta, o sea la perfección, debemos concluir que lo que sacó de ese pedazo de arcilla fue una réplica exacta de sí mismo. La pregunta que todo filósofo debe hacerse es: ¿por qué con distintos tamaños de pene?

Entre nosotros, de la misma manera que con el universo lo bordó, con el ser humano no estuvo a la altura de lo que esperaban crítica y público. Renegando del resultado, en un acto de suprema crueldad, dejó en manos de ese «ser» la administración de su obra, y para remate, a través de una extraña ma-

13. Irá en minúscula en general, y en mayúscula cuando empiece a comportarse como Dios manda.

niobra parecida al juego de los sobres del «Un, dos, tres...», le brindó la posibilidad de ser bueno o malo gracias a un resorte que dio en llamar «libre albedrío». El hombre, haciendo uso de su poderío, eligió ser un cabrón con pintas y decidió mutar su condición de administrador en la de propietario de la finca, lo que le valió el primer cese por apropiación indebida, con expulsión del Paraíso incluida. Hay que tener en cuenta que en los juicios divinos no existe la prescripción del delito, por lo que el delincuente, a diferencia de los juicios terrenales, devuelve lo sustraído. Ese vicio transformista de hacerse propietario de lo que se administra se arrastra hasta nuestros días y nos hace pagar un alto precio a los que vivimos en este sistema llamado democracia, gracias al cual algunos elegidos por el pueblo usan el «libre albedrío» con nuestro patrimonio, y lo ponen a nombre de sus amigos en una maniobra bautizada con buen criterio «privatización», que consiste en echar a la talega lo que antes estaba a la vista para uso y disfrute de todos. Esta iniciativa emprendedora convierte al que la practica en «liberal en economía» y al que la contempla en «expoliado mortis».

Pero dejemos cuestiones tan elevadas como las creencias superiores en manos de quienes saben, pocos consejos necesitan de los profanos. Bastante buen uso han hecho de aquello del «libre albedrío» al reconvertir la fe y el temor a lo esotérico en el más rentable y duradero negocio que imaginarse pueda. Allá donde sale alguien creyendo en un ser superior, surge un mánager, con sotana, túnica, quincalla o Dodotis, que cobra por representar al altísimo en la Tierra. Muchas veces me acusan de tomarme esto a cachondeo, pero no es verdad, lo que afirmo lo digo totalmente en serio, razón por la cual no suelto un duro. Y en cualquier caso, puestos a creer en seres superiores que se aparecen, quiero ver al verdadero. Nada de *covers*, versiones o *playbacks*. En este maremágnum en el que ningún pueblo de España se salva de la aparición de un santo o una virgen, yo quiero ver al baranda,[14] nada de tropa, pero me temo que a ése no lo ha visto ni el mánager.

14. Baranda: jefe. Baranda chachi: jefe superior. Baranda fulastre: el inmediatamente inferior en jerarquía.

Poco antes de empezar este libro, la Virgen bajaba a la Tierra de vez en cuando y se encontraba con una señora en El Escorial. Un día anunció que se aparecería a la vista de todos y resultó que la madre del altísimo no era otra que esa misma señora disfrazada con unas túnicas y bajo un montaje de luces bastante cutre. Y digo yo que para ese día podían haber contratado a una modelo, que se puede estafar a la gente, pero siempre desde el respeto, y ya que no se lo guardan ni a dios ni a su madre, por lo menos deberían tenerlo con el distinguido público que abarrota la dehesa en patética procesión y que, a fin de cuentas, es quien paga la romería.

La Conferencia Episcopal, al principio, se mostró reacia al reconocimiento de tan singular y sobrenatural suceso pensando que les había salido una competidora, y apelaron a la exclusiva ya que, en efecto, lo de la virginidad de María es un invento suyo con el que no comulgan las otras fes cristianas. Tras unas reuniones en las que la vidente llegó a un acuerdo de royalties con la curia diocesana, concedieron la «denominación de origen» a la aparecida, que al no ser otra que ella misma, Amparo Cuevas, que así se llamaba, se dio la circunstancia de que esta humilde mujer pasó a ser la madre de dios, que a su vez se convirtió en el octavo de sus retoños, ya que tenía siete de otros tantos embarazos anteriores, aunque esta última maternidad, como en el caso original, se produjo por arte de magia.

Luego dicen que me tomo estas cosas a cachondeo, cuando en realidad los que se las toman a cachondeo son ellos, dicho, claro está, con el debido respeto a sus cuentas anuales de beneficios.

Pero volvamos a los análisis de lo cercano, que es lo que nos da y quita de comer a los seglares. El autor, por circunstancias que no vienen al caso, pero casi todas derivadas de que vive muy bien, ha viajado mucho y ha podido comprobar que, entre pitos y flautas, éste es un rincón muy bueno para plantar la tienda. El clima acompaña, así, en general. No hay grandes catástrofes de la naturaleza. No tenemos *tsunamis*, ni terremotos, ni tifones, ni zombis, ni serpientes venenosas, ni arañas grandes y peludas, salvo, claro está, en las vitrinas correspondientes, con luz fluorescente, que es donde tienen que estar esos bichos. O en las brasas de los yanomamis, donde no molestan a nadie y producen gran placer en lugar de estropicio. La poca actividad volcánica se encuentra en unas islas a una distancia prudente, y a diferencia del de Pompeya, nuestro volcán es civilizado. El autor, personalmente, duda de su existencia porque siempre que ha visitado las Islas Afortunadas, mirando hacia donde se supone que está, no ha visto más que nubes, pero en fin, dando un voto de crédito a los lugareños, que insisten en que lo han visto, del mismo modo que cuando llegas a Santiago de Compostela siempre te dicen «Ayer no llovió», concediendo ese crédito, hay que reconocer que el hipotético volcán, además de no dar guerra, tiene cierta vocación ausente, lo que se agradece porque todo lo que sueltan esos fenómenos de la naturaleza es chungo.[15]

Cualquiera que haya tenido una novia lapona entenderá por qué estamos orgullosos de nuestro clima mediterráneo, aunque la mayoría de los españoles padezcan el continental. Baste decir que nosotros tenemos ovejas y cabras donde ellos tienen renos, y será muy auténtico ver ordeñar a una rena, pero ese queso se lo va a comer quien yo me sé, en el Círculo Polar, a la admiración del sol de medianoche, escuchando un cante esquimal, embadurnado con grasa de foca: «¿Te *quié* ir ya?»

Sí, como en España no se vive en ningún sitio y por eso nos va como nos va.

Demostrado por métodos científicos y otros más relacionados con la mística que éste es buen sitio para vivir, vamos a dar un repaso con la intención de descubrir quién lo ha jodido, cómo y por qué.

Recordemos que nos criamos entre pillos, piratas, ninfas y rufianes cuyos referente moral y máxima aspiración social eran los hidalgos, que si demostraban ser tales, estaban libres de sus obligaciones fiscales. ¿Quién no tiene un polo rosa para lucir en primavera y ejercer de patriota envuelto en la bandera de la invisibilidad tributaria? El pringao, también conocido como pueblo llano, y soberano en período electoral.

15. Muy chungo.

Pero eso vendrá después, de momento estamos en la gestación del español, en la fase precoital, por utilizar un término científico.

Son los mismos

De todas las variedades del «ser» a las que dio origen el primigenio, a nosotros nos tocó el «español». A veces, cuando logramos proezas deportivas o mandan a alguien de un pueblo serrano a la estratosfera, nos sale el nacionalismo carpetovetónico y formamos hordas que gritan al unísono frases absurdas; bebemos, nos abrazamos con desconocidos; bebemos, nos pintamos la cara como la gente de los bosques; bebemos, sentimos el orgullo de ser español en lo más profundo del ser, y bebiendo entonamos cánticos regionales. Afortunadamente, esa españolidad aguda y asilvestrada se nos pasa, pero no hemos tenido suerte en el reparto, no. Nos tocó ser españoles y hay que apechugar con ello, sin desfallecer, sin bajar la guardia, el partido dura noventa minutos y hasta el rabo todo es toro. Sujetemos a la fiera que llevamos dentro, no alimentemos el *alien*.

El español tiene alguna tara de diseño adquirida durante su evolución, que, dicho sea de paso, no ha sido mucha, pues tiende más bien a lo contrario, a la involución (producto de la cual surgen creaciones intelectuales exclusivas como el «vivan las cadenas», el «muera la inteligencia» o el «viva la muerte», de las que se siente muy orgulloso).

Recientes estudios genéticos de mi propia cosecha, emulando al padre Mendel,[16] que era feliz en su huerto cultivando todo tipo de guisantes, demuestran que una de estas taras adquiridas le viene de siglos de sometimiento al amo, que deriva en una atávica «veneración al señorito» que no se quita de en-

16. Estudiando guisantes, este monje austriaco puso en lenguaje científico eso que el vulgo expresa como «es clavaíto a su madre» o «la sangre china tiene mucha fuerza», inventando la genética. La genética es lo que tienen los extranjeros, nosotros somos más de «casta», que es parecida pero con caché.

cima. Esa opresión que ha sufrido durante siglos, en lugar de convertirse en germen de rebelión, torna en admiración cuando el lacayo, siervo o aparcero asume su impotencia y entiende que nunca llegará a pegarse esa vida y que, mientras el amo lleva la bipedestación iniciada con el Australopitecos[17] con rigor y entusiasmo durante su vigilia, él, por misterios insondables, cada vez hinca más el lomo (de nuevo un proceso involutivo que conduce a la tetrapedestación).[18] Ante la continua exposición al señorito y sus caprichos, acaba mitificando tan privilegiada figura y en sus fantasías oníricas le representa con su rostro. Al detestar una actitud exclusiva del señorito, que por otra parte se desea, incurre el español en una contradicción profunda que se resuelve optando por una de estas dos soluciones: odio o admiración. Así es como la figura del tirano puede convertirse en modelo. Podemos ver corruptos convictos dando clases de ética en televisión, e incluso proponiéndose para administrar la cosa «pública», es decir, pidiendo la llave de la «caja grande», ante la complacencia de los perjudicados por sus fechorías, que en el fondo sólo demuestran ser tan miserables como esos embaucadores sin escrúpulos que en ningún caso se plantean devolver lo robado, revelando un absoluto desprecio por «el propósito de la enmienda» que, paradójicamente, les proporciona beneficios penitenciarios. Recientemente se ha derogado una ley que impedía a las personas condenadas «por trincar bajo cuerda» ocupar altos puestos en la administración de la banca. Alguien ha debido de pensar que, visto lo visto, esta marginación carecía de sentido y que en los consejos de administración de los bancos los chorizos convictos se encontrarían entre sus iguales. Los escépticos se preguntarán qué beneficio puede obtener el que confía sus ahorros a esas entidades con esta medida. Ignoran los escépticos, como el vulgo en general, que las leyes no siempre se hacen pensando en el pueblo soberano, sino más bien en

17. Véase *Hace un millón de años*, película absurda que no ilustra nada, en la que conviven dinosaurios con humanos, pero en la que sale Rachel Welch a todo gas.
18. Véase otra vez.

aquel que lo administra, que no suele querer líos ni intromisiones de los funcionarios de Justicia en sus planes de exaltación al amor patrio,[19] traducidos, normalmente, en incautaciones puntuales de lo público. Roban, pero, a diferencia de rufianes y malandrines, por derecho.

Sorprende, no obstante, que aquellos señores de los que venimos, que no conocían límites para el abuso, fueran al mismo tiempo muy quisquillosos. Por poner un ejemplo relacionado con lo carnal, que siempre gusta, recordamos que mientras «los señoritos» gozaban de un supuesto «derecho de pernada», que permitía el disfrute de la primera noche de la doncella que se casara con uno de sus vasallos, al mismo tiempo protegían el honor propio de forma histérica, haciendo pagar con su vida a cualquiera que osara mancillarlo, aunque fueran sus propios retoños. Así ocurre con la hija de Pedro Crespo, el acalde de Zalamea, que pide a su padre que la apiole[20] para que no le salpique la mancha de su deshonra y su nombre permanezca inmaculado de cara a la galería: «Tu hija soy, sin honra estoy y tú libre; solicita con mi muerte tu alabanza, para que de ti se diga que, por dar vida a tu honor, diste muerte a tu hija.»

Eso, que se diga, que se diga. Ése era el modelo que proponían, y a juzgar por el éxito de la obra tampoco parecía tan mal. Y es que esta cosa de pagarla con la infancia tenía sus antecedentes bíblicos: recordemos que Abraham estuvo a punto de abrir en canal y pegar fuego a su primogénito Isaac, al que, para más recochineo, hizo llevar una brazada de leña hasta el altar donde le iba a dar matarile, sólo porque a dios no se le había ocurrido mejor extravagancia para probar su fe que ordenarle tostar al niño. La providencial intervención de un ángel que pasaba por allí impidió tan siniestra barbacoa infanticida. Bueno está el caprichito de dios, que no se conforma con cualquier prueba de fidelidad, pero lo que es menos compren-

19. De la patria y su uso como coartada ya hablaremos; que, como dice un patriota que domina la técnica de envolverse en la bandera y hablar en nombre de dios, «manda huevos».

20. Apiolar: tasabar.

sible es que este hombre se haya convertido en un ejemplo para muchos mortales por esa obediencia ciega; los mismos mortales que, de vez en cuando, se echan a la calle para protestar contra el aborto. Les parece un crimen; ahora bien, el sacrificio del humano lechal o terciadito lo ven cabal siempre que sea por prescripción divina y no facultativa.

Tamaña obediencia al que somete de manera tan caprichosa y despótica, mantenida en el tiempo, enlaza con eso que llaman ahora «síndrome de Estocolmo», que hace referencia al cariño que acaban cogiendo los secuestrados a su carcelero y que nos cuentan con detalle en la película *Portero de noche*, de Liliana Cavani.[21]

¿Por qué somos tan distintos a los europeos de arriba?[22] La explicación está en la poca permeabilidad que hemos tenido a los pueblos del norte. Por otro lado, las raras veces en las que nos hemos infiltrado en su terreno ha sido con ánimo sometedor y de supresión de liberalismos paganos. Ya se sabe, la clásica represión del reprimido, paradigma de la cual es la protesta contra los derechos de los homosexuales argumentando que amenazan la estabilidad de la familia. Será de la suya. Estos ciudadanos de orden, dignos herederos de aquel duque de Alba que sometiera a los Países Bajos, tan proclives a la jarana y la relajación de las costumbres, temen ver la homosexualidad normalizada porque sus hijos, dicen, podrían «cambiar de acera». Ven la homosexualidad como una enfermedad infecto-contagiosa, de ahí que insistan tanto en que tiene cura. Y no lo dicen frikis, sino señores catedráticos que ejercen en nuestras universidades públicas. No queremos profundizar en esta cuestión, pero vamos a hacerlo.

Cuando los curas y demás jerarcas de la Iglesia católica, incluido el nuevo papa Francisco,[23] que ve en esto «una movida

---

21. Yo soy más de *Hace un millón de años*.

22. De vez en cuando intentaré centrar al lector en el fin que se persigue con tanta sabia reflexión.

23. En el año 2010 afirmó que el matrimonio gay era una «movida del diablo», aunque recientemente ha dicho que él no es quién para juzgar a los homosexuales.

del diablo», prevén la extensión de la homosexualidad como una plaga si no se reprime, ¿están dando a entender que a ellos les tienta esa opción? Si no es así, ¿qué temen? Si en una congregación cerrada, como es el seminario, llena de adolescentes varones que no pueden dar salida a su naturaleza, donde las tormentas endocrinas agrietan las paredes de piedra de los monasterios, no se dan casos de homosexualidad, según afirman los padres de la Iglesia, ¿por qué iba a extenderse en la calle, donde la heterosexualidad es una opción asequible y recomendada por la sociedad de bien? Da la impresión de que estos santos varones nos quieren transmitir el siguiente mensaje: «O esto se prohíbe por las malas, o aquí acabamos todos maricones.» A mí, personalmente, me parece exagerado. Claro que yo no puedo ponerme en su pellejo, no soy célibe y, desde luego, las rachas en las que las circunstancias me han obligado a serlo derivan en fantasías perversas donde veo más la figura de Satán que en los períodos de normalidad y afectividad sexual, por llamarlo finamente. Prefiero no imaginar lo que pasa por las cabezas de estos santos varones que, del mismo modo que Abraham estaba dispuesto a ofrecer su hijo al señor, ofrecen su castidad a éste, aunque, según vemos, no siempre al ciento por ciento. En cualquier caso, es una suerte que no se plantee la disyuntiva de infanticidio o castidad porque me da la impresión de que el género humano no habría llegado a nuestros días y nos habríamos perdido las ventajas del desarrollo tecnológico tan bien sintetizado en el descubrimiento de la batamanta.

Insistiendo: ¿por qué somos tan distintos a los del norte?

Así, de pronto, parece difícil de entender, pero gracias a nuestra condición orográfica, las fronteras naturales nos han protegido de incursiones bárbaras recurrentes, a diferencia de los polacos, que por vivir en un llano son invadidos cada vez que un alemán se levanta de mala leche. Los Pirineos siempre han sido un muro inexpugnable en lo cultural y en lo político. Cuando se cruzaban, uno tenía la sensación de atravesar el espejo de Alicia, no se daba un salto de kilómetros, sino de siglos. No se viajaba en el espacio, sino en el tiempo, pero no al futuro ni al pasado, sino a una época que para nosotros nunca existió, llamada civilización.

El español ha sido un pueblo que, desde que tenemos memoria, ha estado sometido. Nuestra historia está plagada de reyezuelos tiranos, sátrapas, militares *medrantes*, aristócratas decadentes y, en general, gobernantes incapaces que llegaban al poder gracias a su intransigencia y crueldad, con una característica común: un inmenso amor a la patria sólo comparable al que cursaban al dinero, unido a un desprecio de la misma dimensión por su pueblo; y todo ello, claro está, con la bendición de una Iglesia que legitimaba sus crímenes y atropellos a condición de recibir su parte del botín, que le ha permitido, entre absolutistas y dictadores, juntar un patrimonio mayor que el del propio Estado. Por primera vez, el que parte y reparte no se queda con la tajada más gorda. Resulta paradójico que aquellos que renuncian al matrimonio sean los que poseen mayor patrimonio.

Al español siempre se le ha gobernado a golpes,[24] aunque en nuestros días los gobernantes se sujetan algo por cuestión de protocolo. Cada vez menos, por cierto. De hecho, nuestros próceres están pensando en cómo restringir la difusión de las imágenes de las cargas policiales, y los responsables de la seguridad afirman, encabezados por el señor Mayor (que tampoco lo es tanto), que la emisión de las acciones de los antidisturbios en los informativos de las televisiones constituyen «una incitación a la violencia». ¿Eso les parece? Sorprende que al mismo tiempo declaren que tales acciones gozan de su total respaldo y que los que atizan aún se quedan cortos en el reparto. Si las acciones están justificadas y gozan de su bendición, deberían ser de emisión obligatoria por lo didáctico y ejemplar del empleo de fondos públicos. También es posible que, cuando dicen que estos agentes «se quedan cortos en su función represora», midan sus esfuerzos por criterios de productividad, a los que son tan aficionados estos que se llaman a sí mismos neoliberales y que son más reaccionarios que sus progenitores, aquellos que trajeron a España los «cuarenta años de paz». Tal vez, y visto desde esa óptica, la de la productividad, la relación entre la inversión que supone la formación de estos cuadros, que a todas

24. Hostias.

luces se limita al aspecto físico y de arte marcial, y su rendimiento es francamente deficitaria en la medida en que la población no les brinda oportunidades de darlo todo al manifestarse y protestar de forma pacífica, a pesar de los estímulos en el sentido contrario que brindan las autoridades competentes. Según sus dogmas de producción, donde no tiene cabida el servicio público y todo se tasa según los beneficios rendidos a fin de mes por las prestaciones, estos cuerpos, y nunca mejor dicho, deberían ser disueltos de inmediato. Claro que, si así fuera, ¿quién les devolvería los buenos ratos que les hacen pasar estos chavalotes embutidos en sus uniformes aporreando perroflautas antisistema?[25] Cuando los responsables de estos servidores de la sociedad, antes conocidos como «guardias», aunque ahora tienen muchas denominaciones de origen, y que hacen declaraciones en las redes sociales del tipo «tanto hijoputa y ni una colleja he podido dar... estoy hasta por currar el sábado por la noche con lo del Barça... a ver si suena la flauta»; decía que cuando los mandos de estos policías, que más bien parecen *vitorinos* en toriles a punto de ser soltados al ruedo, aseguran que su intervención es impecable, quieren decir que «pegan muy bien». Nosotros, los receptores de esos servicios, que pagamos y no apreciamos, no sabemos calibrar las técnicas de apaleamiento en sus distintos matices, por eso nos confunden las palabras del ministro del Interior y la delegada del gobierno cuando alaban el saber hacer de estos gladiadores del siglo XXI. Lejos de agradecer su entrega, al contemplar las imágenes, el espectador se aterra, y todavía se aturde más cuando, como decía anteriormente, esas acciones se califican de «incitación a la violencia». Estos altos cargos de la Administración se deben referir a que, una vez que se empieza a repartir, es difícil sujetarse, y la secreción endocrina que provocan estas acciones (endorfinas, hormonas del placer) se reproduce en los servidores del orden cuando contemplan su obra, y cuesta retenerlos en sus dependencias porque sólo ansían dar rienda suelta a su vocación de servicio. Es en ese contexto metabólico

25. Antisistema: condición que adquiere un ciudadano cuando es apaleado en la calle por las fuerzas de seguridad.

donde la imagen del ciudadano golpeado torna en provocación para el que golpea, al sumirle en un mecanismo de retroalimentación. Ese mismo proceso se producía en muchas amas de casa cuando, hasta bien entrados los años setenta, consumían, sin saberlo, anfetaminas a troche y moche para adelgazar. Se llamaban «anoréxicos». En plena subida de *speed*, enganchaban la zapatilla para aplicarla en los glúteos del retoño que había cometido una fechoría y le arreaban sin parar, dejando a la criatura con el culo como un brasero, a la vez que un recuerdo imborrable al contemplar el rostro de su madre con la mandíbula desencajada cual mujer poseída por Satán.

Conclusión: ciudadano, si ve que la situación actual le produce indignación, coméntelo con su pareja o descendencia a la hora de la cena en el seno del hogar, sin alterar el orden público y sin perturbar el equilibrio de la autoridad competente, que está para causas más elevadas que andar dando explicaciones sobre los traumatismos que producen los antidisturbios a elementos próximos a la subversión, siempre filoterroristas, o a los tontos útiles que se dejan arrastrar por manipuladoras consignas desestabilizadoras.

Algunos jóvenes se sorprenderán de la falta de sensibilidad de estos cargos electos que, en lugar de pedir disculpas por los excesos, descalifican a bulto a los ciudadanos llamándoles vándalos, violentos, o proetarras. Ese lenguaje que delata un desprecio manifiesto hacia la masa, también llamada «pueblo soberano» en período electoral, define al que lo utiliza, pero a mí no me sorprende, porque ya lo escuché, de niño primero y de joven después.

Recuerdo al modelo supremo de estos nuevos demócratas del «centro», don Manuel Fraga Iribarne, en la televisión durante el franquismo. Insultaba y despreciaba la verdad con un, arte que lo encumbró a los más altos puestos de la dictadura, donde fue ministro de Información y Turismo, y también de Gobernación (encargado de las fuerzas represivas)[26] tras la

---

26. Se diferencian de las «fuerzas del orden» en que tienen carta blanca para detener, secuestrar, torturar, e incluso «disparar al aire» con fatales consecuencias.

muerte de Franco, siendo presidente Arias Navarro. Lo dejamos aquí porque nos referiremos a él más adelante, no hay más remedio que volver a él una y otra vez. Según parece, este pequeño episodio vacacional de libertad, a «los de siempre», se les está haciendo excesivamente largo. Esta alegre muchachada es muy impaciente y excesiva.

El sometimiento a la represión durante siglos ha generado un tipo de individuo bastante inclasificable. Los científicos han escogido la palabra «español» para definirle, pero ha sido por convenio; su etimología no describe las múltiples cualidades de este producto sin par.

Para empezar podríamos recordar que todo aquello que se inculca desde la fuerza desaparece cuando ésta cesa, por el sacrosanto principio físico de la acción y la reacción. Si «la letra con sangre entra» fue la máxima educacional en la que se criaron nuestros ancestros, no es de extrañar la aversión que siente hacia los libros el que ha padecido ese sistema en cuanto cesa la sangría, en un simple afán por restablecer el hematocrito a niveles de supervivencia. Además, hemos tenido la suerte de ser la reserva espiritual de Occidente, cualidad que siempre reivindicaba el *Caudillo* para conseguir los privilegios que le otorgaba la Santa Sede, como caminar bajo palio, que le convertía en la mismísima hostia.[27]

Esta cuestión de la reserva espiritual, por si tuviéramos poco con lo que teníamos, la hemos reivindicado con orgullo a lo largo de nuestra historia, incluso recientemente por boca de don José María Aznar, uno de nuestros más brillantes pensadores del «siglo XII», que siempre cita como su personaje histórico favorito al Cid,[28] ignorando tal vez que no sólo luchó con los moros contra cristianos cuando le desterraban, sino que conquistó Valencia y se la quedó para él, nombrándose «Príncipe Rodrigo Campeador», o sea que era un indepen-

27. El palio se utiliza habitualmente para cubrir al sacerdote que porta el Santo Sacramento u otra reliquia digna de devoción. El Caudillo lo ha utilizado en numerosas ocasiones, pero no hay constancia de que se haya paseado bajo palio al Santo Prepucio.
28. Siglo XI.

dentista, lo que más odia. A él le parece un símbolo de la unidad de España. Alguien tendría que habérselo contado al tiempo que le advertían que los Reyes Magos son los padres, pero esto es también muy español, lo de estar al servicio de personajes patéticos aclamados por huestes que jamás osan contradecir al líder, que, viviendo en esa ficticia infalibilidad, pierde el sentido del ridículo e incrementa hasta límites insospechados su estupidez mientras se siente un ser intelectualmente privilegiado. Fruto de ese delirio, el personaje al que nos hemos referido cree tener el «don de lenguas» y se le ha podido escuchar en público hablar en un *spanglish* hilarante, con acento tejano; lo que él creía italiano, utilizando palabras españolas y terminándolas en i; y en un alemán que los propios jamás identificaron como tal pensando que hablaba una tercera lengua. La cosa tiene gracia, pero gobernó el país y son muchos los que exigen su regreso. Uno sospecha que les hace reír. Luego nos extrañamos cuando en Europa nos miran por encima del hombro y recelan de la «marca España».

Spain is different, y los españoles ni te cuento. De puro *different*, son *different* entre sí. De hecho, dicen que ese empeño de Franco en que España fuera «una» no cuajó mucho y la mayoría cree que hay al menos dos. Tres, si tenemos en cuenta el aspecto económico. Claro que la tercera no está aquí, sino acullá, donde paradójicamente guardan sus dineros los fanáticos partidarios de la España «una». Una España que son tres como el Trimurti hindú o la Santísima Trinidad, un gran misterio que nunca comprenderemos y que se resume en que aquí siempre han mandado los mismos, se lo han llevado los mismos y siguen pagando los mismos. Estos últimos «mismos» son diferentes de los otros «mismos» y ahí reside el misterio, en que muchos de esos «mismos» que pagan adoran a los «mismos» que se lo llevan, ante el estupor de la otra parte de los «mismos» que pagan, que se rebela contra los que roban convirtiéndose en antiespañola. Es fácil entender que con estos mimbres salgan cestos llenos de agujeros por donde se escapan cuentas que luego no cuadran, y dan a eso que llaman «la marca España» una pésima imagen que los «mismos» que se lo llevan achacan a las protestas de los indignados.

¿Y cómo levantamos España? Desde luego es una tarea pesada y según algunos geólogos es ese afán de tirar de ella lo que ha acabado convirtiéndola en una gran meseta, por el tremendo lastre que arrastra en sus fondos.

¡Por dios, aclárese esta cuestión! Sí, amigos, es menester poner luz sobre esa casta de «mismos» que se hacen a sí «mismos» herederos de esta finca que dan en llamar Patria, así, con mayúscula, y cuyo mayor anhelo es ver su marca, la tan loada «marca España», escrita en letras de neón sobre nuestro prístino y azul cielo, como el de la camisa, con dos siglas añadidas: «España, S. L.» Y en esa L., de limitada, entrarían exclusivamente los elegidos que forman parte de la clase inmune a la justicia de los hombres, esa clase que todo lo puede y que entiende lo público como una perversión demagógica del sistema, razón por la que se impone la privatización sistemática e implacable de los recursos que caen «por derecho» en manos, bolsillos, maletines y fondos de la élite patriótica y fundacional.

De patria a patrimonio sólo hay un pequeño recorrido que pasa por sortear los incómodos pero permeables vericuetos de la ley y sus caprichosos beneficios y prescripciones. Por otra parte, no podemos decir que los señores magistrados miren con buenos ojos a los delincuentes de determinado signo político, pero todos queremos vivir sin sobresaltos y hemos comprobado cómo, por alguna extraña razón, se fulmina al juez incómodo. Como en *La guerra de las galaxias*, la fuerza les acompaña. Digo esto porque recientemente hemos vivido la expulsión de la carrera judicial de un magistrado en un tiempo récord. Según comentaba un prestigioso jurista, todo se resolvió con una velocidad insólita en nuestro sistema judicial, ni siquiera una multa de tráfico se soluciona tan rápido. Claro que, sabiendo lo que se avecinaba, es probable que ahora no pudieran expulsarle. Si se hubieran respetado los tiempos habituales sin saltarse el orden procesal, con lo que hemos visto y oído más tarde, sería difícil encontrar magistrados dispuestos a poner el cascabel al gato con tanta alegría y presunción de que se está cumpliendo con la normativa a la hora de deshacerse de aquél al que el portavoz de Justicia del PP de entonces, Federico Trillo,[29] llamaba sin recato «juez prevaricador». Que el poder judicial consintiera que se hablara en esos términos de uno de sus miembros desde las instituciones sin darle amparo sólo podía significar una cosa, que su suerte estaba echada y con ella la del *tsunami* de corrupción que escondía lo que investigó. Ya pueden gritar a coro con euforia y marcialidad: «¡Todo por la Patria!»

Es curioso cómo este afán por la patria entronca con las consecuencias infanticidas que acarrea la «fe». En ambos casos, su amor desmedido y su defensa incondicional derivan en graves daños a terceros. En el caso de la fe hemos visto cómo las gastaba Abraham, cuya disposición al infanticidio no le generaba el menor conflicto moral. En el de la patria, escuchemos las palabras del descubridor de la Patria Vasca don Sabino Arana: «Cien vidas que tuviera, cien padres, cien madres, cien hermanos, cien esposas y cien hijos, ahora mismo los daría todos, si de ello se siguiera la salvación de mi patria.» Como vemos, los amantes de la patria tienden a disponer de la vida ajena con largueza. La de sus cien padres, si los tuviera, podría comprenderse no sólo porque, en aquellos tiempos, un infante que reuniera tamaña tropa en su agente progenitor quedaba descalificado socialmente, sino también porque, de cara a la burocracia, arrastrar semejante multitud a la hora de rellenar cualquier impreso de identificación sin duda podría derivar en un rencor creciente que justificaría el parricidio; pero las esposas, los hijos y demás parientes deberían quedar al margen de su inversión patriótica.

La patria vive de los adictos, vehementes seres acríticos siempre dispuestos a pisotear la razón y seguir al abanderado. Cuando se grita «todo por la patria», «viva la muerte», «muera la inteligencia» y otras consignas que pierden significado por repetición, se quiere decir lo que se dice y ninguna otra cosa. Hay que desconfiar de los que usan la patria como alimento espiritual, porque esa fagocitosis anímica les convierte en pro-

---

29. Siendo ministro de Defensa colocó en la Plaza de Colón la bandera de España más grande del mundo (aunque la idea fue de J. M. Aznar, es tan auténtico...). Como siempre, la bandera y la patria.

pietarios de la misma y, desde luego, en los únicos legitimados para venderla. Adquirida esa condición, proceden.

Recientemente asistimos a la entrega por parte de los diferentes próceres europeos de sus respectivas patrias a intereses de la cosa especulativa financiera, generando con ello un tremendo quebranto a sus súbditos o, mejor, a sus hijos, ya que de patria hablamos, dándose la paradoja de que son los padres los que maman de las ubres de la madre en lugar de los lactantes, que, abandonados a su suerte, buscan nodrizas allende nuestras fronteras.

Los señoritos se ríen de las chachas

Enlazando con lo anteriormente expuesto de forma magistral, deberíamos comentar las consecuencias de esa extraña relación sadomasoquista entre el pueblo llano y los que son dueños de las cosas desde que el mundo es mundo.[30]

Como vemos, se produce una admiración trufada de odio hacia el que manda por parte del que envidia su posición social, o sea, el de abajo. Dicen los entendidos que hasta el siglo XIV, cuando llegaron los humanistas y volvieron la vista a los clásicos griegos para recuperar la filantropía,[31] la crueldad era consustancial al ejercicio del poder (no sé dónde ve la historia oficial la barrera del siglo XIV, porque yo sigo percibiendo esa crueldad en los que mandan ahora). La cuestión aquí es calibrar el grado de placer que produce esa crueldad abstracta que se ejerce contra la colectividad, porque según la naturaleza y la altura que alcance ese placer podríamos apreciar signos patológicos.

El caso más popular que se recuerda es el de un noble rumano enajenado llamado Vlad IV, que buscaba enemigos por todas partes con tal de saciar sus caprichos perversos. Tortura-

30. La etapa en la que éramos anfibios no viene al caso en este ensayo, pues desconocemos la organización social de aquellos tiempos remotos.
31. Cualidad del filántropo, que es el que ama a sus semejantes de lejos, sin establecer contacto físico ni intercambiar fluidos.

ba y asesinaba por doquier y se convirtió en un maestro del empalamiento. En la leyenda que se creó en torno a sus caprichos se basó Bram Stoker para escribir su novela *Drácula*. Bien, en general, ya no se ven casos de empalamiento en nuestras sociedades civilizadas y políticamente correctas, pero algunos mandatarios descubren métodos para, sin que se note mucho, acabar dando por el mismo sitio.

La ventaja de ese ejercicio de crueldad desde el poder, a diferencia del que se aplica en distancia corta al individuo,[32] es que queda enmascarado por la obligación de la coyuntura: «Yo no soy así, me obligan las circunstancias.»[33] Esta excusa, a pesar de ser estúpida, es recurrente. Nadie obliga al poderoso a ser y actuar de forma opuesta a lo que le marca su propia ética. Si traiciona sus principios es por el afán de no perder un milímetro de espacio en su estatus de privilegio, o porque carece de ellos. Lo más frecuente es que oculte sus verdaderas intenciones para poder acceder al poder, a sabiendas de que una exposición detallada de sus planes truncaría irremediablemente tal proyecto. La célebre frase de Groucho Marx «éstos son mis principios, pero si no le gustan tengo otros» hace gracia, pero define exactamente la realidad de esos sujetos amorales a los que nos sometemos. Alguno se dirá: si un candidato hace lo contrario de lo que promete, estará cometiendo un fraude, estafará al votante: «Sí.» Habrá algún mecanismo para evitar este abuso: «No.» Tal cosa, se dirá de nuevo el ciudadano reflexivo, sería como instaurar la firma de un cheque en blanco al elegido que aparca la voluntad popular y deja en suspenso el sistema democrático: «Exacto.» Ésa es la situación en la que nos encontramos: «¡Ah!»

Volviendo al tema del ejercicio de poder diremos que es precisamente esa capacidad de gobernar al capricho y voluntad, con total impunidad, sin que las provocaciones y los desmanes acarreen consecuencias graves; esa condición cercana al absolutismo es la que eleva al gobernante a cotas superiores, a grados superlativos de poder. A esa sensación de ingravidez,

32. A este último se le conoce como «puteo».
33. Pues márchate.

de no depender ni siquiera de la palabra dada, se la conoce como «erótica del poder».

La excusa oficial, internacional, que se ha instaurado en los órganos de gobierno para eludir la responsabilidad de las decisiones y fechorías propias se llama Historia. Ella, y no otra, es la que designa las decisiones que guían el pulso firme de los mandatarios por la senda de un futuro mejor. Claro que, a todas luces, queda en evidencia que el futuro que resuelven es el suyo. Aquí podemos citar a Einstein: «No hagas nada en contra de tu conciencia, aunque te lo pida el Estado.» En el caso de los gobernantes, como representan al propio Estado, habría que corregir ese pensamiento y quedaría así: «No hagas nada en contra de tu conciencia, aunque te lo pida el cuerpo.»[34] A lo que el gobernante responde por lo bajini: «Si tuviera conciencia, no habría llegado hasta aquí.»

El gobernante, para enmascarar esa falta de escrúpulos, ha tenido que inventar un Supraestado, un ser superior que, según dice, le ordena tomar decisiones desagradables, dolorosas, que generan quebranto, pero sin asumir la menor responsabilidad. Ahora lo llaman Europa, «superyó» para los freudianos. El mandatario, al insistir en que está a las órdenes de «otro», al reconocer esa sumisión conveniente e inevitable, está aceptando la pérdida de la soberanía nacional, es decir, la venta de la patria, su abandono a los pies de los caballos ya que los intereses nacionales y los de ese Supraestado suelen ser opuestos.[35]

¿Habla el autor de maldad intrínseca de los dirigentes? ¿Por qué causarían tanto daño al colectivo?

No, no se engañe el lector, esta crueldad, este desprecio hacia el bien común, hacia el bienestar de los ciudadanos, no es perverso, responde a una causa aún más noble que el amor patrio, que el respeto a los ideales o creencias religiosas: el lu-

---

34. Aquí vemos «la conciencia» como algo que no forma parte del cuerpo siguiendo la tendencia de psicoanalistas modernos que consideran el «cuerpo», dentro de lo ajeno, lo que tenemos más cerca.

35. Nuevamente los valedores, padres y amantes de la patria son los encargados de venderla al mejor postor con los inquilinos dentro.

cro personal. Ése es el primer mandamiento, y el único, llegado el caso, por el que se rige el llamado «neoliberal» en economía: forrarse a costa de lo que sea, por encima de lo que sea y aplastando a quien se ponga en el camino. «¿Y si se hunde España?» «Que se hunda.» Y esto último no lo digo yo, lo dijo con esas mismas palabras nada menos que Cristóbal Montoro, flamante ministro de Hacienda, en los pasillos del Congreso a una diputada de Coalición Canaria.[36] Eso sí, tras manifestar su disposición de hundir España si fuera preciso con tal de hacerse con el poder, tuvo un gesto de generosidad y remató la frase con un mensaje de esperanza: «Ya la salvaremos nosotros.» O no, que dirían en mi barrio. De todos modos, se adivina la catadura de este aprendiz de superhéroe, que primero causa la catástrofe siendo machaca[37] y luego se presta a la reparación si le hacen jefe. Un saboteador en toda regla.

Paréntesis necesario

El paradigma de esta política de destrucción y posterior reconstrucción la vimos en lo que se llamó «guerra de Irak». Digo «lo que se llamó guerra» porque sólo había un bando.[38] Al ejército iraquí le obligaron a destruir su arsenal de armas bajo la amenaza de la guerra y, posteriormente, una vez desarmado, su país fue invadido. El destrozo causado en las ciudades ya no tenía justificación alguna, la infantería pudo entrar en Bagdad como los peregrinos del Camino de Santiago, oreándose. Digo que la destrucción de las ciudades no tenía justificación desde el punto de vista estratégico, militar. Claro que como los invasores le iban a cobrar al gobierno resultante de aquella debacle la reconstrucción del país, no repararon en

36. Por supuesto, como es habitual en estos señores, negó haber dicho tal cosa. Luego apeló al contexto en el que se dijo la frase. Debe de existir un contexto en el que se hace necesario hundir España.
37. Currito.
38. Ésta es la excepción que confirma la regla de «si uno no quiere, dos no riñen», puesto que los iraquíes, viendo que les venía «la del pulpo», no eran partidarios de la cosa bélica. De nada les sirvió.

gastos a la hora de destrozarlo todo. A mayor daño, mayor beneficio. Tampoco se sujetaron a la hora de saquear los museos en un acto de barbarie del que no se ha hablado en absoluto y que ha causado un daño irreparable al patrimonio de la humanidad. Del Museo Nacional de Bagdad fueron robadas 180.000 piezas, no quedó prácticamente nada.

¿Cómo van a pagar los iraquíes la reconstrucción de su país? Con el petróleo que saquen durante muchos años. Como el petróleo continúa en manos iraquíes, para los invasores queda demostrado que la intención no fue quitárselo, como afirmaban los que se oponían a la guerra. Eso sí, el dinero que produce su venta va a los bolsillos del que les llevó la democracia y les liberó de la tiranía de Sadam Husein, Estados Unidos.[39] En la declaración de guerra, George W. Bush no estuvo solo, iba acompañado de otros tres personajes que, como los hermanos de Manolo Escobar, hacían de palmeros de lujo. Su función era atenuar la imagen de país genocida e imperialista que hubiera dado Estados Unidos llevando a cabo una acción tan cruel en solitario. Recordemos que la excusa para entrar fue aquella mentira, ahora reconocida, de que en Irak tenían armas de destrucción masiva. Al contar con otra potencia europea, Reino Unido, y dos comparsas, Portugal y España, el cartel del festival quedaba bastante completito. Hemos dicho Portugal y España aunque, por insólito que parezca, fue una decisión personal de sus presidentes al margen de sus respectivos pueblos, a los que no representaban, puesto que los ciudadanos de esos países estaban en contra de la guerra, en algunos casos, como el del pueblo español, en un 95 por ciento. «Eso es menos de los que creen que Elvis está vivo», dicen que manifestó Tony Blair en tono jocoso, como la ocasión merecía, al enterarse del escaso apoyo que tenía la declaración de guerra en nuestro país. Sí, una de las cosas que sorprendían era lo felices que se les veía en las fotos, siempre riendo. No debió de ser casual; alguien, algún asesor, escogió la imagen que se difundió a los medios de comuni-

39. El padre de George hijo ya estaba obsesionado con Irak. George hijo también. Algunos achacan esta obsesión al hecho de que se dediquen al negocio del petróleo.

cación, conocida como del «trío de las Azores», aunque, en realidad, eran cuatro, pues también estaba Durão Barroso.[40]

Así llegamos al fin del paréntesis necesario, con el que queríamos ilustrar, con un ejemplo reciente, esa actitud despótica de gobernar de espaldas al pueblo para llevar a cabo cualquier barbarie que fulmina la esencia del sistema democrático.

El ciudadano, decíamos, siente admiración por el superior, en tanto aspira a ocupar su puesto, y en la demostración de ese afecto reduce su condición humana al escalón más bajo, situación que aprovecha el poderoso en ese espacio sadomasoquista para proyectar sobre él todo su desprecio. Se crea así un círculo vicioso según el cual cuanto más se humilla el débil, más somete el fuerte.

El caso más próximo es el del «pelota», que se convierte en una simple herramienta en manos del adulado (casi siempre un superior), que jamás manifiesta afecto por el adulador.

Un exponente al que hace referencia el título del capítulo es el trato que tradicionalmente ha dado el señorito, ahora llamado pijo, al servicio. Era frecuente piropear delante de los invitados a la «chacha» cuando traía la sopa a la mesa, si ésta no era agraciada o estaba gorda. La hilaridad disimulada de los comensales provocaba el rubor de la chica, que no tenía más remedio que participar del jolgorio devolviendo una sonrisa o un comentario jocoso, legitimando así la broma y con ella el derecho del señorito a reírse del servicio siempre que le viniera en gana. Claro está que ese mismo comentario proferido por un igual se haría merecedor de una bofetada. Ésa es la relación que se mantiene desde el poder con los subordinados: desprecio al de abajo.

En este juego donde el poder no tiene más sentido que su ejercicio, las muestras de crueldad se manifiestan a la menor

---

40. Dicen que en su juventud fue maoísta, pero lo expulsaron del partido por robar de un camión de muebles de su facultad durante la Revolución de los Claveles. Ya tenía alguna experiencia en el saqueo. Ahora preside la Comisión Europea. Apoyar lo impresentable rinde frutos.

oportunidad para dejar claro quién es quién, como si no fuera evidente. Para que esta relación se perpetúe, aparece un factor que somete al siervo evitando que su odio se materialice en actos de venganza: el terror.

En otros tiempos, cuando no se daban explicaciones (ahora tampoco, pero existe el derecho a pedirlas, que tranquiliza mucho), la práctica del terror desde el Estado era más evidente. Todo era Tercer Mundo, no había ni primero ni segundo,[41] y la vida no tenía valor. En ese estado de cosas, el terror era la norma, la vida estaba a completa disposición del amo. Uno metía la pata y desaparecía del mapa.

Nuestro estatus ha cambiado y obliga a una estrategia diferente. Se crean nuevas formas de terror para perpetuar el poder y sumir a las masas, a pesar de su descontento, en el conformismo.

Hubo un intento, al terminar la segunda guerra mundial, de apaciguar al personal por las buenas. Mentes brillantes tuvieron una gran idea: ¿y si les damos algo? Así nació el Estado del bienestar.

Sometiendo al insumiso (una breve historia de la humanidad)

La invención de las máquinas trajo consecuencias imprevistas. Una de ellas fue el nacimiento del obrero industrial, que a diferencia del campesino vivía en torno a las fábricas y en permanente comandita con sus compañeros. Además, su capacidad laboral se multiplicó con la sofisticación de la herramienta y los obreros observaron que recibían una proporción muy pequeña de lo que producían. Surgió el descontento y con él los líderes y teóricos revolucionarios, que les llamaban proletarios, término que ya usaban los romanos para referirse a los que no tenían propiedades pero sí capacidad reproductora y cuya prole nutría los ejércitos del imperio.

41. Este Segundo Mundo es ignoto, no se sabe dónde está. Pasar del primero al tercero, a veces, es cuestión de un segundo, basta con doblar una esquina.

Este proletariado, al caer en manos de los líderes revolucionarios que le inculcaron la conciencia de su fuerza para cambiar las cosas, hizo una revolución en Rusia que llevó al poder, por primera vez en la historia, a los desgraciados, los pobres, los míseros, la famélica legión que es como los define *La Internacional*.

Los líderes de Occidente se asustaron y, a pesar de estar convencidos de que el experimento no duraría mucho, lo intentaron asfixiar desde fuera. Las fuerzas afines al régimen zarista se levantaron contra las tropas rojas con el apoyo de los ejércitos de Estados Unidos, Japón, Francia y el Imperio británico. Querían evitar una revolución a nivel mundial, y provocaron una guerra civil que duró más de cinco años (1917-1923), pero, ante su estupor, tras alzarse con la victoria en esta contienda, la doctrina revolucionaria no sólo se afianzó sino que además se fue extendiendo por el mundo. El Manifiesto Comunista se convirtió en el catecismo de los obreros a principios del siglo XX. Por primera vez había una alternativa a la relación entre el poder y la propiedad, que eran consustanciales desde el origen de los tiempos.[42] La propiedad implicaba poder y viceversa. Se abolió la propiedad, derecho en el que estaba basada nuestra civilización. ¿Podía un «desgraciao» que no tenía donde caerse muerto mandar a un señorito? ¿Osaría el muerto de hambre hablar de tú al amo? La entrada de las masas sublevadas en el Palacio de Invierno de San Petersburgo, con la posterior ejecución del zar y toda su familia, niños incluidos, marcó un antes y un después en la historia de la humanidad. Ese potencial devastador se encontraba repartido por todo el orbe y ningún poderoso volvió a sentirse seguro, las patas de los tronos comenzaron a cojear. Tamaño desmán no tenía antecedente ni parangón.

El pulso al poder establecido ya estaba echado.

El sistema tradicional tuvo que ponerse las pilas para demostrar a los obreros que se vivía mejor en la opresión que en la emancipación y comenzó a hacer concesiones. Se decidió

---

42. De nuevo excluimos el período en el que el hombre era anfibio, pues al vivir bajo el agua la propiedad quedaba, lógicamente, disuelta.

dar otra forma a la relación ancestral amo-currante, que hasta ese momento no difería demasiado de la esclavitud, salvo que no existía la propiedad del individuo (tampoco era necesaria, los curritos eran reemplazables). Había que frenar como fuera el auge de los movimientos obreros que crecían como la espuma por toda Europa exigiendo lo intolerable: derechos. La cosa llegó a tal extremo que hasta las mujeres se apuntaron a la idea de la participación y surgieron movimientos «sufragistas» que consiguieron el derecho al voto para la mujer en el siglo xx. En España no pudieron votar hasta la Segunda República (1933). Sólo la Iglesia católica, en su seno, fue capaz de mantenerlas en su sitio.[43]

El principio de acción y reacción

El poder tradicional, ahora llamado «derecha», se puso manos a la obra para paliar este «sin dios», unificó sus fuerzas para acabar con la amenaza de la revolución. Elaboraron todo tipo de experimentos con tal de no dar su brazo a torcer, para que se mantuviera la relación de fuerzas. Lampedusa lo definió de forma precisa en *El gatopardo*: «Que todo cambie para que todo siga igual.»

Una consecuencia de sus experimentos para frenar el auge revolucionario fue ese disparate llamado Hitler. A los mandatarios europeos, en principio, les parecía un tipo estupendo, a fin de cuentas era uno de los suyos: lo fabricaron para combatir la proliferación de comunistas y socialistas. Pero, como en el mito de Frankenstein, el monstruo acabó rebelándose contra su padre creador y se lo zampó. La broma se cobró veinte millones de vidas y la destrucción de Europa.

España, una vez más, fue *different*, y tras ser laminada por el ejército rebelde comandado por Franco, Mola y Sanjurjo, que se levantó en armas en 1936 con el apoyo del ejército nazi

---

43. San Pablo lo deja claro en la primera carta a Timoteo: «La mujer aprenda en silencio, con toda sujeción. Porque no permito a la mujer enseñar, ni ejercer dominio sobre el hombre, sino estar en silencio.»

alemán y la colaboración disfrazada de neutralidad del resto de las democracias europeas, España, decíamos, le ayudó y ensalzó como héroe defensor de los valores tradicionales, incluso después de muerto y tras conocerse en detalle sus crímenes. Así las gastaban los alegres muchachos de la dictadura, alguno de los cuales ha sido loado en nuestros días como «padre de la Constitución» y fundó un partido que ha llegado a gobernar con un espectacular apoyo popular. «Para que todo siga igual...»

España quedó al margen de los aires democratizadores que las tropas aliadas trajeron a Europa tras el fin de la segunda guerra mundial. Sorprendentemente, a pesar de que Franco era aliado de Hitler, pasaron de largo, no entraron aquí, ni tampoco el chorro de dólares que se dejaron para la reconstrucción de Europa con el llamado Plan Marshall, circunstancia retratada por Berlanga en su mítica película.

Los gobiernos de Occidente pensaron que les sería más fácil comprar a Franco que a un pueblo soberano, y así fue. Además, estos demócratas, en el fondo, no tenían nada personal contra nazis y fascistas, como más tarde han demostrado hasta la saciedad dándoles cobijo en su seno o imponiendo regímenes de ese corte en Latinoamérica y Oriente, siempre que se atengan a razones y sean obedientes. De puertas para adentro, pueden masacrar lo que esté en su naturaleza. Sirva de ejemplo para ilustrar lo anterior la charla, recientemente desclasificada por las autoridades de Estados Unidos, de Kissinger[44] con Pinochet, en la que el norteamericano felicitaba al general por su buen trabajo (a pesar de la cantidad de gente que se estaba cargando), pero le pedía que llevara a cabo ese «trabajo» de forma rápida para que el coste político fuera mínimo.

Volviendo al tema de Franco, si le hubieran pedido que se rindiera y dejara paso a la democracia, no le habría quedado

44. En esa charla también comenta al general que ha hablado con el rey para manifestarle su preocupación por el auge del comunismo en España. Venía a decirle que si en España seguían ese camino, por su parte, sin problema... Este señor es premio Nobel de la Paz...

opción, pero prefirieron pactar con él y dejarnos a la intemperie en este páramo intelectual y político de barbarie que fue la dictadura de la que proceden estos, también alegres, muchachos del «centro» que administran nuestras cosas. Fruto de ese apego a sus orígenes es comprobar cómo se saltan la ley que obliga a eliminar los vestigios de aquella masacre en plazas y calles de España alegando que el dictador y sus secuaces fueron figuras históricas.[45] El mismísimo presidente Aznar pasaba días de verano en Quintanilla de Onésimo, antes llamada «de Abajo», pero que cambió de nombre en honor a un militante fascista, Onésimo Redondo, que fundó las «legiones del amanecer», amiguetes que iban por los pueblos que estaban en manos de los militares golpistas fusilando gente a troche y moche. Los símbolos en recuerdo de aquellos tiempos campaban por doquier en la villa y según refería el expresidente, no le molestaban porque era respetuoso con las tradiciones.[46] A mí sí me molestan esos símbolos y, a pesar de que hay una ley que ampara mi gusto, eso me convierte en sospechoso radical.

Fueron los conservadores británicos los primeros que se dieron cuenta de que había que compensar a ese pueblo que se entregó en cuerpo y alma a combatir las ansias exterminadoras que llevaban los nazis en sus conquistas. Ya no servirían las migajas, el pueblo exigiría el pan tierno, y a saciar estas aspiraciones de un mundo nuevo y una democracia más real dedicaron sus esfuerzos los gobernantes de la nueva era. Poco cabía esperar de gente tan conservadora como Churchill, pero se consiguieron las bases de lo que sería el futuro Estado de bienestar. Se apostó por dar a esa «prole» una educación gratuita así como una cobertura sanitaria elemental. De disponer de los medios de producción —que es, en definitiva, lo que otorga el poder—, ni hablar, pero sí de acceder a los

45. También el Arropiero y Jack el Destripador y no les han dedicado una maldita placa.
46. Debemos suponer que si le hubiera dado por ir a Lekeitio le infundirían un profundo respeto las pintadas proetarras que lucían las paredes en esos tiempos.

bienes de consumo. Se pasó de negar la menor propiedad al obrero, a ir dejando resquicios que le permitieran consumir lo elemental, lo que provocó un desarrollo notable de la industria, que se abría de este modo a nuevos clientes, a un mercado mucho mayor. En ese círculo vicioso de producción-consumo, hemos llegado hasta hoy. Nació una nueva clase de pequeños propietarios, la gente tenía cosas, no muchas. Cuando se hacía una mudanza todo cabía en un carro tirado por una mula, pero con la propiedad el personal se fue volviendo conservador y, abandonando la aventura revolucionaria, se perdió la esencia que constituía la fuerza de las masas: la «conciencia de clase». Al tener propiedades, por pequeñas que fueran, el ciudadano perdía la condición de proletario y entraba en el fabuloso mundo de la acumulación. Ya lo dicen los budistas, la felicidad y la libertad residen en el desapego de lo material.

«Mas ¡ay de ti, propietario!», ahora tienes que mantener, además de a tu prole, tu exiguo patrimonio, y en esa vorágine, lejos de liberarte de ocupaciones, contraes nuevos compromisos.

Paul Lafargue era un revolucionario anarquista francés, aunque nació en la Cuba española, que frecuentaba la casa de Karl Marx en Londres, al punto de que se casó con una de sus hijas, o sea que se hizo marxista por la vía vaginal,[47] y elaboró una interesante teoría sobre la felicidad que podría aportar a la humanidad la era de la industrialización.[48] Entendía que si un trabajador multiplicaba su producción por cien gracias a las máquinas, tendría más tiempo para él. Si en lugar de hacer una alfombra al mes, con las nuevas herramientas era capaz de producir cientos, su calidad de vida se incrementaría. No calculaba el bueno de Lafargue que, a pesar de sus impresiones, el obrero seguiría trabajando las mismas horas y cobrando lo mismo. Lo que mejoró fue la «plusvalía», o sea la parte que se

47. Infinitos y sorprendentes son los caminos que nos asigna el señor y peculiares las vías por las que adquirimos doctrina.
48. Desarrolló esta teoría en un libro que lleva el precioso título de *El derecho a la pereza*. Se convirtió en un bestseller al momento.

quedaba el dueño de la fábrica, que acumulaba un enorme «capital». Tachán, la palabra mágica.

Vemos cómo hay una pequeña perversión del lenguaje cuando se dice, cosa aceptada por todos en este mundo neoliberal, que el empresario es una «fuente» de riqueza. La fuente, como origen de la riqueza, es el trabajo de los currantes. El empresario no sería fuente sino todo lo contrario, «embalse» de la riqueza. Como suena mal nunca se expresa así. Se acepta pulpo como animal de compañía, en este caso, porque está en manos del propietario la potestad de cerrar la fábrica y, entonces, ni fuente, ni embalse, ni nada. Lo de «fuente de riqueza» se impone como definición oficial de «empresario» por lo que pueda pasar. Del mismo modo que se decía: «Francisco Franco, Caudillo de España por la Gracia de Dios», aunque no tuviera ni puta gracia.

Al no cumplirse las previsiones de Lafargue, el currante se ve atrapado en sus obligaciones y no le queda otra que seguir pedaleando sin levantar cabeza para llegar a la meta de fin de mes, sin más EPO[49] que la copita de coñac en el bar de la esquina. Mientras, las mujeres, en su estado marginal, se situaban en la cuneta con la bolsa de avituallamiento para que en esa carrera por la supervivencia «no faltara de na».

Así, año tras año, se llegó a la eclosión o florecimiento de la «clase media», acomodada y amiga del orden y, sobre todo, miedosa, temerosa de que venga una guerra y se lo cargue todo. Este período que estamos viviendo es insólito por lo pacífico. Ya no nos toca a nosotros, ahora las guerras se hacen a distancia, las batallas no se libran en solar propio. Los americanos[50] son unos maestros en esto. A diferencia de los torneos de fútbol, en estas lides es mejor jugar fuera de casa.

Lo del Estado de bienestar cumplió con su función y permitió que elementos de las clases sociales más bajas dieran un

49. EPO: Eritropoyetina. A pesar de cómo suena, no tiene nada que ver con el apéndice sexual masculino sino con la producción de glóbulos rojos. La usan los deportistas para atenuar la fatiga.
50. A pesar de estar metidos en todos los conflictos bélicos que se libran en el mundo, ninguno se celebra en su sede.

salto y penetraran en los estamentos de poder. Tras mucha pelea se propuso un acercamiento a la igualdad de oportunidades y la educación de la infancia se hizo gratuita, universal y obligatoria. En Europa, también la sanidad. Y no quedó ahí la cosa, el pueblo llano tomó la universidad y comenzaron a formarse cuadros de abogados, arquitectos, médicos y demás que provenían de la clase trabajadora. La conquista de los derechos sociales funcionó como un bálsamo para las mareas combativas. La disyuntiva era derechos o represión. Después de la segunda guerra mundial se alcanzó un período inaudito de paz social que en algunos países, como los escandinavos, gracias a la redistribución de la riqueza, dio unos frutos de bienestar social asombrosos.

La revolución desapareció del horizonte político en Europa. Los líderes revolucionarios seguían hablando de la inminencia de la toma del poder por las hordas proletarias, pero nadie, ni ellos mismos, creían que tal cosa fuera a ocurrir. Probablemente tampoco lo deseaban, pero se convirtieron en la liebre tras la que corrían muchos ciudadanos persiguiendo la libertad. Gracias a la lucha de los trabajadores, los gobiernos hacían concesiones con el fin de que la cosa no se radicalizara, pero de tomar el Palacio de Invierno, nada de nada.

Ese fantasma, que recorría Europa según rezaba el arranque del Manifiesto Comunista, dejó de ser una metáfora y se convirtió en una amenaza fantasma: la guerra[51] había terminado.

Apostólicos y romanos

Existe una razón que desconocemos por la que la crueldad siempre se ha cebado con nuestro pueblo. También le pasa al ruso, que está en la otra punta, debe de ser cosa de los extremos.[52] Sin padecer males endémicos diferenciales, sin tener

51. Lucha de clases.
52. Sin embargo, el ruso es un pueblo triste y aquí impera el cachondeo.

una patología exclusiva que nos caracterice o diferencie del entorno, una cosa está clara: aquí lo malo se afianza y con mayor virulencia que en los países de alrededor.

España es el único país donde triunfó ese experimento terrible de sometimiento del pueblo que se llamó fascismo.[53] Eso, en nuestra historia reciente, pero lo que nos había pasado antes también tiene tela.

Bajo la túnica sagrada

Los teólogos no se ponen muy de acuerdo acerca de cuál es la razón, pero España, de siempre, ha sido el país favorito de la Virgen María. Algunos descreídos como el poeta Robert Graves[54] afirman que los ritos paganos estaban muy enraizados entre los primitivos habitantes de España, que ya era «una» cuando se pintaban los bisontes de Altamira, según afirman los españoles de verdad. Dice Robert Graves que el culto a María no sería más que la sacralización de los distintos ritos que se profesaban a la «Diosa Blanca», un mito mediterráneo que englobaba un sentimiento espiritual en el que la deidad suprema era femenina, antes de que los bárbaros del norte y los filósofos griegos impusieran lo masculino en todo.[55]

Estaríamos entonces ante una obra maestra de la adaptación. Como el dios creador de todas las cosas no puede tener un huevo del que salir porque «en principio sólo estaba ÉL, el Verbo», y tiene que quedar claro que no salió de ninguna parte sino que ya estaba allí, pues se le adjudicó un hijo que bajó a la Tierra y fue parido como todo hijo de vecino. Como el hijo era tan dios como su padre, porque estas cosas, por lo visto, se heredan, se da la circunstancia de que la madre del

53. Su mayor inconveniente es que impone la doctrina a hostias. No hace enemigos.

54. Siempre viene bien citar a algún autor de prestigio para que el lector no piense que ha tirado la pasta.

55. Muchos autores ven rasgos de homosexualidad en este cambio. En el primer caso (los bárbaros) estaríamos ante mariconeo castrense y en el segundo (los griegos) ante una secuela del hábito de portar túnica.

hijo pasó a ser la madre de dios, con lo que ya tenemos referentes adorables de los dos géneros, masculino y femenino, y de paso misterios, que también gustan a la curia para no tener que dar demasiadas explicaciones: «Eso nunca lo sabremos», suelen decir cuando alguien ve contradicciones o milongas en lo que ellos consideran revelación y asunto sobrenatural. El tema de cómo fue concebida la madre de dios ha sido objeto de múltiples tratados y congresos donde se reunían los sabios doctores de la Iglesia católica a falta de algo mejor que hacer. Por alguna razón ganó la imagen de Leda[56] con el cisne, que, retocándola un poco, se convirtió en paloma. A este trío divino se le conoce como Santísima Trinidad, y es otro de los misterios que no alcanzaremos a comprender: «Eso nunca lo sabremos.»

Aunque los católicos se atribuyen la autoría del trío celestial, ya se lo habían inventado los hindúes muchos siglos antes (la primera vez que aparece es en el segundo milenio antes de Cristo), sólo que ellos lo representan con un tridente y lo llaman «Trimurti» (incluye tres dioses: Brahma, Visnú y Shiva), pero como son más chulos, cada dios aquí va por su lado, no es uno solo. Nuestra religión católica, la verdadera, como es monoteísta, se obliga a que los tres dioses sean uno y el misterio se convierte en mucho más misterioso y, por tanto, de índole superior. Para mí, el misterio comienza en por qué en todas partes se cita al Espíritu Santo como «paloma» cuando debería ser «palomo», pero achaco estas dudas a mi condición de médico y mi profundo conocimiento de anatomía, que me lleva, paradójicamente, a entender menos las cosas y a plantearme dudas de gran calado científico y teológico.

Suerte tuvo el Espíritu Santo en caer en nuestra religión y no en el Olimpo, por ejemplo, porque los dioses griegos tenían muy mala leche, eran rencorosos y no dejaban que otros compañeros en cualquiera de sus evoluciones se fueran de ro-

56. Para poder yacer con Leda, Zeus adoptó la forma de cisne. Leda puso huevos, de los que salieron sus retoños. Hay que reconocer que, puestos a inventar, los autores de la mitología eran más creativos y divertidos que los de la religión verdadera.

sitas en situaciones tan delicadas. No arriesgo mucho al afirmar en un alarde de teología-ficción que las judías con paloma hubieran estado en el menú de ese día en la mesa de Dioniso.

Por cierto, el inventor del monoteísmo, origen de muchas religiones, entre otras la nuestra, fue Zoroastro,[57] al que, oh, casualidad, se le representa en forma de ave. Quiere decirse que si la SGAE hubiera existido en aquellos tiempos remotos, el Vaticano estaría pagando un pastón todos los años.

Con estas cosillas misteriosas y en el afán de agradar y captar, se resuelven todas las posibilidades de adoración (masculina, femenina, politeísta al tener tres dioses pero que son uno, con lo que tampoco se renuncia al monoteísmo, zoolatría al incluir la paloma, e idolatría al aceptar la reproducción de imágenes sagradas).[58]

Lo mismo hicieron con las fechas sagradas: los solsticios de invierno y verano, que se iban a celebrar sí o sí, y tenían origen pagano, se reconvirtieron en la noche de San Juan y Nochebuena, fecha en la que, casualidad, nació Cristo. La SGAE sigue mosca.[59]

Resumiendo, el que quiera que adore a dios en cualquiera de sus versiones, y el que no a su madre (a la de dios, me refiero, adorar a la de uno mismo podría desembocar en complejo de Edipo, que trae consecuencias catastróficas según Freud). La cuestión es que nadie se quede fuera del negocio, dicho en plan metafórico, pues de todos es sabido que la religión verdadera sólo persigue fines espirituales y si ha llegado a tener patrimonio, ha sido por una cuestión colateral, inevitable y ajena a los fines que persigue. La gente se empeña en regalarle cosas, el Estado en perdonarle los impuestos, y los obispos en

57. También llamado Zaratustra, nombre friki donde los haya, pero que al filósofo Nietzsche le hizo gracia y lo escogió para el personaje que habla en su nombre.

58. Volvemos a Groucho: éstos son mis principios, pero si no le gustan tengo otros.

59. Franco continuó esta tradición y convirtió el 1 de mayo, día del trabajador, que se celebra en todo el mundo, en San José Artesano, y lo hizo festivo para evitar líos.

poner a su nombre propiedades que no son suyas. Y así, a lo tonto y sin querer, se van haciendo con un patrimonio, mira tú. Lo que no queda muy claro es por qué el Vaticano acuña moneda, con lo que le molestaban esas cosas al mismísimo Cristo.

Tal vez el lector no sea místico y le cueste entender estos misterios sobrenaturales. Le expondré el misterio de la Santísma Trinidad con un símil cercano.

Pensemos en una cosecha de vino. Parte de ese vino lo metemos en barricas de roble y hacemos con él un gran reserva, mientras la otra parte la embotellamos. ¿Es el mismo vino? Pues sí. Lo que pasa es que el de la botella evoluciona, pero no envejece como el de la barrica, que coge tronío al contacto con la madera. El vino cosechero sería el hijo y el gran reserva el padre, pero ¡ojo!, hablamos del mismo vino. ¿Y la madre? La madre es la materia que queda en la cuba de fermentación cuando se saca el vino y es la que le confiere las cualidades, las características específicas; también se la conoce como casca u orujo y tras su destilación se obtiene el preciado aguardiente que ha dado abrigo a generaciones de campesinos antes de abordar la gélida faena invernal. ¿Qué debemos beber? Vino joven, reserva u orujo es lo mismo, lo importante es cogerse un pedo.[60]

Salvando las distancias, concluimos que lo importante es alcanzar la «gracia»,[61] da igual a quién se rece o escoja como guía para el camino. Padre, madre, hijo, cosechero, gran reserva y orujo son transubstanciaciones de una misma esencia, como las evoluciones de los Pokémon.

La cuestión es que a la Virgen le gustó España. Se apareció por todas partes. Es cierto que antes lo hacía con más frecuencia porque, según cuentan los libros sagrados, había motivo: venía a echar una manita a los que predicaban la palabra de dios, que, al parecer, no eran muy bien recibidos y adquirirían con excesiva frecuencia la condición de mártires. En general, aquellos españoles solían darles con la puerta en las narices,

60. En tono coloquial, dícese del estado de embriaguez.
61. La bebida ayuda, aunque a algunos los induce al llanto.

como les pasa ahora a los testigos de Jehová, que van por las casas a la hora de la siesta, como si tuviéramos poco con los teleoperadores. La verdad es que tienen cara de buenos chicos, pero a los ojos de la mayoría parecen bobos, están como alelaos. El personal no entiende bien qué pintan estos fulanos vendiendo un culto de tercera cuando somos la reserva espiritual de Occidente, estando más que demostrado que nuestra religión es la verdadera.

Un rechazo similar al de los testigos de Jehová debieron de encontrar los primitivos cristianos cuando llegaron a extender la verdad revelada en este páramo de gañanes, vareadores de olivas y segadores. Especialmente obtusos se manifestaron los maños, a pesar de que hasta la ribera del Ebro llegó un primer espada como era Santiago Apóstol. La Virgen se le apareció para infundirle ánimos en su prédica con una espectacular puesta en escena que inmortalizara Goya en un lienzo. Comoquiera que entre el coro de ángeles se apareció la Virgen sobre un pilar de mármol, cogió para sí el nombre de la base que la sustentaba. Muchos teólogos piensan que ya que se tomó la molestia de descender de los cielos podría haberse quedado levitando sin necesidad de posarse porque el efecto habría sido de mayor impacto, pero éstas son disquisiciones propias de eruditos y se escapan a nuestro pobre intelecto: «Eso nunca lo sabremos.» En cualquier caso, sorprende que estas «mariofanías»[62] se produzcan casi siempre en suelo firme, pilar o roca, y otras veces en cuevas, como si la Virgen temiese que fuera a llover, de donde deducimos cierto carácter hidrófobo en la madre de dios. Sorprende que, paradójicamente, se saque a la calle su imagen en períodos de sequía para pedirle que caiga agua. Misterios de la fe.

La del Pilar se tiene por la primera aparición mariana, pero dada la efectividad de cara a la expansión de la «palabra» que tenían estas visiones, la Virgen se tomó a pecho su misión catalizadora de la fe y en algunos casos, como el de Fátima, se apareció varias veces con una periodicidad precisa. En este caso en lugar de un pedestal de mármol se posó sobre una en-

---

62. Parece cachondeo, pero se llaman así.

47

cina cual ave canora. Como Virgen de la Bellota no parecía demasiado adecuado para el santoral, en este caso se prefirió escoger el nombre de la ciudad para que apareciera en las estampas conmemorativas. El árbol duró hasta 1930 porque la gente se llevaba trozos a casa, pero no por idolatría, los católicos no son de eso, sino por devoción.[63]

La Iglesia no reconoce la totalidad de las apariciones. De hecho, en esta que comentamos, la de Fátima, los afortunados visionarios fueron tres pastorcillos portugueses de diez, nueve y seis años y les debió de costar tela que el personal creyera su historia. Ésa es otra de las características de las apariciones, suelen hacerse en presencia de personas de intelecto menguado o en período de formación, como es el caso de estos pastorcillos.

Con el tiempo, no ha habido municipio en España que no tenga su propia aparición. No tanto de la Virgen, que se hace de rogar y valga la redundancia, como de un santo o santa, que acaba siendo el patrón del pueblo.

Estas apariciones marianas no sólo han servido para propagar la fe, sino que también han contribuido al desarrollo económico de la región elegida para el aterrizaje. Que se apareciera la Virgen era como encontrar un pozo de petróleo, por lo que son muchos los escépticos que en estos fenómenos paranormales en lugar de la mano de dios ven la del hombre vuelta hacia arriba en posición mendicante.

El mecanismo que escoge la Virgen para hacer ricos a los devotos visionarios es siempre el mismo. Primero pide oración, nunca dinero. Al cabo de un tiempo, sigue sin pedir dinero, pero sí que edifiquen un templo en su honor, exactamente en el lugar de la aparición, tiene esa manía, terreno que previamente han adquirido el vidente y sus colaboradores cuando era rústico, y más tarde el alcalde ha recalificado habilitándolo para la promoción místico-inmobiliaria. De ese

63. Mi reliquia favorita es la del Santo Prepucio, del que existen muchas versiones repartidas por ahí. La sola idea de que alguien posea el prepucio de dios me ratifica en que estamos ante la religión verdadera: tamaña extravagancia debe de ser cierta o hundiría la reputación de cualquiera.

modo, se hace una colecta sin ánimo de lucro que se destina a la edificación del templo. El dinero, y aquí entra la intercesión divina, empieza a llover del cielo y ya no para de caer.

Para que no nos olvidemos de lo mucho que nos quiere, últimamente se aparece en El Escorial, pueblo de la sierra madrileña con el que estaba encaprichado Felipe II y famoso por su monasterio. Pues bien, teniendo una basílica espectacular en ese monasterio, de granito eterno y sobriedad herreriana, la Virgen debutó en mitad de una finca, y esta vez escogió para posarse un fresno. Como cualquier madre, parece que tiene vetada la presencia en casa de su hijo sin avisar, así que para quitarse líos, se lo monta de *picnic*. Triste realidad de muchas madres que no encuentran la comprensión de su prole ni espacio en este mundo.

Mucho esfuerzo y dinero le costó a esta vidente, Amparo Cuevas, que así se llamaba la señora, que la jerarquía eclesiástica la creyera como elegida por la Virgen para ser su emisaria, más aún que a los niños de Fátima. Tal vez influyó que la señora no parecía estar muy bien de los «nervios de la cabeza». La cosa es que se congregaban a su alrededor los contribuyentes marianos, y por más que miraban, sólo ella podía disfrutar de la aparición. Su psiquiatra, Francisco Alonso-Fernández, que era el catedrático de la Universidad Complutense cuando estudié medicina, la describía así: «No diferencia la realidad de la ficción, con elementos masoquistas, y todo ello condensado en episodios alucinatorios visuales y auditivos.» Pero esto es normal, ya comentábamos que la Virgen se aparece a personas de dudoso equilibrio. Si hubiera pretendido aparecerse de una forma un poco más seria, con aparato de efectos especiales, habría encargado la puesta en escena a Correa, al de la Gürtel, que ya había hecho una iluminación espectacular, precisamente, en ese mismo pueblo con motivo de la boda de la hija de Aznar. Pero ésa es otra historia.

Al parecer se intentó una aparición delante de las masas que culminó en fracaso, pero a pesar de este fiasco, la cosa siguió adelante. La fe no se pierde al primer contratiempo y también es cierto que a la gente le cuesta reconocer que está haciendo el ridículo, así que las mariofanías continuaron produciéndose en exclusiva, que es como funcionan mejor estas cosas, que si no, luego empiezan a opinar los testigos y surgen especialistas, entendidos y críticos. Que si estuvo mejor el otro jueves, que si hoy se ha aparecido pero sin ganas, que si se ha cambiado el peinado..., y la parte de *show* acaba devorando la esencia espiritual que entraña la presencia de la madre del altísimo y lo sobrenatural de la cuestión.

La Virgen dijo que el agua de la fuente del prado de la vidente era milagrosa y sanaba. Suele ocurrir, nunca es la fuente de al lado, ni la del río, es la que queda dentro de la linde del prado propiedad del o la vidente. Ustedes me entienden.

La Conferencia Episcopal, en principio, no reconoció estas apariciones como auténticas pensando que le salía competencia y dio órdenes a sus clérigos de que no apoyaran tamaña sandez, pero cuando la cosa fue cobrando envergadura y el patrimonio creció como la espuma,[64] la Virgen, ¡oh, milagro!, se hizo verdadera y a día de hoy estas apariciones cuentan con todas las bendiciones eclesiásticas y también políticas. El ayuntamiento de El Escorial, del PP, por si acaso alguien pensaba que esto pudiera ser obra del demonio, ya ha recalificado los terrenos para que se construya el templo correspondiente a toda aparición que se precie. El responsable de la jerarquía eclesiástica, monseñor Rouco Varela, que se declara fan encendido de este macroevento, es el mismo que dicta las directrices a seguir en la reforma educativa de nuestros retoños.

En resumidas cuentas, que la Virgen sigue estando entre nosotros. ¡Ay, si tuviera a bien sembrar de trigo las planicies africanas!, pero la mueven razones ocultas que ignoramos los mortales: «Inescrutables son los caminos del señor.»

Esta presencia de la Virgen por nuestras tierras nos convierte en los favoritos de dios. A pesar de que la Biblia tiene al pueblo judío por el «elegido», en la escuela nos enseñaron que fueron, precisamente, los judíos los que mataron a Cristo,

64. Esta secta posee cientos de propiedades y varias residencias de ancianos. Hay donaciones, como la de una mujer con Alzheimer, que han terminado en los juzgados. El negocio es simple, pero de una efectividad sorprendente.

así que, sin lugar a dudas, hemos superado a estos teocidas[65] en el terreno afectivo del Todopoderoso.

La otra cara de la moneda

Ser «el pueblo elegido» no es precisamente un chollo, porque entraña muchas obligaciones y mandatos, todos restrictivos, que si no se ven recompensados en lo material como ocurre en el caso de Israel, que ha utilizado la Biblia como una escritura de propiedad notarial para quedarse con un país, así por lo sencillo, pues, francamente, no interesa. Que te impongan ser la reserva espiritual de Occidente, más que una «gracia» de dios, es una triste desgracia, porque carga sobre el afortunado una cruz que le conduce a una salvación eterna no negociable, a cambio de condenarle a una vida terrenal muy perra. Esta religión judeocristiana es muy represiva y culpabiliza a todo el que la abraza. La contraprestación a la represión y la negación del goce en los placeres inmediatos es espiritual y no todo el mundo es capaz de beneficiarse de ella. El personal que no está cualificado en lo místico, y que no posee una vida interior demasiado profunda, aspira a un pago más asequible, palpable, digamos.

Si dios, que nos hizo a su imagen y semejanza, pretende que no disfrutemos de los sentidos, podría habernos hecho tirando más a lo mineral, pero en ningún caso mamíferos.[66] Además, se da la circunstancia de que los demás bichos hacen lo que les da la gana, mientras nosotros, el vértice de la creación, los seres más evolucionados, no podemos sacar partido a nuestro cuerpo en la cuestión llamada carnal. Algo falla cuando los más listos son los que peor lo pasan. Por si fuera poco, nos encontramos con que hay un solo dios, todopoderoso y que está por encima de todas las cosas, lo que impide cual-

---

65. Término inventado por el autor para no poner el ya existente deicida. A dios es imposible matarle, en teoría, pero el símbolo de la cruz demuestra lo contrario. Es cierto que resucitó, pero para eso tuvo que morir antes.

66. Esa condición, como su nombre indica, se presta a lo que se presta.

quier posibilidad de debate. Su palabra es dogma de fe y, además, no se explica bien.[67]

Los hindúes tienen millones de dioses, no están todos censados porque es imposible, muchos se han perdido en el camino porque la afición les ha dado de lado. Sólo en la primera liga juegan unos trescientos. Como vemos, en el hinduismo, y también en el budismo, la cuestión religiosa es más elástica y uno se puede acoger a la protección de un dios acorde con su estilo, tolerante o de mala leche. Hay dioses buenos y dioses malos,[68] como en la mitología griega, y eso les humaniza. Tienen defectos.

Nosotros hemos tenido mala suerte, nos ha tocado una religión de las que ellos llaman «del libro». Son la cristiana, la musulmana y la judía, con sus distintas sectas, cismas y escisiones. Ya saben, unos creen que la madre de dios es virgen, otros que no... y, en fin, con estas cosillas fundamentales para la vida de los humanos se van creando religiones y más religiones.

Nosotros, los del libro, tenemos la orden divina de imponernos sobre el infiel, lo que ha sido causa y coartada de todo tipo de saqueos, tropelías y catástrofes inconmensurables a lo largo y ancho del planeta. Cuando se actúa en el nombre de dios, todo vale, no existen barreras morales, derechos humanos ni convenciones internacionales. Hoy lo vemos en las acciones de Al Qaeda. También en las dictaduras del Cono Sur americano, donde generales civilizados, muy católicos, en el nombre de dios, asesinan sin recato. Tiran personas vivas al mar desde aviones, como en la dictadura argentina de Videla, en presencia de sacerdotes que bendicen a los que son arrojados para que el tránsito al otro mundo les resulte más llevadero; en un acto, según ellos, de piedad. Puesto a pedir piedad, yo hubiera preferido un paracaídas o, al menos, la condena de

67. Recordemos cuando Moisés se encontró con la zarza y preguntó: «¿Quién eres?» Dios respondió: «Yo soy el que soy.» Cualquiera que diga esto en sede judicial es condenado por desacato.

68. La diosa Kali se representa con la lengua fuera y un collar de cabezas de caballeros que ha decapitado. Cuando alcanza el frenesí, no hay quien la pare, sólo su marido, Shiva, y no siempre.

esta barbarie, en lugar de la bendición. También en el nombre de dios, los militares dejaban morir en las mesas de los quirófanos a las subversivas que parían para arrebatarles sus hijos y distribuirlos entre personas de fe y orden, de nuevo con la colaboración absolutoria y santificadora de la Iglesia. El papa Francisco[69] nos podría contar detalles de aquellos días; estaba allí en medio, con los militares, bendiciendo. Daba la comunión a Videla otorgándole el perdón celestial. En su día fue acusado de delatar y quitar la protección a sacerdotes que, más tarde, fueron secuestrados por la dictadura. El sacerdote jesuita Francisco Jalics, secuestrado durante cinco meses por los militares, acusó al entonces jefe de la orden Jorge Bergoglio de estar detrás de esas denuncias, tras consultar decenas de documentos oficiales. Cambió su testimonio cuando Bergoglio fue elegido papa. Otro sacerdote, Emilio Fermín Mignone, que fue decisivo en la liberación de estos jesuitas, dijo del hoy papa Francisco: «¡Qué dirá la historia de estos pastores que entregaron sus ovejas al enemigo sin defenderlas ni rescatarlas!» Pues no dirá nada, padre, porque su historia, como la de tantos otros, será borrada y reescrita.

Aquí, en España, el golpe de Estado de Franco que trajo una dictadura de cuarenta años tuvo la calificación de santa cruzada, a pesar de que fusiló a curas que no eran de su cuerda. El general Mola, de una tacada, se pulió a catorce curas vascos. Cuando el Vaticano canonizó a los curas que mataron durante nuestra guerra civil, no se les incluyó, se alegó que no murieron por «odio a la fe», sino por «cuestión política» y, como dijo Mola en su día, por «separatistas». Por no estar en el bando de los buenos les han sacado de la estampita.[70] Dios siempre está con los golpistas, debe de ser de derechas o de centro y, lo que es seguro: es partidario de la unidad de España. También de las dictaduras en Latinoamérica. Eso explica-

69. Esperemos que no empiecen a llamarle Paco porque entonces sus siglas serían PP (papa Paco).

70. También se alegó: «Habría que estudiar sus vidas para declarar si fueron santos o no.» Claro, a los 498 que estaban en el bando bueno les sirvió la condición de mártires, la virtud y la santidad, se les supuso.

ría la tibia reacción del Vaticano al asesinato del arzobispo Romero, así como del filósofo y teólogo Ignacio Ellacuría, asesinado junto con otros cinco jesuitas, una mujer de su servicio y su hija de quince años por miembros de las fuerzas armadas de El Salvador.

A nosotros nos tocó la china de la religión católica. Los chavales de ahora no saben lo que es el catecismo, aunque como siga así la cosa van a tener que aprendérselo de memoria, como en los buenos tiempos del nacionalcatolicismo.

En la «salve», oración fundamental, ya se define lo que nos espera cuando nos dirigimos a la Virgen con esta alegre presentación de nuestra condición: «A ti clamamos los desterrados hijos de Eva; a ti suspiramos, gimiendo y llorando en este valle de lágrimas.» Desterrados del Paraíso. Ésa es la premisa, nacemos ya malditos por el pecado original, todo lo que nos pase nos lo tenemos merecido por vía genética. La cosa tiene narices: la mujer es impura y, como consecuencia, también lo que sale de ella, o sea nosotros. Yo muy puro, muy puro no soy, pero me molesta que me lo digan y, en cualquier caso, no acepto la condición de responsable civil subsidiario de una mujer que vivió hace más de cuatro mil años, que hablaba con serpientes y cuyo pecado fue robar una manzana de un huerto.

Es todo metafórico, me dicen, no puedes interpretarlo al pie de la letra. Veamos, pues, de qué árbol robó la Virgen el fruto. Así define el momento el Génesis: «Cuando la mujer vio que el árbol era bueno para comer, y que era agradable a los ojos, y que el árbol *era deseable para alcanzar sabiduría*, tomó de su fruto y comió. También dio a su marido, que estaba con ella, y él comió.» Era el árbol que proporcionaba sabiduría, también llamado de la «ciencia del bien y del mal». O ando yo muy errado o lo que quería el creador en el Paraíso eran seres ignorantes y sumisos ajenos al conocimiento. Nuestros primeros padres fueron castigados por intentar acceder a la sabiduría. Ahora es al revés: los padres castigan a los hijos si no estudian.

Echando la vista atrás, observamos que la Iglesia siempre se ha enfrentado a cualquier avance científico, y no precisamente de forma metafórica, sino antorcha en mano y pegando fuego al invento y al inventor. Todavía hoy en día se muestran poco colaboradores y se enfrentan, por ejemplo, a los estudios con células embrionarias que podrían solucionar enfermedades graves. ¿Por qué? Porque reivindican la patente de la creación. El árbol de la ciencia no se toca.

Claro que dejar el conocimiento en manos de la Iglesia católica se presta a ligeras imprecisiones. Por poner un ejemplo, el arzobispo James Ussher calculó que el año de la creación, la edad del universo, era el 4004 antes de Cristo, y la expulsión de Adán y Eva ocurrió el 10 de noviembre de 4004 antes de Cristo.[71] Con parte de la fecha estoy de acuerdo, lo que no tengo muy claro es que fuera en noviembre. Esto del cálculo del arzobispo Ussher puede parecer una broma, pero es verdad y se lo toman muy en serio. Para calcular la cifra fue sumando la edad de los que forman el «reparto» de la Biblia y eso es lo que le salió. Tamaño descubrimiento se produjo en el siglo XVII y la Iglesia se sentía orgullosa de su hallazgo mientras metía caña a Galileo y Copérnico. Todavía muchos «creacionistas», que así se llaman, dan por válidos y defienden estos datos. Uno de los fervientes creacionistas contemporáneos es George Bush Jr.,[72] el presidente de Estados Unidos de la foto de las Azores. El hombre más poderoso de la Tierra. ¿Nos extrañamos de estar como estamos?

La teoría del Big Bang cifra la edad del universo en 13.800 millones de años. Si comparamos este dato con el que obtuvo Ussher sumando la edad de los profetas, 4.004 años, podemos afirmar que, además de poco científicos, estos muchachos de la sotana se permiten un margen de error bastante amplio.

Valle de lágrimas

Volviendo a la salve, el mundo se define como un «valle de lágrimas». Tiene buena pinta.

71. Cita día y mes, con dos huevos.
72. Es tan contradictorio, por no decir tonto, que mientras sostiene esa insultante juventud del universo, dota de presupuesto a la NASA para que estudie estrellas que están a millones de años luz.

Así, no debemos preocuparnos ni rebelarnos contra el que nos oprima, porque este sufrimiento es pasajero, en la resignación y la humildad encontraremos el camino a la vida eterna. Hay que reconocer que, desde el punto de vista del sometimiento, es la religión perfecta. Y puestos a someter, podríamos decir que los españoles somos «los putos amos».

George Carlin define muy bien este tema, dice que de todos los timos de la historia, la palma se la lleva la religión, que nos ha convencido de que existe un hombre invisible que tiene una lista especial con diez cosas que no quiere que hagas, y si te saltas la prohibición, te reserva un lugar lleno de fuego, humo, calor, tortura, angustia, adonde te enviará a vivir, a sufrir y arder y ahogarte y gritar y llorar para siempre, hasta el fin de los tiempos. Pero te ama.

Bueno, uno estaría dispuesto a invertir su vida en eso, cumplir con los mandamientos y renunciar a la existencia terrenal dejando la vida de verdad para después de la muerte, porque la vida eterna tiene la ventaja, como su nombre indica, de durar más, pero otra vez se interpone la fe. ¿Quién garantiza que esto no es un timo? Bien podría ser que utilizando un truco que ha funcionado en todas las latitudes y culturas, en todas las tribus habidas y por haber, algún listo, de nuevo, haya visto en esta historia de lo sobrenatural un gran negocio, y resulta que te pasas la vida en estado de recogimiento y santificación, invirtiendo en el más allá, para que luego te coman los gusanos y quedes reducido a excremento de larva. ¿Dónde se reclama la garantía? Si es imposible recuperar el dinero de un billete de avión sacado por Internet, aun teniendo seguro de devolución, ¿quién va a hacer caso a un mamarracho incorpóreo que habita en las frecuencias psicofónicas reclamando una parcela de cielo?

Como la oferta, no nos engañemos, no era muy buena, se creó un instrumento que acercaba al dudoso al camino verdadero por métodos más o menos expeditivos: el Santo Oficio, también llamado Inquisición. Al ser instrumento de castigo y ejecución, alcanzó en nuestro suelo patrio, como no podía ser de otra manera, su máxima expresión.

Una de las prerrogativas que concedió el Vaticano a los Reyes Católicos fue la de tener una Inquisición *ad hoc*. Los Reyes

Católicos eran los únicos que podían nombrar inquisidores por cuenta propia. Esta Inquisición fue la primera institución verdaderamente española, pues actuaba por doquier saltando las fronteras del reino, mientras que la policía o el ejército de Castilla no podía ejercer en Aragón y viceversa. Como mucho paisano pasaba de la amenaza de la eterna condenación, inventaron este instrumento cercano y efectivo, que más que temor infundía terror.

La Inquisición se cargó a quien le vino en gana sin cortarse en absoluto, aunque hay fuentes que aseguran que todo es una leyenda negra, pero viendo el tratamiento que daban a personajes ilustres de la época, es de suponer que se cortarían bastante menos con el pueblo llano. Eso, reconociendo el delito de herejía, de brujería o similares, que, para mí, no dejan de ser coartadas para que corra la sangre y llevar la oveja al redil.

No hay acuerdo acerca del número de almas que limpió la Inquisición. Para algunos llegaron a ajusticiar en un año a 20.000 paisanos sólo en Sevilla. Otros pintan al Santo Oficio como si fuera «el tren de la bruja», donde te amagan con una escobilla pero no te llegan a dar, y para éstos la misión sería ir por los pueblos llevando la risa a modo de feria ambulante con su falla de endemoniados incluida. En cualquier caso hay que destacar que los instrumentos que diseñaron para dar alegría a los cuerpos de nuestros antepasados se las traen. Sin duda están a la altura de la mente maléfica del Maligno, al que se enfrentaban. Con eso y con todo, se quedaron cortos.

Recientemente, monseñor Rouco ha anunciado la creación de un lote de ocho exorcistas porque Belcebú está haciendo de las suyas y poseyendo cuerpos a troche y moche. No sabemos si con la inclusión de la asignatura de religión en la nueva reforma educativa meterán también la formación de los exorcistas dentro de la FP.

Con la cabeza agachada por los capones que propinaban tanto el señor feudal como la Santa Providencia, iban tirando los futuros españoles.

He aquí los mimbres con los que se tejió el cesto de la sumisión, la admiración y el respeto al amo. Mas todos los abusos desatan reacciones contra el poder establecido: fueron muchos los movimientos que surgieron de esta represión constante, que desembocaron en el siglo xx en el tan extendido movimiento anarquista, ideología que cuajó en nuestro país más que en ningún otro lugar del mundo. El extranjero se sorprende del anticlericalismo que observa en España. A otros estudiosos no les sorprende en absoluto.

¿Pueblo indómito? Pues caña al mono hasta que se rompa la cadena.

DE DÓNDE VENIMOS

Un exhaustivo repaso a nuestra historia en veinte segundos

El concepto de raza no ha cuajado mucho entre los españoles. Antes, en la escuela, decían que había cinco: blanca, negra, amarilla, cobriza y aceitunada. Las tres primeras estaban bastante claras, la cobriza nos contaron que era la de los indios de América, a los que estábamos acostumbrados a ver en las películas, y la aceitunada, la de los aborígenes[73] de Oceanía, que no sabíamos dónde estaba. Tenían su justa correspondencia en las huchas que se usaban para recaudar dinero destinado las «misiones» a través de una organización que se llama Domund. A los chicos de los años sesenta que se ofrecían voluntarios les daban una hucha de cerámica para que se echaran a pedir por las calles. Estas huchas reproducían la cabeza y algunos abalorios de las distintas razas, menos de la blanca, que no necesitaba, por lo visto, de la colaboración de sus semejantes.

Los misioneros eran ese día los protagonistas y todo el mundo ensalzaba su labor y su capacidad de entrega al dedicar su vida a ayudar a los más pobres, a riesgo de acabar en una caldera gigante sirviendo de plato principal en una ceremonia orgiástica del Mau-Mau, a mayor gloria de un orondo jefe de tribu amante de la gastronomía eclesiástica. Además de pobres, aquellos negros eran crueles e ingratos.

73. Aunque es un término general, se usa siempre que se habla de Oceanía. Aborigen, más que referirse a la condición de nativo, lo hace a la de bicho raro.

Ésas eran las razas, claras, bien diferenciadas, y llevaban asociados los diferentes tipos de pobreza que asolaban al mundo con un denominador común: el hambre. Nosotros estábamos muy orgullosos de pertenecer a la superior, la que no necesitaba hucha para salir adelante.

Los próceres del régimen[74] hacían referencia constante a nuestra raza, no a la blanca, sino a la española. Es difícil entender de dónde sacaron que éramos una raza aparte teniendo en cuenta la cantidad de invasiones que sufrió la Península: por aquí pasó todo cristo, somos el producto de una mezcla infinita. Aunque ellos parecían estar muy orgullosos de esta distinción, lo de «raza española» siempre ha sonado más a ganado que a hidalgos de alta estirpe. Sin duda, como estábamos aislados del resto del mundo, esta peculiaridad racial justificaba la falta de comprensión del resto del planeta hacia el único gobierno que estaba haciendo las cosas «como dios manda».[75] Inventaron una fecha conmemorativa, el 12 de octubre, donde se festejaba el «Día de la Raza». Fue un invento hispanoamericano para reivindicar la llegada de Colón, que dio origen a un mundo nuevo al margen de la barbarie asilvestrada que poblaba aquellas tierras. Más tarde se cambió por «Día de la Hispanidad» porque la cuestión racial comenzaba a ser políticamente incorrecta.

Durante mi infancia, en Madrid, sólo había españoles. A mi barrio llegaron algunos cubanos que salieron unos años después de la Revolución de Castro, pero, por lo demás, para ver un negro había que ir al cine. La cosa de las razas estaba bien definida, aquí no había mestizaje alguno, ni posibilidad. De hecho, en plena censura franquista, que en lo erótico alcanzaba unos niveles de patetismo inimaginables, las negras de las tribus del África tenebrosa podían salir en tetas porque

74. Régimen: para las personas de cierta edad está claro lo que significa, no se trata de un método de adelgazamiento, sino del gobierno que presidió Franco durante la dictadura, entre los años 1936 y 1975, aunque en realidad aguantó unos cuantos años más.
75. A Rajoy también le gusta mucho decirlo, con lo cual evita responsabilidades por elevación.

ni siquiera eran consideradas humanas. Así de lejos nos quedaban aquellas gentes. Aunque la raza aceitunada nos resultaba un tanto extraña, sobre todo porque el verde era un color que se asignaba tradicionalmente a los marcianos, a los niños nos costaba imaginar qué distinguía la raza española de la blanca y, en cualquier caso, estábamos convencidos de que en esa diferencia saldríamos perdiendo. Blancos eran los americanos, los ingleses, los rubios del norte en general. ¿Acaso no éramos como ellos?

Nosotros no pintábamos mucho, la verdad, en eso que se llama el concierto internacional. El «extranjero» era un mundo remoto del que se sabía poco o nada. España vivía por y para sí, ajena a los movimientos culturales y a los tremendos cambios sociales que se producían «fuera», que es como se llamaba al resto del planeta.

La historia de España, tal y como nos la contaban en el colegio, estaba plagada de héroes, hazañas y conquistas, e insistía mucho en que una vez fuimos los más poderosos del mundo y «en nuestro imperio no se ponía el sol». Metáfora que explicaban muy bien los profesores a requerimiento de los chiquillos. Salíamos convencidos de nuestra grandeza y de que los extranjeros nos tenían envidia porque «como en España no se vivía en ningún sitio». Con los años, el adolescente añadía otra causa a la envidia: los españoles éramos fogosos en el amor y las extranjeras fantaseaban con nosotros. Hasta cierto punto era verdad, pero no se debía a la especial potencia sexual con la que el creador de todas las cosas había dotado al macho ibérico, sino al hambre atrasada que producía la represión de este país, que en ese sentido se parecía más a la jaula de los monos del Retiro que a una nación civilizada. Los españoles abordaban el sexo como el agua los exploradores que, perdidos en el desierto, llegan reptando hasta una charca.

Cuando empezaron a venir turistas extranjeros a nuestras costas, allá por los años sesenta, se enfrentaron, más que se encontraron, a un ejército de millones de «salidos» que perdían la cabeza cuando veían un biquini o una minifalda. Era frecuente ver a una chica perseguida por varios hombres que caminaban detrás de ella propinándole piropos.[76] Aquellos herederos del imperio donde no se ponía el sol habían perdido la dignidad y nuestro nacionalcatolicismo no había sido capaz de rescatarles de las garras de los más bajos instintos.

En el colegio, en mis tiempos, hablo de principios de los sesenta, el siglo xx no existía. Apenas ocupaba unas páginas en el libro de historia o en el de literatura. Para evitar agravios comparativos entre los artistas y literatos que vivían aquí y los que habían escapado de la masacre, no se estudiaba a ningún autor contemporáneo, y listo. Cervantes y el Siglo de Oro eran los protagonistas y ahí se recreaba el profesor. Con la historia pasaba lo mismo, para evitar preguntas absurdas o situaciones inconvenientes, no se hablaba de la guerra civil ni de la segunda guerra mundial. En los tebeos de guerra,[77] siempre de la segunda guerra mundial, los alemanes solían ser los buenos. Para que no se interpretara como apología del nazismo, los japoneses siempre eran malos, a pesar de ser aliados de Hitler, y el sargento «Gorila» de las tropas americanas daba caña a los «malditos perros amarillos». Así, se disimulaba un poco el «filonazismo», al tiempo que se inculcaba a los niños un poco de racismo, que tampoco venía mal.

Para compensar el déficit de exaltación de la gloriosa cruzada nacional que se perdía al sortear el siglo xx, incluyeron una asignatura absurda, todos los años del bachillerato, que se llamaba FEN (Formación del Espíritu Nacional). Digo absurda porque no había materia para tantos años, los profesores eran falangistas que con esta excusa se sacaban una paga y la norma era el aprobado general. No había materia para llenar los libros de texto porque Franco, según él mismo afirmaba, odiaba la política, por lo que era muy difícil elaborar discursos y programas políticos que justificaran la existencia del régimen. Todo

76. Los piropos, más que decirse se esputaban, eran una mezcla de exaltación de la belleza y exabrupto por la frustración de no poder acceder al objeto de deseo. Se solían manifestar tendencias antropofágicas: te voy a comer no sé qué, te voy a comer no sé cuántos...

77. Entonces eran muy comunes, sobre todo destacaba uno titulado *Hazañas Bélicas.*

era una retórica pomposa de exaltación del pasado y de frentes levantadas, que atisbaban un horizonte de luz por el que vendrían los estandartes que en su día dieron gloria al imperio. Imperio que había que empezar a recuperar por Gibraltar. Durante toda mi infancia y adolescencia estuvimos en guerra con la «pérfida Albión»,[78] que es como se llamaba al Reino Unido, aunque fue una guerra diplomática, de intenciones. «Gibraltar español» era la única consigna política que le estaba permitido gritar en la calle a un español. También se podían dar vivas a Franco,[79] pero eso se reservaba para actos multitudinarios.

Aislados, en un páramo donde no había ni actividad artística, ni literaria, ni intelectual, ni política, ni sexual, ni mística, se criaron los que nacieron en las décadas posteriores a la guerra, en manos de líderes que ensalzaban la patria mientras se lo llevaban muerto a la sombra de un régimen que premiaba su fidelidad, lo que ellos llamaban «adhesión», permitiéndoles choricear a diestro y siniestro. Algunos cachorros de estos amantes de la patria, que era suya por definición, educados en el rancio espíritu del nacionalcatolicismo, mantuvieron vivo aquel espíritu que animó a sus ancestros, «por la patria al patrimonio», espíritu que parece marcado a fuego en los genes de esta hornada de «nuevos españoles de verdad» que, a juzgar por el moreno que lucen tanto en invierno como en verano, diríase que en su España, de nuevo, no se pone el sol. Herederos por derecho de la patria y de todo lo que contiene, reaccionan con indignación y perplejidad cuando se les dice que el dinero público no se toca. Se juntan en grupo, con todas las cabezas de la cúpula del partido erguidas, muchas inmersas en procesos judiciales, para que el líder de turno haga esa manifestación que tanto gustaba proclamar en su día al mismísimo Caudillo: «Vienen a por nosotros.»

78. Aunque la expresión se la inventó un poeta francés, no pudo escapar de las garras de la retórica del régimen, que la hizo suya.

79. Siempre mosca, sólo en dos ocasiones en sus cuarenta años de dictadura salió de España. Con respecto a los partidos políticos y las manifestaciones, los definía, zanjando el tema, así: «Soy el Caudillo de todos los españoles, no soy partidario de algaradas banderizas.»

Lo dicho, lo llevan en la sangre. Constantemente replican que pierden dinero con su dedicación a la política, justificando así sus retribuciones extraordinarias en forma de sobresueldos,[80] que la ley prohíbe. Es algo que no les entra en la cabeza, dedicarse a la política y no forrarse. En su ideario está, precisamente, lo contrario. Lo vieron en casa desde niños. Ya se sabe que «de padres barriles, hijos botijos».

Los que nos criamos en aquellos años de la dictadura que algunos de los actuales gobernantes recuerdan con nostalgia, cuando tuvimos edad para descubrir que nos estaban engañando y que los extranjeros no eran idiotas ni bárbaros, sino que vivían mucho mejor que nosotros, nos caímos de un guindo: España, que fue dueña de aquel vasto imperio, era en realidad el culo del mundo. La constante presencia de policías en calles y plazas era exclusiva de nuestro paisaje, fuera de nuestras fronteras las ciudades no estaban permanentemente tomadas por las fuerzas del orden. Incluso se debatía si era una leyenda urbana que la policía de Londres no llevara pistola, una realidad incomprensible en nuestro mundo de policías con ametralladoras.

También descubrimos que hubo un período no tan lejano donde las cosas habían sido muy diferentes. Aquella República, de la que se hablaba en voz baja, no resultó ser un infierno donde se quemaban iglesias y conventos, donde los ladrones y criminales campaban a sus anchas porque el caos y la anarquía se habían adueñado de las calles. En aquel tiempo pasaron muchas otras cosas, y personas de orden y mucho prestigio tuvieron su espacio, tanto conservadores como liberales y revolucionarios, y, además, los políticos que mandaban salían de elecciones que se convocaban periódicamente. Es decir, no fue una tiranía sino una democracia, uno de los pocos episodios de nuestra historia donde el pueblo gozó de libertad. Había una contradicción total entre las dos versiones —la que se descubría en textos publicados en el extranjero y la oficial del franquismo—, que resumía este período como un pistolerismo generalizado que asesinaba empresarios, ciudadanos pacíficos

80. Dícese del sueldo entregado en mano en el interior de un sobre.

y sacerdotes, sin ton ni son, para poder justificar la, supuestamente, implorada y deseada llegada de un grupo de héroes militares que rescató a la población indefensa y acobardada de las garras del terror. «Salvadores de la patria» que abolieron, una vez más, ese breve episodio de libertad para el que el español, tal y como nos contaban, no estaba preparado. Por lo visto, estamos programados genéticamente para convertir la libertad en libertinaje. Otra vez: «¡Vivan las *caenas*!»

Tarde o temprano, el ciudadano honrado que se crió en la dictadura caía en la cuenta de que había estado viviendo en una permanente mentira impuesta a golpes de porra y celda. Eso, aunque muchos se nieguen todavía a condenarlo, está muy feo. Tendrán razones de peso para seguir evitando que las generaciones venideras se enteren de lo impresentables, vergonzosos y crueles que fueron aquellos cuarenta años, pero no nos las van a contar; lejos de eso se dedican a reescribir la historia gastando dinero público,[81] entre otras cosas, en una enciclopedia de la Real Academia de Historia donde encargan la biografía de Franco al presidente de la Hermandad del Valle de los Caídos, que ya ha ensalzado su figura en un libro anterior; o como hace la Comunidad de Madrid, también con dinero público, creando cursos de capacitación para aleccionar a profesores y catedráticos de historia sobre cómo deben explicar la imperiosa necesidad de aquel golpe de Estado. Pretenden convertir en puntos de vista o interpretaciones de historiadores lo que no son más que burdas patrañas, negando hechos y falsificando datos.

En cualquier caso, y al margen de la guerra civil, a la que siempre se agarran para embarullarlo todo porque en ella se cometieron muchos asesinatos en ambos bandos, los que son absolutamente injustificables son los crímenes cometidos después, y los juicios sumarísimos en los que señores togados condenaban a muerte a ciudadanos cuyo único delito había sido permanecer fieles a la legalidad vigente. También es injustificable que una rebelión militar al margen del orden establecido, que toma el poder, supuestamente, para poner orden en

81. Al parecer el presupuesto de la obra es de 6,5 millones de euros.

una situación de caos, dé paso a una dictadura totalitaria que abolió la libertad, la democracia y el Estado de derecho durante cuarenta años. Para dejar constancia del pelaje de estas autoridades, éste es un párrafo extraído del sumario que se abrió contra Manuel Azaña[82] y que, en la crueldad que caracterizaba al régimen, se siguió instruyendo aun después de muerto en el exilio. Su furia no se calmaba con la muerte, era un sadismo enfermizo. De él decía su acusador: «Su actuación, funestísima y demoledora para España, vertiendo en las multitudes el germen de desolación y anarquía, que dieron por fruto las abominaciones de sangre, robo y destrucción que todos lamentamos, creó tal estado social de crímenes que Dios, en su infinita misericordia, inspiró a nuestro ínclito Caudillo la misión de salvar a España.» Hay que recordar que Azaña era un hombre conservador amante de la ley y el orden.

El Partido Popular, en solitario, votó en contra de la anulación de estos sumarios. Es posible que dios, en su infinita misericordia, inspirara a estos diputados del «centro» y demócratas también ese día, como hacía con el Caudillo.

La Segunda República, una oportunidad traicionada

La tradición de sumisión secular que nos ha llevado siempre a ser un pueblo oprimido, que corre a ponerse en manos del verdugo, está perfectamente escenificada por esa masa eufórica que se echó a la calle en un apoteósico recibimiento a Fernando VII desenganchando los caballos para que unos privilegiados voluntarios tiraran de la carroza al grito de «¡Vivan las caenas!» y «¡Muera la libertad!». Bellas consignas que siempre nos han arrastrado al desastre. Lo que venía a traer este rey, conocido como «El Deseado», no era otra cosa que el Absolutismo. Ese régimen se basa en que el poder del rey viene directamente de dios y no está sujeto a ningún control institucional, ni de ninguna otra clase, pudiendo ordenar, legislar, etc.,

82. José María Aznar manifiesta ser un gran admirador de este hombre; por lo visto, también de su condena. Paradojas de la vida.

según su real gana y nunca mejor dicho. Es decir, que el pueblo español, liberado del yugo de los franceses, corrió a ponerse voluntariamente a los pies de los caballos. Difícil de entender, pero es que la masa conservadora de este país siempre ha sido muy bruta. Lo primero a lo que parece estar dispuesta a renunciar es a esa entelequia llamada libertad.

Al poco tiempo de reinar Fernando VII, en contra de lo prometido, comenzó la represión. Persiguió a los liberales, a los que habían tenido cargos con los franceses, a los llamados afrancesados, que no eran sino simpatizantes de la Revolución francesa, abolió la libertad de prensa, cerró las universidades. En fin, lo que hace esta gente en cuanto la dejan y, por supuesto, bajo la bendición y tutela de la Iglesia, que en España nunca ha tenido una función liberadora, sino represora.

Cómo no, los mismos que le habían aupado y vitoreado por las calles comenzaron a refunfuñar, pero estaban dispuestos a morir antes que apoyar los intentos de los liberales por convertir España en un país civilizado y moderno. Tal vez fue entonces, en el momento en que vencimos a los franceses y dimos la espalda a Europa, cuando perdimos el tren del desarrollo y la modernidad, quedando a expensas de la barbarie de la que siempre ha hecho gala la oligarquía de nuestro país.

A muchos les sorprenderá esta oposición entre conservadores y liberales, porque ahora los conservadores, agrupados todos en el Partido Popular, se hacen llamar liberales[83] en ese afán que tienen por el camuflaje, así como por apropiarse de los términos y las consignas de los rivales. Ya hablaremos de esa estrategia perversa más adelante. Para entendernos, diremos que los liberales de entonces (1813) eran lo que ahora se llamarían «progres».

Contamos esta historia del siglo XIX porque es el paradigma de una actitud que nos caracteriza: ponernos en manos del que nos va a rematar cuando tenemos la soga al cuello. Parece una manía endémica que forma parte de nuestra idiosincrasia.

---

83. Algunos militantes de «centro» que todavía sienten alergia por ese término matizan que son «liberales en economía», no nos vayamos a confundir.

Cuando ahora se oyen las opiniones de los responsables de la CEOE (Confederación Española de Organizaciones Empresariales), que representan a lo que se conoce tradicionalmente como la patronal, y que suele tener a sus cabezas visibles entre el procesamiento y la presunción de delincuencia (siempre por trincar pasta), cuando se les oye, decía, expresar sus deseos en torno al futuro que sueñan para los ciudadanos, consistente en menos vacaciones, despido libre, bajar los sueldos, eliminación de los convenios laborales, abolición del salario mínimo interprofesional y jornada laboral sin horario, cobra todo el sentido ese dicho popular que afirma: «Eres más tonto que un obrero de derechas.»

Esta derecha nuestra es cerril, inculta, intransigente y cruel. El desprecio que verbalizan hacia la ciudadanía sin el menor rubor enlaza con la España que retrata Delibes en *Los santos inocentes*. Recientemente hemos asistido a una representación de esa España en la persona del director de relaciones laborales de la CEOE, señor Cavada, en declaraciones en las que hablaba del exceso que supone un permiso de cuatro días cuando fallece un familiar y hay que desplazarse. Alega este señor que es un tiempo excesivo porque en España «ya no se viaja en diligencia». Según él esta norma viene de la época de Franco, que era, y cito textualmente, «excesivamente proteccionista con los trabajadores». En efecto, si por algo recuerdan los trabajadores a Franco es porque siempre estuvo de su lado. Les quería tanto que era para ellos como una madre. Por eso a veces los apaleaba y encerraba en cárceles, por su bien, para evitar las malas compañías. «Quien mucho te quiere te hará llorar.» Estas cosas se dicen en 2013, no son declaraciones sacadas de la hemeroteca de la época gloriosa donde todo funcionaba como un reloj perfecto. Para estos altos cargos de la patronal, Franco era muy complaciente con los obreros. Al parecer, en aras de la productividad y creación de empleo, les auguran un futuro peor que aquél. Y les siguen votando. Una cosa es poner la otra mejilla cuando te atizan porque no tienes más remedio, y otra muy distinta lamer, por voluntad propia, la mano que te arrea.

Sorprendentemente, en ese pasado nuestro de desgracia, pobreza, incultura, opresión, atraso, injusticia y así hasta llenar varias páginas de términos negativos, ocurrió un episodio que sorprendió a propios y extraños.

En el año 1931 se proclamó la Segunda República Española y los españoles se inventaron un mundo nuevo. Un mundo que proclamaba la antítesis de lo que se había vivido durante siglos. En su proclamación participaron prácticamente la totalidad de las mentes pensantes de la época, no sólo políticas, sino también filosóficas, intelectuales, las personas de respeto que se diría entonces.

Aparte de lo que ocurría en la superficie, en legítimo uso de la libertad se fraguaron movimientos populares que pretendían una transformación profunda de la sociedad. No fue un invento propio sino derivado de las distintas corrientes sociales y los postulados revolucionarios que, tal y como relataba Marx en la primera página del Manifiesto Comunista, recorrían Europa como fantasmas sembrando el terror del poder establecido. En España tuvo características especiales como consecuencia del aislamiento en el que vivía la gente y del abandono, por parte del Estado, en el que se encontraban las masas de campesinos, aquellas hordas analfabetas de jornaleros en alpargatas, que trabajaban por algo más que lo comido y arrastraban tras de sí su famélica prole.

Este olvido desde el desprecio provocó, a diferencia de otros países de nuestro entorno, el caldo de cultivo necesario para el desarrollo en la sombra de un gigantesco movimiento anarquista. La pobreza extrema en la que vivían muchos españoles hasta bien entrado el siglo XX les hizo tomar conciencia de que el Estado nunca haría nada por sacarles del subdesarrollo. Más bien al contrario, cualquier movimiento de protesta o exigencia de derechos elementales era sofocado con contundencia, con una represión excesiva para que sirviera de castigo ejemplar. Este estado de cosas llevó a plantear el debate en el Congreso de la República en términos de «justicia social o Guardia Civil». Ganó la segunda.

La Segunda República Española surgió cual erupción de un volcán. Cuando los republicanos y los socialistas obtuvieron una mayoría absoluta y la victoria se confirmó en los municipios de toda España, el rey Alfonso XIII optó por salir de naja y el día 14 de abril de 1931 se proclamó en la Puerta del Sol de Madrid la Segunda República Española.

De repente, ese país en la esquina de Europa, olvidado por todos y separado de Occidente por unas escarpadas montañas que impedían la filtración del progreso, se levantó y sentó las bases de la modernidad. Poetas, músicos, intelectuales, científicos, actores, cineastas, dramaturgos, obreros, campesinos, todos se unieron para participar de esta euforia colectiva y rescatar a España del pozo en el que la tiranía, el latifundismo y la intransigencia de los poderosos y la Iglesia la habían sumido.

Los poderes fácticos, rápidamente, pusieron el grito en el cielo al ver cómo sus privilegios históricos podían desvanecerse de la noche a la mañana por el crecimiento de las tendencias revolucionarias de distintos signos. Especial alarma creó la sospecha de la elaboración de una reforma agraria que acabaría con el sistema de latifundios que condenaba a la miseria al campesinado español.

La oligarquía española, que no había sentido la necesidad de crear un partido que fulminara los movimientos revolucionarios, tal y como hizo la italiana con los fascistas de Mussolini, o la alemana con ese monstruo llamado Hitler, nuestra clase dirigente, decía, se puso manos a la obra para potenciar un elemento de discordia, un agente desestabilizador.

El invento se llamó Falange Española y, como los anteriores, pretendía ser un movimiento anticapitalista de derechas, a pesar de estar financiado y amparado por aquellos a los que, presuntamente, pretendía derrocar. Usurpaba las consignas y ofrecía algunas propuestas parecidas a las de los movimientos revolucionarios, pero con el incuestionable poder de convicción que proporcionaba el uso de la violencia, el pistolerismo y la implantación del terror. Escogieron a José Antonio Primo de Rivera para que liderara el partido.

En el año 1933 se da el mitin fundacional en el teatro de la Comedia de Madrid,[84] donde se unen a la Falange Española de José Antonio las JONS (Juntas de Ofensiva Nacional Sindi-

---

84. Entre otras lindezas afirma: «El ser rotas es el destino más noble de todas las urnas.» Venían a abolir la democracia y lo hicieron.

calista) de Ramiro Ledesma Ramos y Onésimo Redondo, al que ya hemos citado antes y que proclamaba la violencia como método para acceder al poder. El mismo José Antonio legitima esa vía en su discurso: «No hay más dialéctica admisible que la dialéctica de los puños y de las pistolas cuando se ofende a la justicia o a la Patria.» Más claro agua.

La implosión de Falange Española en el escenario político de la Segunda República fue espectacular. A pesar de ser un partido absolutamente marginal, ya que tan sólo consiguió un diputado por Cádiz en toda su historia electoral, tuvo mucha relevancia mediática y social porque ejercían la provocación desde la arrogancia del señorito, y llevando las pistolas y las porras a la calle. Los falangistas se erigieron como brazo armado de la derecha española y, aunque fueron rechazados con sus propias armas (tuvieron setenta bajas durante sus acciones), consiguieron el propósito de sembrar de nuevo el pistolerismo en la lucha política. Provocaron una escalada de atentados por el principio de acción y reacción, que culminó en el asesinato de José Castillo, teniente de la Guardia de Asalto, hombre muy reconocido en las filas socialistas. La venganza no se hizo esperar. Al día siguiente, en la madrugada del 13 de julio, un grupo de compañeros de José Castillo asesinó a José Calvo Sotelo, que había sido ministro con Primo de Rivera y, a la sazón, diputado y líder de Renovación Española. En la manifestación posterior al entierro murieron a tiros otras cinco personas, víctimas de la represión de la Guardia de Asalto.

La suerte estaba echada, estas muertes terminaron de convencer de su participación en el golpe de Estado a algunos militares dudosos, entre otros a Francisco Franco, que parecían imprescindibles de cara al éxito del levantamiento. Tan sólo dos días antes del asesinato de Calvo Sotelo, el mismo Franco había enviado un mensaje al general Mola para comunicarle que no se sumaba a la insurrección. José Antonio Primo de Rivera, prevenido del alzamiento, el día 16 de julio apremió a los militares a levantarse en armas advirtiendo que si no lo hacían, ellos iniciarían por su cuenta un levantamiento en Alicante con sus grupos militarizados. No hubo lugar a más, el 17 de julio, previendo que se iban a tomar medidas contra los militares de Canarias para evitar le llegada a la Península del ejército de Marruecos, Franco inició la insurrección. Desde Canarias envió telegramas a los principales centros militares de la Península. Su presencia en el golpe de Estado sirvió de acicate a muchos militares indecisos. Así comienza aquel golpe de Estado que al fracasar por la resistencia heroica del pueblo español, que se echó a la calle y lo frenó, desembocó en una guerra civil cuyas consecuencias estamos pagando todavía.

Antecedentes de violencia

La efectividad de la violencia como método para destruir la convivencia ya se había testado a principios de siglo a través de lo que se llamó «el pistolerismo». Éste fue un movimiento de toma y daca que se produjo a partir de 1917 en Barcelona cuando los patronos decidieron terminar con una serie de huelgas revolucionarias que comandaban, sobre todo, los anarquistas agrupados en lo que sería la CNT (Confederación Nacional del Trabajo). Este sindicato, que no iba de broma y tenía claros sus objetivos de transformación profunda de la sociedad, contaba con un gran respaldo popular. Su fuerza era incontestable. Aquellos patronos, impotentes ante la avalancha popular, decidieron contratar matones que iban asesinando obreros, líderes sindicales, abogados, políticos y lo que hiciera falta para terminar con el movimiento. Los anarquistas no se quedaron de brazos cruzados y reaccionaron con la creación de grupos armados que contrarrestaban estos crímenes.

El general Martínez Anido fue nombrado gobernador militar de Cataluña y promovía el terrorismo desde su cargo siguiendo una doble vía. Por un lado llenó Barcelona de sicarios que mataban a las órdenes de la patronal, y por otro promulgó la llamada «ley de fugas», según la cual se podía disparar al detenido que intentaba huir, y que se convirtió, de hecho, en una licencia para matar sin dar explicaciones. En sólo seis años fueron asesinados más de cien obreros, doscientos sindicalistas y un gran número de abogados y políticos.

¿Cómo se solucionó este caos?: dando, en el año 1923, un golpe de Estado que encabezó el general Primo de Rivera, el padre de José Antonio que nombró, precisamente, a Martínez Anido ministro de la Gobernación en pago a los servicios prestados. La dictadura de Primo de Rivera duró hasta 1930, poco antes de la proclamación de la Segunda República.

Éstos fueron los antecedentes de aquel segundo golpe de Estado, el de Mola, Sanjurjo y Franco, que sufrió España en la primera mitad del siglo XX. Parece que la secuencia es clara y se repite en ambos casos con absoluta precisión: libertad, pistolerismo, desestabilización, golpe de Estado. En el segundo caso, para más inri, fue el hijo del general Primo de Rivera el que ejerció de catalizador.

La estrategia funcionó como un reloj: Falange Española tuvo una nula presencia parlamentaria, pues en las últimas elecciones, las del 1936, ya no consiguió diputado alguno, pero se encargó de llevar la violencia y las pistolas a las calles y justificar con la sangre derramada el fin de la democracia y la imposición de un régimen totalitario que, una vez más, nos sumió en la regresión y evitó que cogiéramos el tren del progreso y la libertad.

Eso sí, durante la guerra civil (1936-1939) y después de ella se erigieron en justicieros, se encargaron de ir por el frente, las ciudades y los pueblos limpiando España de rojos afectos a la República y la legalidad vigente. En esta labor de limpieza se asesinaba a personas de toda índole: alcaldes, maestros, líderes sindicales, jefes de agrupaciones políticas, militantes de los diferentes partidos, intelectuales, etc. También republicanos de derechas, gente burguesa de orden y, como hemos comentado antes, hasta curas que no fueran de la cuerda, es decir, todo aquel que no se apuntara al golpe al grito de ¡arriba España!

Enseguida enviaron señales de que iban a convertir el enfrentamiento en una carnicería. Para acelerar la implantación del terror, apenas un mes después del levantamiento asesinaron a Federico García Lorca, ciudadano ejemplar, poeta y dramaturgo que gozaba de una enorme popularidad y un gran prestigio internacional. El aviso era evidente: si eran capaces de cometer un crimen tan execrable, ordenado por la autoridad militar,[85] ya nadie estaría seguro en su casa. Y así fue, la crueldad llegó a alcanzar cotas inimaginables y la sangre regó nuestra geografía por todas partes. Todos los intentos de la República por alcanzar una solución negociada y terminar con aquella sangría fueron infructuosos, la respuesta por parte de los militares rebeldes fue siempre la misma: «Rendición incondicional.» Nadie en su sano juicio podía entregar aquel pueblo a esos personajes tan sanguinarios sin condiciones, las consecuencias podrían ser terribles, como luego se demostró.

Mucho se ha hablado de la barbarie de la guerra y, como siempre, hay dos bandos, dos opiniones, dos formas de entender las cosas, dos Españas. Sin embargo, un pequeño matiz diferencia a unos de otros. Desde el lado de la legalidad vigente, la República Española, se prohibían el crimen, el saqueo y la violación; se castigaban con pena de muerte. Lo cual no quiere decir que no se cometieran desmanes, robos y crímenes, pero la autoridad los prohibía y perseguía. Las fuerzas rebeldes capitaneadas por Franco se centraban en el orden y la disciplina de sus tropas, pero alentaban al saqueo, al exterminio del enemigo e incluso a la violación, acción que justificaban. Reproduzco un párrafo de una de las intervenciones radiofónicas del general Queipo de Llano animando a las tropas a violar a las mujeres españolas. Es difícil creer que estas personas gobernaran el país de la mano de la Iglesia durante cuarenta años y que el gobierno del Partido Popular todavía niegue que estas cosas ocurrieran en lugar de condenarlas. Ésta es la alocución del general: «Nuestros valientes legionarios y regulares han demostrado a los rojos cobardes lo que significa ser hombres de verdad y de paso también a sus mujeres. Esto está totalmente justificado porque estas comunistas y anarquistas predican el amor libre. Ahora por lo menos sabrán lo que son hombres de verdad y no milicianos maricones. No se van a librar por mucho que berreen y pataleen.» Ése era el espíritu. ¡Arriba España!

85. Los guardias que lo detuvieron preguntaron a Queipo de Llano qué hacían con él. «Dadle café, mucho café», parece que fue su respuesta.

La Virgen de la Macarena salía en Semana Santa luciendo el fajín de ese general, lo que provocó cierta polémica y acabaron quitándoselo hace un par de años; eso sí, por su «avanzado estado de deterioro». Digo yo que ahora que se ha quedado libre y ya no lo luce la madre de dios, estos liberales de «centro» que salieron en tromba defendiendo el uso de tan místico ornamento, dada la condición de capitana de la Virgen, podrían reciclarlo colocándolo en el logotipo de su querida «marca España».

Resulta paradójico que el fajín de un hombre que incitaba a la violación de mujeres lo acabara portando la representación de alguien cuya principal característica es la de ser virgen.

El triunfo del fascismo

Corramos un tupido velo sobre la guerra civil española, de la que se han escrito, se escriben y se escribirán libros y más libros, porque es un período apasionante, pero del que, opiniones y ensayos históricos aparte, todavía, casi ochenta años después, no puede hablarse, debatirse, ni legislarse sin «reabrir las heridas», que es como llaman estos liberales de ahora a cualquier intento por restablecer el honor de personas inocentes asesinadas por las tropas golpistas y que siguen figurando en los juzgados y archivos como criminales. Dejando de lado la guerra civil, decíamos, vamos a entrar en la dictadura, un infierno de cuarenta años para los amantes de la libertad, y para otros un período «de extraordinaria placidez», tal y como lo definió Jaime Mayor Oreja, que formó parte de la terna que Aznar tenía apuntada en su cuadernito y de la que salió el actual presidente del gobierno de España. Otra vez la «marca España».

Franco tuvo suerte si revisamos lo que ocurrió en aquellos años convulsos. Como decíamos, se apuntó al golpe a última hora. Sanjurjo, que estaba destinado a presidir lo que saliera de aquel intento, ya dijo de él en 1933, estando en la cárcel: «Franquito es un cuquito que va a lo suyito», porque no se sumó al primer intento de derrocar la democracia en agosto de 1932. En 1936 se ratificó: «Franco nunca hará nada porque es un cuco.» También Mola manifestó su desprecio cuando Franco le envió un mensaje unos días antes para decirle que no se apuntaba al levantamiento: «Con Franquito o sin Franquito.» Incluso José Antonio primo de Rivera andaba cabreado con él por su indeterminación. Como se hacía tanto de rogar e iba de lo que ahora se llamaría un «general estrella», se referían a él como «Miss Islas Canarias 1936». Pues bien, Miss Canarias se acabaría haciendo con el cotarro tras las desgracias que se sucedieron de forma concatenada.

Fusilados los generales Fanjul y Goded tras los fracasos de sus respectivos levantamientos en Madrid y Barcelona, y tras la muerte en accidente de aviación del general Sanjurjo, que, procedente de Portugal, venía a encabezar lo que se suponía una entrada inmediata en Madrid y a presidir el gobierno resultante,[86] en 1936 sólo quedaba Mola de los primigenios conspiradores. Tampoco podía disputarle el liderazgo José Antonio, porque estaba preso en Alicante y fue fusilado el 20 de noviembre de ese mismo año. Así, después de morir el general Mola en junio de 1937, también en accidente aéreo, Franco se encontró, sin comerlo ni beberlo, de jefe supremo y único de una conspiración en la que entró a última hora y de rebote. La cosa le salió tan redonda y fueron tantas las casualidades que durante mucho tiempo circularon teorías conspiratorias sobre su fulgurante ascenso al poder.

Especulaciones aparte, la cuestión es que España es el único país donde triunfó el fascismo y se quedó durante cuarenta años. Tuvimos esa suerte. Si eso no es la marca España, nos marcó mucho y, desde luego, es un hecho distintivo.

¿Cómo fue esa experiencia?

Si de algo no se puede acusar a Franco es de faltar a su palabra cuando amenaza.

86. Según el piloto, que sobrevivió, Ansaldo se llamaba, el exceso de peso fue la causa del accidente. La avioneta no cogió altura en el despegue y chocó con unos árboles. Al parecer Sanjurjo llevaba un baúl lleno de uniformes para la entrada triunfal en Madrid. Tan aguerrido militar murió por presumido.

Ya en la Legión Española, durante la guerra de África, era conocido por su frialdad y su indiferencia al dolor ajeno. Tal vez intentaba compensar, dando muestras públicas de una excesiva crueldad, las precarias cualidades físicas que aportaban su escasa estatura y su voz atiplada, lo opuesto a la imagen que se supone a un mando aterrador. Más bien al contrario, le conferían un aspecto algo ridículo que le hizo víctima de numerosas novatadas y abusos durante su paso por la Academia Militar.

Se han escrito muchas biografías sobre el personaje, también una psicológica del psiquiatra Enrique González Duro, en la que relata su infancia como difícil, con un padre vividor, bastante golfo, que hizo sufrir mucho a su madre, a la que la criatura adoraba, creciendo algo tocado del ala. Más tarde, por sus acciones, delataría un perfil psicópata sin el menor sentimiento de culpa. Se le retrata como un ser mediocre y mentiroso que llega a creer sus propias mentiras. No dejó una obra relevante en la que pudieran basarse sus defensores a la hora de venderlo como el superhombre que cuentan que fue. Él mismo orquestó un culto a su personalidad absolutamente ridículo, que le mostraba como un elegido, un ser enviado por dios para salvar a España y, a través de ella, a la humanidad. El mismísimo Pinochet llegó a decir de él que era su dios. Llegó a ser la más alta autoridad en lo político, pero también en lo eclesiástico, ya que Franco elegía los obispos de una terna que le presentaban, una gracia que le concedió el Vaticano. Otra vez la «marca España». En la apoteosis del delirio, este hombre, que era un gran ignorante, fue proclamado «primer periodista de España». Sus hagiógrafos, pelotas impenitentes, le consideraban también «la primera pluma de España». Con la vocecita que gastaba, hoy en día ese dudoso título tendría una connotación muy diferente que habría hecho rodar más de una cabeza.

Durante la guerra de África, a sus tropas les permitía cometer todo tipo de atrocidades sobre los pueblos que tomaban y consentía la ejecución y mutilación de los prisioneros. Estos años contribuyeron a deshumanizar al que sería el Caudillo de todos los españoles. Tanto él como sus compañeros sentían orgullo de las atrocidades que cometían sus hombres. El propio dictador Primo de Rivera quedó horrorizado durante una visita a Marruecos en 1926, cuando se percató de que algunos miembros de las tropas que esperaban en formación para pasar revista portaban en sus bayonetas cabezas de moros ensartadas.

A su paso por las fuerzas de Regulares y La Legión, un oficial mayor que él y poco sospechoso de ser aprensivo, como era Queipo de Llano,[87] quedó impresionado de la brutalidad con la que Franco reprimía a sus tropas por delitos menores. A los desertores se les fusilaba sin contemplaciones. Millán Astray, fundador de la Legión y entonces su superior, fue consultado por Franco con respecto al uso de la pena de muerte, y aquél le contestó que la aplicara en el uso estricto que marcaba el código de justicia militar. Sin embargo, a los pocos días un soldado arrojó la comida a un superior y Franco le mandó fusilar y después hizo que la tropa desfilara delante de su cadáver. Estas prácticas explican la indiferencia y soltura con la que empleó el terror durante la guerra civil años más tarde.

Las tropas coloniales africanas fueron testadas en Asturias a instancias de Franco cuando fue elegido por el presidente del gobierno de la República, Alejandro Lerroux, para sofocar la revolución que se produjo allí en octubre de 1934 con motivo de una convocatoria de huelga de los sindicatos de izquierdas, a raíz de la entrada en el gobierno de miembros de la CEDA que no eran republicanos y, además, se regían por los postulados y las maneras neofascistas que proclamaba su líder José María Gil-Robles. Aprovechando esta convocatoria de huelga, en Asturias se tomaron los cuarteles de la Guardia Civil y se instauró una comuna. El gobierno, tratando de evitar que ese movimiento se extendiera por toda España, decidió reprimir con dureza a los obreros. Como Gil-Robles no se fiaba del jefe del Alto Estado Mayor, presionó a Lerroux y éste cedió la organización de la represión a los generales Goded y Franco (que ya se había encargado de sofocar la huelga de Asturias de 1917). Re-

87. El que incitaba a la violación desde la radio.

comendaron que la acción la llevaran a cabo la Legión y las tropas de Regulares,[88] fuerzas mercenarias que ahorrarían, además, el desgaste político que supondría la muerte de soldados jóvenes españoles. El gobierno conservador aprobó la propuesta y el resultado fue una masacre.

La zona quedó aislada, se instauró la censura en la prensa, y hasta que, una vez sofocada la rebelión, no entraron allí inspectores parlamentarios, nada se supo de los métodos que se utilizaron contra los obreros huelguistas. La barbarie que se había empleado en África en la guerra de Marruecos se trasladó a la Península y demostró ser de una eficacia espectacular. De nuevo se reprodujeron los asesinatos, amputaciones y violaciones que eran norma en la colonia africana, así como imágenes dantescas que nada tienen que ver con la reinstauración del orden. A algunos soldados les gustaba ensartar orejas en un alambre y colgárselas al cuello a modo de collar. Miembros del ejército español se opusieron y frenaron esas prácticas. Aquel recuerdo pesó mucho en la memoria de estos pueblos cuando dos años más tarde los militares golpistas se lanzaron contra el gobierno encabezados por el mismo general que ordenó entrar en Asturias a cuchillo.

Franco sacó sus conclusiones y el empeño que manifestó en pasar las tropas por el Estrecho de Gibraltar en julio de 1936 no fue un capricho. Sabía del poder mortífero que desarrollaban esas tropas indígenas formadas por auténticos salvajes, y conocía el efecto terrorífico y desmoralizador que causaban aquellos crímenes execrables. Toda su vida, en actos oficiales y desfiles, se hizo acompañar de su famosa guardia mora, probablemente para evitar el olvido y que no quedara la menor duda de que no se arrepentía de nada.

Éste y no otro era el personaje que exigía «rendición incondicional» para detener la guerra. Acostumbrado a aniquilar al que se le ponía enfrente, cuando el ejército de la República fue derrotado, dejó manos libres para que los vencedores se tomaran la justicia por su mano. Así lo hicieron desde el primer momento. Ya el 30 de marzo de 1939, un día antes de

88. Tropas creadas en África con personal indígena.

terminar la guerra, se creó el campo de concentración de Los Almendros, en Alicante, donde recluyeron a los últimos miembros de las tropas republicanas, así como a hombres, mujeres y niños que esperaban en el puerto a ser evacuados en barcos que nunca llegaron. Allí se presentaban los falangistas para, como en un supermercado, solos o acompañados por personajes locales con ansias de venganza, seleccionar a presos a los que subían en camionetas y desaparecían para siempre.

Tras este triste inicio, que se desarrolló de forma parecida en distintos puntos de nuestra geografía, empezó el período conocido en la historia como «el franquismo», porque no hubo más gobernante que él, ni otra voluntad que la del Generalísimo. En agosto de 1939 se promulga una ley que le atribuye la capacidad de dictar normas «sin ningún tipo de condicionante». O sea, lo que le saliera de... el huevo.[89]

Fueron cuarenta años de un régimen totalitario, como él mismo lo definió en principio, para más tarde llamarlo «democracia orgánica», un engendro que no reconoce la participación popular por el sufragio universal, sino por las relaciones en las entidades sociales «naturales», como son la familia, el municipio y el sindicato, rechazando, explícitamente, los principios liberales,[90] el parlamentarismo y los partidos políticos.

En los años de la guerra, hubo un éxodo masivo de intelectuales, músicos, escritores, actores, cineastas, dramaturgos, poetas, catedráticos, científicos... Todo aquel que hubiera tenido conexión con el gobierno de la República o hubiera manifestado su simpatía hacia él corría el riesgo de ser denunciado por rojo y su vida pasaba a depender del azar.

Al tiempo que alguien era ajusticiado, se le desposeía de sus propiedades, por lo que es fácil entender cómo se utilizaron las denuncias y los fusilamientos para acceder al patrimonio ajeno por la vía del crimen.

89. Al parecer, al igual que Napoleón y Hitler, sólo tenía uno.
90. Ahora, como decíamos, los franquistas y sus adoradores en la sombra, los señores de centro, se llaman a sí mismos liberales, creando una gran confusión.

Desde luego hay razones para que algunos políticos se opongan al desarrollo de la Ley de Memoria Histórica, ya que saldrían al descubierto usurpaciones de todo tipo, fincas, negocios, pisos que los vencedores incautaron a sus legítimos propietarios y de cuya vergonzosa apropiación no están dispuestos a responder. Por no hablar de los 30.000 niños que desaparecieron o fueron arrancados de los brazos de sus madres.

No es mi intención dar a entender que sólo se cometieron fechorías en un bando, pero los muertos de los vencedores han tenido reparación histórica y moral, ninguno ha pasado a la historia como un criminal, ni siquiera los que lo fueron, llegando incluso a tener dedicadas calles, plazas y todo tipo de recuerdos. No hay en España un solo pueblo que no tenga una placa en una de las paredes de la iglesia en memoria de los «Caídos por Dios y por España», que incluye los nombres de todos los de ese bando que murieron en el conflicto, bien asesinados o en el frente luchando. Del bando de los vencidos todavía tenemos miles de sentencias de inocentes que permanecen como criminales, así como cunetas llenas de fosas comunes. Los demócratas de centro no quieren reparar esta impresentable injusticia histórica. Se niegan, incluso, a que los familiares les den sepultura según sus ritos y creencias. Parece que la guerra, ochenta años después, para algunos no ha terminado. Lo que ocurrió aún les parece poco. Otra vez la «marca España».

España, sobre todo tras la derrota de Hitler, del que éramos aliados y defensores a ultranza, quedó aislada del resto del mundo. Sin libertad, sin artistas, sin atisbo de vida intelectual, todo se redujo a folclore, pan, vino, fútbol y toros. Una atroz censura nos impedía conectarnos con lo que pasaba en el resto del mundo. Así vivimos durante cuarenta años. Ni siquiera los cantantes de rock podían actuar aquí hasta el final de la dictadura. El primer concierto de un grupo extranjero importante que recuerdo en Madrid fue en el año 1973, y se trataba de King Crimson. Algún grupo como los Beatles o los Kinks se había colado, pero fueron casos puntuales. Todavía en el año 80, cinco años después de la muerte de Franco, se prohibió el concierto de Bob Marley por «posibles alteraciones del orden público». Alteraciones que nunca vi en un concierto de rock.[91] La gente seguía teniendo mucho respeto por los «maderos», o la «pasma», que es como se llamaba entonces a la policía, y los métodos que usaban seguían siendo expeditivos, por lo que el personal y, sobre todo, si tenía una pinta sospechosa, andaba más tieso que una vela. Cabría recordar que, puestos a hablar de alteraciones del orden, siempre se producen en los grandes partidos de fútbol sin que nadie se plantee su prohibición.

La dictadura duró hasta que murió Franco y algo más, sostenida por unas feroces fuerzas del orden. La única lucha organizada que contaba con un respaldo popular que tener en cuenta la llevaba, sobre todo, el Partido Comunista, en sintonía con su sindicato de clase Comisiones Obreras. Existía infinidad de otros partidos y movimientos clandestinos, anarquistas, maoístas, trotskistas, socialistas, cada uno de ellos con varias fracciones y escisiones, así como partidos independentistas de todas y cada una de las regiones. No había una posibilidad real de cambiar las cosas porque el desequilibrio era desmesurado a favor de las fuerzas del orden y, además, la gran mayoría silenciosa era «de lo que había», todavía estaba aterrorizada ante la posibilidad de una nueva guerra. Estos grupúsculos de resistencia, todos marxistas, cumplían la clara función de anunciar que sin Franco el franquismo no sobreviviría o, al menos, no lo haría eternamente. Como cantaba Lluís Llach en su canción *L'estaca*, «si estiramos todos caerá, y mucho tiempo no puede durar, seguro que cae, bien podrida debe de estar ya. Si tú la estiras por aquí, y yo la estiro por allá, seguro que cae y nos podremos liberar». Pues ésa era la cosa, unos tiraban por un lado y otros por otro, y la sensación era de que, aunque todo parecía «atado y bien atado», como dijo Franco cuando nombró sucesor al rey, la situación se les escapaba de las manos.

Cuando se atisbaba el final de la dictadura, la impaciencia revolvía la calle y la ansiedad carcomía al personal mientras los ministros de Franco se empleaban en tomar medidas de todo

91. A excepción del concierto de Lou Reed en el campo del Mosca, donde el cantante hizo mutis y el público se subió al escenario y lo saqueó.

tipo para retrasar hasta lo extenuante el fin del régimen. Solían salpicar con algún muerto por «tiros al aire» o fusilamientos[92] aquellos últimos años de la dictadura, para dejar constancia de que se irían matando y de que no estaban dispuestos ni a bajar la guardia, ni a dejar de hacer ostentación del desprecio que sentían por aquel pueblo oprimido. Mientras, los grupúsculos políticos seguían luchando en la clandestinidad, y a pesar de que alguno contaba con apenas algo más de mil militantes en toda España, creían que una revolución como la de los bolcheviques en Rusia estaba al caer.

La detención por presunta pertenencia a uno de estos grupos o la posesión de propaganda ilegal implicaba torturas, cárcel y «antecedentes penales», lo que significaba la apertura de un expediente académico que impedía continuar los estudios superiores, así como trabajar de funcionario o sacarse el pasaporte. Un desastre. Algunos pagaron su lucha por la libertad con algo más, con la propia vida.

Finalmente, tras años y años de represión, llevada a cabo con precisión y fidelidad por los distintos gobiernos que se fueron relevando entre falangistas, tecnócratas «adictos» y miembros del Opus Dei, se llegó al ocaso del dictador y de la dictadura, años en los que destacaba por su constante presencia mediática y por su vehemencia un político llamado Manuel Fraga Iribarne, que, en su irreductible voluntad de servicio a España, no sólo fue protagonista de la vida política durante el fascismo, sino también durante la Transición y la democracia, un caso único en el mundo. De nuevo, la «marca España». Cuando murió el dictador ocupó el honroso cargo de ministro de la Gobernación, lo que ahora se llamaría de Interior, el encargado de la policía y la represión. Estuvo a la altura, se encargó de que todo siguiera como antes, a pesar de que, a todas luces, aquello ya no tenía el menor sentido. Pero el hombre hizo lo que pudo por perpetuar los privilegios de los suyos. Desde luego, si aquí llegó la democracia no se le puede hacer responsable, pero sí de los crímenes políticos que se cometie-

92. En septiembre de 1975, dos meses antes de la muerte de Franco, fusilaron a cinco personas.

ron durante este período que llaman «Transición», porque con la gallardía que le caracterizaba salía en público asumiendo toda la responsabilidad de las acciones de sus hombres. Ahí se detenía toda investigación, y como ocurrió en los sucesos de Vitoria en el año 1976, donde la policía ametralló a ciudadanos indefensos matando a cinco personas e hiriendo a más de cien, los crímenes quedaban impunes. En aquellos tiempos acuñó la desgraciada frase de «la calle es mía», que constituye en sí toda una declaración de principios. Y lo peor es que era verdad. Pues nada, para mí, siguiendo sus instrucciones, continúa siendo responsable de aquella barbarie. Antes, entre los años 1962 y 1969, había sido ministro de Información y Turismo, el encargado de la censura hablando en plata, y protagonista del célebre baño en Palomares, Almería.

La bomba de Palomares: marca España cañí

Nos detendremos un poco en este incidente de Palomares, que es lo que los americanos llaman un *broken arrow* (flecha rota), y que consiste en la pérdida o destrucción de armas nucleares, porque con este suceso se podría haber hecho una comedia al estilo Berlanga, si no fuera porque lleva asociada una carga dramática importante.

Resulta que Franco, para garantizar la perpetuidad de su especie, llegó a un trato con Estados Unidos, antiguo enemigo en la segunda guerra mundial, pero como él anticomunista irredento, lo que permitía que los propagandistas y exportadores de la democracia y su principal enemigo y detractor, Franco, se entendieran perfectamente. Pues eso, que el Generalísimo, para anclarse en el poder, llegó a un pacto que permitía al ejército americano construir bases militares en España en las que podían hacer lo que les diera la gana sin dar explicaciones a nadie. En realidad, esto último no estaba incluido en el pacto, pero es como funcionaba la cosa y una buena muestra de ello es esta historia de Palomares. A cambio, dejarían en paz a Franco y le darían trato de jefe de Estado normal, con todos los honores.

El 17 de enero de 1966, un bombardero que regresaba de una misión en la frontera turco-soviética cargadito de bombas nucleares chocó con otro avión de los suyos durante una maniobra de aprovisionamiento de combustible. Ambos cayeron, con bombas incluidas, a tierra. Bueno, una de las bombas, eran cuatro, cayó al mar y fue encontrada con la cooperación necesaria de un pescador llamado Francisco, que andaba faenando por la zona y que, lógicamente, pasó a llamarse «Paco el de la bomba». Gracias a un dispositivo secreto que llevaban estos artefactos, no explotaron las bombas propiamente dichas, pero sí los mecanismos de explosión convencionales que contenían, una especie de detonadores, lo que, sumado al golpe contra el suelo, provocó que se hicieran pedazos, esparciendo, con la ayuda del viento, su contenido radiactivo por doquier. Aquí empieza el tema de la «marca España».

Inmediatamente se dio orden de prohibir cualquier información que se aproximara a la realidad. La ocultación completa de los hechos resultó imposible porque el mundo entero ya había situado a Palomares en el mapa. Aunque la cuestión se minimizó, como los españoles leían la prensa con un traductor mental simultáneo que les permitía encontrar un subtexto que se aproximaba más a la realidad que las noticias que se publicaban, se hicieron una idea de lo que podía haber ocurrido, pero en ningún caso fueron conscientes de la gravedad del suceso ni de lo cerca que había estado Palomares de convertirse en la nueva Hiroshima.

Desde el primer momento, se pusieron a limpiar la zona españoles y americanos en comandita. Se llevaron toneladas de tierra contaminada hasta cementerios nucleares de Estados Unidos. Los americanos encargados de la limpieza llevaban trajes de protección, los españoles no: limpiaron a pelo. Si tenemos en cuenta que todavía esa zona es la más contaminada con plutonio de todo el planeta, habría que saber qué niveles daba cuando todavía estaba calentita. La duquesa de Medina-Sidonia encabezó una manifestación en defensa de los agricultores para reclamar indemnizaciones y fue a parar a la prisión. Salió a los ocho meses, al beneficiarse de una amnistía.

En medio de aquel fregado que desencadenó un debate internacional sobre las armas y la energía nuclear, excepto en España, donde seguía sin pasar nada, don Manuel Fraga Iribarne, a la sazón ministro de Información y Turismo, decidió darse un baño en las aguas de aquel pueblo, intentando demostrar que la zona estaba limpia de cualquier contaminación radiactiva y que era falso lo que denunciaba la conspiración judeomasónica en ese sentido. Lo único que demostró es que era más tonto de lo previsto. Nada podían sus acciones voluntaristas de propaganda contra los datos de las mediciones que indicaban que lo mejor era salir de allí pitando.

En un alarde científico sin precedentes, los propagandistas sacaban, por ejemplo, a dos pescadores a los que preguntaban si se comían las gambas que pescaban. Al responder afirmativamente, el sagaz periodista concluía que quedaba demostrado lo inocuo de las aguas. Me gustaría saber la suerte que corrieron aquellos pobres hombres. Todavía a día de hoy los datos señalan que el índice de contaminación en aquella zona supera en veinte veces el máximo para una vida saludable.

Además, como decíamos, la prensa española, totalmente controlada por el gobierno, no era fiable en absoluto, por lo que, en primer lugar, nadie creyó que se bañaran en la costa donde cayó la bomba, aunque al parecer así fue, y, por otra parte, los españoles estaban acostumbrados, como decíamos, a leer entre líneas y aquellas imágenes lejos de tranquilizar al personal dispararon las alarmas y dieron a entender que la situación era mucho más grave de lo que se pensaba.

En el baño acompañaban a Fraga, además del embajador de Estados Unidos en España, el presidente y el director de la agencia EFE, Carlos Sentís y Carlos Mendo, respectivamente, con lo que, en otra prueba de inteligencia, el señor ministro ratificaba, por si no estuviera claro, que la agencia de información estaba al servicio de la propaganda del régimen. Se cargó las dos caras del mismo ministerio, información y turismo, de un plumazo.

Eso sí, se convirtió en el pionero de los posados de verano en bañador que tanta gloria dieron años más tarde a Ana García Obregón. En el caso de don Manuel, además, con un toque de estilismo añadido. El bañador que calzaba, un Meyba modelo mesa camilla, quedó inmortalizado como el paradigma del anticlímax. Se llamó desde entonces «modelo Fraga».

Si tenemos en cuenta que comenzó a trabajar para el régimen de Franco a principios de los años cincuenta, podemos afirmar que dedicó los mejores años de su vida, cuando su inteligencia y energía alcanzaban todo su esplendor, a que en este país nunca hubiera ni democracia ni libertad.

Más tarde fundó un partido llamado Alianza Popular (AP), que luego se convirtió en Partido Popular (PP), partido del que ha sido presidente fundador honorífico hasta su muerte. ¿Vamos entendiendo de dónde venimos?

Una Transición tutelada

Es sábado por la mañana. Pongo la radio. En una emisora entrevistan a un historiador que acaba de publicar un libro sobre la guerra civil española. El autor explica con todo lujo de detalles el comienzo de la guerra en el año 1934. El presentador no le corrige, abunda en su teoría.

La guerra empezó el 18 de julio de 1936. Tanto uno como otro obvian, entre otras cosas, las elecciones generales celebradas ese mismo año, que hubieran sido imposibles en pleno estado de guerra, en las que el Frente Popular obtuvo la mayoría absoluta, que, coartadas aparte, fue la causa del golpe que perpetraron Mola, Sanjurjo y Franco seis meses más tarde. Ya en 1932, cuando también perdió las elecciones la derecha, hubo otro intento de acabar con la democracia que encabezó el general Sanjurjo, pero la sublevación militar fracasó. Parece que existe una relación directa entre perder las elecciones y dar un golpe de Estado. Nuestro ejército disponía de un resorte en el culo que se activaba en cuanto se publicaban los resultados: si palmaba la derecha, se disparaba el muelle y se levantaba en armas. Unas veces salía bien y otras no. El «18 de Julio» de 1936[93]

93. Paradójicamente, «18 de Julio» es también el nombre de la principal avenida de Montevideo por razones opuestas. Ese día en 1830 se llevó a cabo en aquel país la jura de la Constitución.

les salió bien, por eso durante medio siglo hemos celebrado el día del «Alzamiento», que, además de ser festivo, tenía un significado muy especial para todos los españoles porque en esa fecha se daba una paga extra. Primero dejó de ser festivo, luego eliminaron la paga «extraordinaria», y ahora, estos fachas contemporáneos que se dedican a la historia-ficción de la mano de nuestros amigos de «centro», borran también de ese día el «golpe de Estado». Pobre 18 de Julio, ¡qué bajo has caído! Si Franco levantara la cabeza y viera que le relegan a un segundo plano, que quieren convertirle en un militar que se limitó a cumplir con su obligación, un militar honesto, obviando la misión divina que le fue encomendada por el Altísimo de salvar a la civilización de las garras del comunismo, emprendiendo la santa cruzada contra la democracia, la conspiración judeomasónica y el contubernio sodomita intelectual; si Franco pudiera ver que son precisamente los suyos los que están llevando a cabo esta labor atenuadora de su gesta que diera gloria a los más grandes caudillos y estrategas de la historia de la humanidad; si descubriera que son «los suyos» los que quieren borrarle de «la gran página de la Historia», quedaría tan desorientado que no sabría exactamente a quién fusilar. Y eso es algo en lo que el Caudillo era infalible, nunca le tembló la mano. La izquierda sí, por culpa del Parkinson, pero jamás aquella con la que firmaba las penas de muerte.

Es probable que también se sorprendiera de que muchos medios de comunicación estén en manos de personal que se sitúa a su derecha ideológicamente y que continúan con el mismo sistema de manipulación y propaganda de sus buenos tiempos.

¿Cómo se llega a esto de llamar al pan «lobanillo» y al vino «zarajo»?

El método es sencillo, consiste en tener claro el objetivo: dar la espalda a la verdad, ignorar los hechos. Lo inventaron los nazis con aquel gran jefe de propaganda llamado Goebbels, que tenía como misión el control de la radio, la prensa, la literatura..., ¿les suena? Operaba con una técnica sintetizada en diecinueve principios con los que se conseguía hacer que los súbditos vieran negro aquello que era blanco. Algunos afirman que no era tan listo, que la imagen que tenemos de él también es fruto de su propaganda y, por tanto, de dudosa credibilidad. Eso aclararía por qué una persona que presumía de inteligencia fue capaz de matar con la colaboración de su mujer y con total frialdad a sus cinco hijos. En fin, detalles familiares aparte, a él se le atribuye la célebre frase «una mentira repetida mil veces se convierte en verdad».

Algo parecido ha ocurrido con la farsa de que la guerra empezó en 1934. La primera vez que la escuché me pareció una extravagancia de un facha trasnochado que no decía más que incoherencias. Ahora ya es la fecha oficial para nuestros alegres muchachos de centro y la versión que, al parecer, quiere doña Esperanza que se enseñe en los centros educativos en la Comunidad de Madrid, a juzgar por los cursos de capacitación para profesores y catedráticos que dicha Comunidad organizó con fondos públicos, en los que se abundaba en esta tesis y que llevaron por título: «Cuestiones sobre la España de 1931 a 1939», con la inapreciable colaboración de Pío Moa, autor de frases tan ejemplarizantes como «Franco es el político de mayor envergadura de los dos últimos siglos» (pobre Aznar, creía que era él, y pobre Franco, que odiaba a los políticos).

Aunque este cambio en la fecha del inicio del conflicto armado, que pasa de empezar en 1936 a hacerlo en 1934, pueda parecer intrascendente, no lo es. Se trata de una estrategia perversa, ya que Franco no sería el traidor que incumplió su juramento de fidelidad a la República ordenando fusilar a sus compañeros. Tampoco sería el responsable del mayor derramamiento de sangre de nuestra historia en su afán por usurpar el poder hasta el día de su muerte, aboliendo la democracia y la libertad con la colaboración imprescindible de su aliado Adolf Hitler.

En esta nueva versión, Franco se encuentra en su puesto en 1934 y no hace sino repeler un ataque que comienzan los rojos en Asturias con la pretensión de conquistar el resto de España, como hiciera don Pelayo doce siglos antes, pero con la intención contraria: acabar con la cristianización, el orden y la convivencia, convirtiendo España en un solar regado de sangre, donde sólo reinarían el caos, el crimen y el ateísmo homosexual.

Esta versión, que le presenta como freno de la barbarie en defensa de la paz, le transforma en un militar fiel a su juramento de respeto a la legalidad vigente. Ya no sería un militar traidor, sino, oficialmente, un héroe al servicio de la patria que sólo pretende evitar un derramamiento de sangre. Vamos, un filántropo. De nuevo se pasea al personaje bajo palio cual santo salvador, como en los buenos tiempos.

Estos nuevos historiadores que vienen a dar la versión última de la guerra, para borrar definitivamente los crímenes, robos y demás fechorías cometidas por los vencedores, de la dictadura posterior no suelen hablar. Ese capítulo todavía no lo han reescrito, pero no me cabe duda de que con el tiempo aquella tiranía se convertirá en el mayor período de democracia y libertad de los dos últimos siglos. Sólo hace falta que el sucesor de Esperanza Aguirre, la que quiere regenerar la democracia, continúe la labor revisionista de la historia que ella ha comenzado con tan buen tino, y culmine su obra falsaria organizando un nuevo curso que podría titularse: «Corriendo descalzos por los jardines en flor: España 1936-1975.» Personal cualificado para defender tamaña falacia no le va a faltar.

Ahora se debate mucho sobre si la verdad existe o es imposible llegar a ella porque todo pensamiento está filtrado por distintas creencias, ideologías y otros condicionantes. Recuerdo que estuve en un encuentro de periodistas consagrados que dirigían diferentes medios, a los que habían citado para hacerles una foto y hablaban de lo difícil que resulta encontrar «la verdad» si uno lee por las mañanas las portadas de los distintos diarios. Llegaron a la conclusión de que toda información es subjetiva y no existe la verdad absoluta. Introduje un pequeño matiz en la conversación: «Ayudaría bastante no mentir», dije. Por supuesto mi intervención causó un breve silencio y no interesó a nadie. Continuaron hablando de sus cosas.

Nos intentan confundir haciéndonos creer que estar equivocado y mentir son la misma cosa. Uno puede transmitir un error, una información falsa, para más tarde descubrir el fallo, disculparse y punto. Otra cosa muy distinta es fabricar noticias, tergiversar situaciones, falsear datos y decir o publicar cosas a sabiendas de que no son ciertas.

Reproduzco una noticia de TVE que se da, precisamente, mientras escribo este capítulo. Hablando de ETA, dice la voz en *off* pretendiendo manipular de forma sutil, así como colándola de tapadillo, aunque el resultado es burdo: «Hace ya más de tres años que ETA no comete ningún acto violento, aunque permanecen grabados en nuestra memoria atentados como el de Hipercor o el del 11-M.» Vuelven a repetir las falsedades que vertieron tras aquel brutal atentado de los trenes, tanto el presidente Aznar como su ministro Acebes, con el miserable fin de ganar unas elecciones utilizando de arma de campaña la sangre de las víctimas y el dolor de todos los ciudadanos. Elevando estas mentiras a la categoría de verdad, la TVE del Partido Popular vuelve a meter el dedo en la herida para restregarnos la certeza de que, lejos de arrepentirse de aquello, seguirán dando la espalda a la responsabilidad y el mínimo sentido de la honestidad que requiere la información de un medio público.

Si vergonzosa es la información, sólo puede calificarse de desprecio a los ciudadanos esa especie de aclaración de lo ocurrido por parte de la directora, Diana Arias, que se disculpa «por la ambigüedad de esta frase desafortunada». No hay ambigüedad alguna, se trata de una afirmación sobre un tema que ya huele, que da asco. Y continúa la señora: «No ha habido intención alguna de atribuir el atentado a ETA.» En efecto, no hay intención, se atribuye sin más, y por lo que dice luego, que «no quiere sembrar duda sobre la autoría oficialmente reconocida en la sentencia», concluimos que la atribuye a sabiendas de que no es cierto. Podría caber la excusa de que fue un fallo de la locutora, pero es que las palabras van acompañadas de imágenes que previamente se han seleccionado y editado, es decir, que se han tomado su tiempo y su laboratorio para fabricar la mentira. Así de sencillo y vergonzoso. Las disculpas serían más fáciles de aceptar si en ese acto se dijera la verdad, o al menos se intentara.

En fin, TVE ha pasado en sólo dos años de obtener todo tipo de premios, incluido el de «Mejor informativo del mundo» (TV News Award) de Media Tenor, por encima de la BBC, la CNN y demás televisiones de gran prestigio, a recibir una amonestación del Consejo de Europa.

Por seguir abundando en que esto no son visiones ni accidentes, sino una forma sui géneris de entender que en democracia, como en los «buenos tiempos», vale todo, voy a poner un ejemplo esperpéntico que también he visto hace poco. Con el fin de desacreditar los movimientos de ciudadanos que se han creado ante los desahucios de viviendas, en una cadena de televisión digital abrían un espacio informativo echando mano de un dato que afirmaba que los desahucios son en su gran mayoría de la quinta o sexta vivienda y que, prácticamente, no existen los de primera. Vamos, que en este país a nadie se le había puesto en la calle por no poder pagar la hipoteca. ¿De dónde salió el dato en el que se basaba la noticia? De la fábrica de datos de la propia redacción del informativo. Todo da lo mismo.

Recuerdo otra información que no puede ser considerada propaganda ni manipulación, sino simple estupidez. En una tertulia, también de la TDT, debatían sobre un supuesto plan oculto de Zapatero para hacer «el aborto obligatorio a todas las españolas». No explicaban el fin de tan extravagante y cruel medida, nada menos que la prohibición de la maternidad en España, pero es fácil concluir las consecuencias de su aplicación: desaparecerían los españoles. Estaríamos ante un proceso de ocaso por exterminio. De nuevo, el dato no se explica, ni se aclara, ni se contrasta, pero una vez puesto sobre la mesa da lugar a un debate jugoso.

Es evidente que no buscan convencer a nadie con esas sandeces, sino dejar constancia de que en los medios de comunicación se miente con impunidad. Advierten al ciudadano que no crea lo que ve, lee o escucha, con lo que la fuerza liberadora de la información, su valor como arma en defensa de la libertad y contra los abusos de los poderosos, queda menguada o neutralizada.

Por cosas como éstas se consigue que en el barómetro[94] del CIS (Centro de Investigaciones Sociológicas) el periodismo,

94. Instrumento para medir la presión atmosférica.

profesión que en su día fue mítica, aparezca como la segunda peor valorada por los ciudadanos, sólo por encima de la de juez. La de juez es la última. Vaya percepción que tiene la peña de nuestro sistema.

Curiosamente, tanto la información como la justicia son dos pilares imprescindibles para cualquier sistema que se llame democrático. El hecho de que la ciudadanía considere que jueces y periodistas incumplen su cometido por encontrarse al servicio de intereses ajenos a los que se les encomiendan es muy preocupante. ¿Acaso es la impresión que se intenta transmitir? ¿Quiere corromperse el sistema desde dentro para que los ciudadanos le den la espalda y reclamen otras soluciones? Pues es la conclusión a la que uno llega cuando escucha a los portavoces del gobierno dar explicaciones, por ejemplo, acerca del cobro de sobresueldos ilegales o indemnizaciones desorbitadas pagadas a excompañeros de partido a los que tratan públicamente como a enemigos mientras les transfieren ingresos en la cuenta corriente. También se justificaban estos sueldos como gastos de representación, o dietas (que sólo se dan por hacer cosas o asistir a algún sitio). Al ser catorce pagas y tener el año doce meses, podríamos concluir que hay dos meses en los que el afortunado receptor de los sobres trabajó en el hiperespacio, un medio de cuatro dimensiones. Con estas explicaciones no nos tratan como a tontos, nos dicen: «Tú eres tonto», y esto crea cierto desconcierto y desapego hacia el sistema democrático, al que, por ser sus máximos representantes, degeneran y devalúan hasta provocar la náusea.

Derecha marca España

¿Pretende decir el autor que la derecha es mala? Aquí sí entramos en el terreno de lo subjetivo y la experiencia que yo he tenido a lo largo de mi edad provecta es nefasta. No me gusta la derecha porque va a lo suyo, el lucro personal por encima de quien sea, de lo que sea, y si como Saturno tiene que devorar a sus hijos, pues se los zampa, pero ya puestos a matizar, «nuestra derecha» debería aceptar con más deportividad las reglas de juego, como lo hace el Partido Popular Europeo en general. Se me ocurren un par de cosillas para recuperar el tono democrático. Una, que las «ruedas de prensa» vuelvan a ser tales que los periodistas puedan preguntar, que para eso les pagan y no para coger al dictado la propaganda del gobierno.

Obligación número 1 para parecer demócrata: respeto a los profesionales de la información.

También se me ocurre que ante una situación de emergencia nacional como la que vivimos en el año 2013, en la que aparecen en los medios de comunicación acusaciones gravísimas de ilegalidades cometidas por miembros del gobierno, incluido el propio presidente, éste salga de forma inmediata y dé una explicación creíble y minuciosa. El silencio, el escaqueo, la salida por peteneras y, sobre todo, la mentira, incluso en el Parlamento, denotan una falta absoluta de sentido democrático. El presidente del gobierno tiene que abandonar esa actitud condescendiente y antidemocrática. Está obligado a comparecer ante los ciudadanos. Si no lo hace, debería abandonar su cargo para ponerse en manos de la justicia. Las comparecencias para justificar las acusaciones que sumen al pueblo en la desesperación ante la impotencia que genera un gobierno que pierde toda legitimidad al ser acusado constantemente de corrupto son obligatorias, una exigencia, no un ruego.

Obligación número 2 para parecer demócrata: ejercer de tal. Dejar de comportarse como un tirano del Medievo.

¿Pretende afirmar el autor que la derecha española difiere de otras que campean por Europa? No lo pretende, el autor lo afirma rotundamente. En Europa, el escaqueo institucional, el «ladran luego cabalgamos» (con las alforjas llenas, por cierto); el «siéntate en la puerta de casa a ver pasar el cadáver de tu enemigo»; el poner la mano en el fuego por el compañero cuando es presunto, que luego pasa a imputado y, finalmente, a convicto sin que la extremidad sufra la más mínima quemadura; este estado de cosas en Europa, decíamos, no se consiente. En absoluto. En Europa echan a políticos por mentir. Sí, sí, por mentir. ¿Cuántos años...?, perdón, ¿cuántos meses...?, per-

94

dón, ¿cuántos días...?, perdón, ¿cuántos segundos habrían durado algunos de nuestros actuales gobernantes si la mentira fuera incompatible con el cargo? Aquí todavía estamos debatiendo qué cantidad hay que sustraer a las arcas públicas para que se asuman responsabilidades y, por lo visto, la cifra tiende a infinito. Nuestra derecha es «marca España» y, aunque todas las derechas persiguen el mismo fin, sacar la mayor cantidad de pasta en el menor tiempo, en otros sitios se respetan las formas, y al ciudadano, que es el que paga la fiesta, le hacen creer que a él también se le respeta. Aquí, como vemos, ni nos dirigen la palabra, y cuando lo hacen es para cuestionar nuestra inteligencia o, mejor dicho, para restregarnos el diagnóstico al que llegaron hace mucho tiempo y que ya hemos descrito antes: «El ciudadano es idiota.» Sólo así deben explicarse que les siga votando.

También es cierto que en Europa, a la que pertenecemos desde hace menos de treinta años y de la que todavía no somos socios de tribuna, de momento nos tienen en preferente con amenaza de desahucio, son mucho más severos en la aplicación de la ley. Nuestra justicia, también marca España, de la que hablaremos más adelante, es lenta y dista de ser igual para todos. Con buenos abogados, como los que gastan los poderosos, se dilatan los procesos hasta el infinito y los sótanos de los juzgados se cargan de pliegos, papeles, recursos y resoluciones que ahogan los procesos en un mar de celulosa del que la primera víctima es el esclarecimiento de los hechos, la verdad.

Sí, nuestra derecha es distinta a la de los demás países europeos, salvo, quizá, la de Italia. ¡Vaya, qué casualidad!, allí también triunfó el fascismo, aunque por mucho menos tiempo.

Venimos de donde venimos, y eso nos hace diferentes. Aquello, por más que nos empeñemos en mirar para otro lado, no está tan lejos. Caló muy hondo. La caspa se incrustó en los hombros de las chaquetas y son demasiados los que se niegan a cepillarla. Parecen sentir orgullo de exhibirla. Como dijo don Manuel Fraga en la clausura de un congreso de su partido: «No debemos olvidar de dónde venimos.» El público, compuesto por lo más granado y florido de sus acólitos, puesto en pie, le ovacionó encendido, emocionado. Sus compañeros estaban con él. De allí venimos y así nos luce el pelo. ¡Cómo vamos a olvidarlo! La diferencia es que yo recuerdo aquella basura con pena, tristeza e impotencia. Ellos, a juzgar por el entusiasmo, con orgullo y nostalgia. No nos olvidamos, don Manuel, llevamos la «marca España» grabada a fuego en la rabadilla. Tampoco los chavales de las nuevas generaciones de su partido. Lucen la bandera de la «gallina»[95] con soltura y donaire y saludan con el brazo en alto con la misma gracia con la que lo hacían los obispos. Como dice la copla: «de los buenos manantiales salen los buenos ríos». Ya bajan la corriente haciendo *rafting* los nuevos demócratas de «centro».

Que todo cambie para que todo siga igual

Finalmente, y a pesar de la intercesión divina, Franco resultó ser mortal. En tanto que uno de los nuestros, pagó esa condición el día que su fecha de caducidad, 20 de noviembre de 1975, llegó.

Las intrigas palaciegas ya habían comenzado en el hospital durante la larga agonía del Caudillo, que fue prolongada todo lo que los adelantos técnicos permitieron porque los que ostentaban el poder no querían despertar de ese sueño imperial de abuso que mantuvo a España alejada del resto del mundo, como un satélite girando alrededor de Occidente. En general, el personal era muy bueno, dócil, conformista. Todo parecía bajo control... de las armas, pero control al fin.

Ahora se imponía un cambio de régimen. A pesar de que Franco en un discurso navideño anunciaba que dejaba todo «atado y bien atado», hubo un hecho que alarmó a los confiados y desestabilizó la cadena sucesoria que Franco tenía prevista: el atentado en el que perdió la vida Carrero Blanco en 1973.

Un régimen tan presidencialista como aquél, basado en el culto a la personalidad, característica común a todos los regí-

95. Tono despectivo con el que los progres se refieren a la gloriosa enseña que porta el águila imperial y que es la que ondeaba durante el franquismo.

menes totalitarios, se tambaleó cuando la figura destinada a recoger el relevo desapareció de la noche a la mañana. Bueno, todo parecía tambalearse menos el dictador, que al enterarse de la noticia dijo una frase que todavía nadie entiende: «No hay mal que por bien no venga.» Muchos historiadores se comen la cabeza intentando descifrar tan enigmático comentario. Desde luego no se curró mucho una frase para la historia y, en cualquier caso, es inoportuna donde las haya. Dando el pésame no era de gran consuelo el colega. Yo creo que, simplemente, estaba gagá y ni sentía ni padecía.

En el aire planeaban las dos opciones posibles: reforma o ruptura.

La «reforma» significaba que los que mandaban se quedaban en sus puestos dirigiendo la nave, dando pequeños pasos, intentando simular un acercamiento a la democracia. A cambio, se comprometían a sujetar a «la Bestia». Si la vieja guardia copaba los sillones de mando, el ejército, siempre vigilante, permanecería en los cuarteles. Ése era el chantaje, el pueblo continuaría de rehén.

La «ruptura», por el contrario, se escenificaría con la voladura de los puentes que nos unían con el franquismo y todos los responsables del antiguo régimen desaparecerían de la escena política.

Las clases medias tenían mucho miedo a una nueva intentona golpista. Todo el mundo daba por hecho que la dictadura y sus valedores no se disolverían voluntariamente. La libertad no era suficiente premio para el riesgo que corrían los ciudadanos, para lo mucho que se jugaban: la estabilidad. La paz, para aquellos que habían vivido una guerra tan salvaje, tan cruel; y para los que nacieron en la posguerra y se educaron en los mitos y las historias que se contaban de ella, era un activo tan valioso como la libertad que se sacrificaba en el camino. Se vivía bajo una amenaza permanente y real: los cuarteles estaban llenos de personal deseando salir a dar una vuelta. Además de la pérdida del poder, y con él todos los privilegios de los que disfrutaba esa clase dominante que tenía las armas de su lado, el ejército disponía de una razón para liarla que copaba los medios de comunicación: el terrorismo. ETA multiplicó el número de atentados a raíz de la amnistía de 1976.[96] El número de muertos se disparó, y valga la redundancia. En 1977 los muertos fueron 12; en 1978, 64; en 1979, 84; y se alcanzó el espeluznante récord de 93 muertos en 1980. Los cuarteles eran como una olla exprés, el ruido de los sables podía oírse desde las calles y la impresión general era que sólo estaban esperando el banderazo de salida para hacerse de nuevo con el poder. Más tarde se vio que aquello no era una simple paranoia.

La «ruptura» carecía de posibilidades reales y, sí o sí, nos metimos en la tortuosa senda reformista. Para liderar esta reforma política que nos llevaría hasta la democracia, el Rey nombró a Adolfo Suárez presidente de gobierno.

Haciendo gestos de cara a la galería, las reformas avanzaban a paso de tortuga hasta que un acontecimiento vino a ejercer de catalizador del cambio: el asesinato de los abogados de Atocha.

En la noche del 24 de enero de 1977, un año clave en la Transición de la dictadura a la democracia, un grupo de militantes de extrema derecha entró en un despacho de abogados laboralistas de la calle Atocha buscando al responsable del sindicato de transporte de Comisiones Obreras. Al no encontrarlo, comenzaron a disparar de forma indiscriminada matando a cinco personas, tres abogados, un estudiante y un representante sindical. Este grupo de asesinos quería transmitir el mensaje de que nada se iba a mover sin su consentimiento, porque, al margen de la autoridad y en connivencia con ella, permanecían grupos que se impondrían por la violencia llevándose por delante a quien fuera, con lo que creían que sería la colaboración, como decíamos, de las fuerzas del orden. La policía les protegía y, en algunos casos, sus miembros formaban parte de ellos.

Esta vez cruzaron la línea roja. Estaban tan convencidos de la impunidad de que gozaban que no se molestaron en huir del país y a los pocos días fueron detenidos.

Se instaló la capilla ardiente en el Colegio de Abogados,

96. Todos los presos de ETA salieron a la calle.

gesto simbólico de una gran importancia, porque una institución de ese peso, por primera vez, se ponía del lado de las víctimas del otro bando. La prensa destacó aquella barbarie condenando sin paliativos los crímenes. El entierro fue multitudinario. Miles de personas llenaron las calles de Madrid despidiendo los féretros. Los ciudadanos, puño en alto, en silencio, manteniendo la calma, dieron un ejemplo de civismo en aquella España convulsa que desconcertó a una policía que se encontraba protegiendo una manifestación ilegal de rojos, de comunistas.

Aquel entierro marca un antes y un después en la Transición. La figura de Carrillo, que supo contener a las masas, y el PCE, que demostró una capacidad de organización y convocatoria muy importante, salieron muy beneficiados. A los pocos meses, en plena Semana Santa, se legalizó el PCE, dándose un paso gigantesco hacia delante, aunque no se sabía si sería irreversible.

Muchos vieron en aquella legalización el apocalipsis y, sobre todo, una gran traición. Hay que tener en cuenta que Adolfo Suárez, presidente que asumió la decisión, había sido sólo dos años antes ministro secretario general del Movimiento, que equivalía al cargo de secretario general de Falange Española Tradicionalista y de las Juntas de Ofensiva Nacional Sindicalista, que es como se llamaba el único partido legal durante cuarenta años. O sea, había sido el máximo responsable de los reductos del fascismo español. La izquierda y la ciudadanía antifranquista desconfiaban de él, aunque acabó demostrando que su afán reformista iba en serio.

A pesar de que la caverna le odiaba a muerte porque traicionaba los Principios Fundamentales del Movimiento, cumplió un papel balsámico para los representantes de las diferentes instituciones que conformaban el Estado, a los que garantizaba su continuidad. Adolfo Suárez tuvo esa habilidad, la capacidad de sentarse con un representante genuino de la dictadura y la represión, y acto seguido recibir a un torturado, un militante del PCE. Aunque en principio no resultaba creíble para ninguno de los dos bandos, lo que le valió el sobrenombre de «tahúr del Misisipí» que le puso Alfonso Guerra, acabó convenciendo a propios y extraños de que su labor fue fundamental para lo que se llamó la reconciliación nacional.[97]

En efecto, esta maniobra de contener a los nostálgicos mientras abría la puerta de atrás para que se colaran las distintas opciones políticas que configuraron el arco parlamentario, una política de hechos consumados, tuvo su contrapartida. A nadie se pidió explicaciones por los robos, crímenes, usurpaciones, corrupción institucional generalizada, torturas, secuestros, abusos policiales etc., como ocurrió en otros cambios europeos. Cuando cayó el telón de acero, Honecker, presidente de la República Democrática Alemana, fue a la cárcel del tirón, condenado como responsable de los muertos que intentaban cruzar el muro de Berlín. Jaruzelski, presidente de Polonia, fue condenado a ocho años de cárcel por crímenes comunistas. Todavía hoy en Polonia se investiga a los funcionarios por su relación con el régimen comunista derrocado en 1989.

En España todo quedó en su sitio. Funcionarios, policía, jueces... Los políticos franquistas se reconvirtieron y se reciclaron en partidos legales.

Por eso a los liberales les gusta tanto habar de aquella Transición, porque significó, de hecho, una amnistía para los franquistas y la legalización de sus fechorías.

Se suele describir aquel período como una época de equilibrio, confraternidad y reconciliación. Nada más lejos de la realidad. Hay que tener en cuenta que, como decíamos, la policía, el ejército y los jueces seguían siendo los mismos y la seguían pagando con los mismos, por costumbre. Cuando el autor de este tratado escucha que hay que recuperar el espíritu de la Transición se le ponen los pelos de punta. Cuando se reclama esto, lo que se está proponiendo es que los políticos y las fuerzas del orden puedan volver a operar en la impunidad. Al margen de la ley, quería decir, porque con impunidad operan con bastante frecuencia.

Al propio autor, durante la Transición, le dieron una pali-

97. Reconciliación que, en realidad, nunca se produjo. Los hijos y nietos de aquéllos no permiten, todavía, enterrar a los muertos del bando perdedor.

za en plena calle unos policías por el delito de llevar el pelo largo. Concretamente el día del entierro de los abogados de Atocha, en la zona de Argüelles de Madrid. Se ve que venían con rabia contenida al contemplar el espectáculo de miles de rojos en las calles despidiendo a sus compañeros asesinados.

Con este ambientazo se redactó la Constitución Española de 1978, ratificada en referéndum en diciembre de ese mismo año. En la redacción de la Constitución Española había participación del antiguo régimen. A los redactores se les conoce como «padres de la Constitución», de modo que alguno que estaba allí para controlar que la cosa no se fuera de las manos pasó a la historia como promotor, como padre, vamos. Paradojas de la vida. Alguien que ha dedicado su existencia a luchar para que los ciudadanos carezcan de derechos elementales pasa a la historia como impulsor de la democracia y de la Constitución que la regula. El baño de Palomares, definitivamente, dotaba de superpoderes.

EL MILAGRO DEL AGUA EN VINO

Todos somos demócratas

El milagro se produjo. Una vez aceptado el fin de la dictadura, también hubo que aceptar pulpo como animal de compañía. Esa labor le fue encomendada a Adolfo Suárez, que acabó convertido en árbitro de la situación. Los ciudadanos le veían como la fuerza amortiguadora capaz de atenuar el choque de trenes en el que iban metidos. De esa manera, el que fuera ministro secretario general del Movimiento en el gabinete de Arias Navarro tras la muerte de Franco, fue nombrado presidente del gobierno, a dedo, por el Rey, que a su vez había sido nombrado por Franco, también a dedo, saltándose la línea sucesoria. El Generalísimo no sólo era capaz de coronar reyes; también, como hemos dicho, nombraba obispos con la venia del Vaticano. Era el amo de lo humano y lo divino, hacía lo que le salía del sable. Hay que ver lo lejos que llegó ese hombre, con lo cortito de cerebro que andaba: en cualquier reunión destacaría por ser el más tonto de la mesa. Sus compañeros de armas siempre lo supieron, le veían como un bicho raro muy interesado, pero con las bromas que le hicieron en la Academia General Militar y su desprecio posterior, fabricaron un monstruo resentido que la lió parda, lo que demuestra que la intransigencia y la crueldad son las armas más efectivas, muy por encima de la inteligencia o la razón.

Suárez, considerado por los dos bandos como un oportunista, consiguió ser en pocos meses el político más valorado por aquella ciudadanía incrédula y acojonada, al punto de que arrasó en las primeras elecciones generales quedándose a pocos escaños de la mayoría absoluta, liderando un partido recién formado llamado UCD (Unión de Centro Democrático). Fue el primer intento de formar un partido de centro, desde luego mucho más centrado que el que tomó el relevo.

El triunfo de la izquierda lo capitalizó el PSOE, al que, por cierto, no se le había visto el pelo en la lucha contra la dictadura, en detrimento del PCE, que sufrió un duro batacazo con respecto a los réditos que esperaba obtener de los muchos años de trabajo en la clandestinidad. La ciudadanía entendió que el país todavía no estaba maduro para tener un partido comunista fuerte en el Parlamento. La amenaza del ejército seguía latente y el personal estaba acojonado. Todavía, cuando se olían en el ambiente situaciones conflictivas, las amas de casa bajaban a las tiendas y hacían acopio de comida. Así de afianzado estaba el tema. Hasta que Tejero no fracasó con su golpe de Estado en 1981 y el ciudadano tuvo cierta confianza en que el ejército no saldría a calle en una temporada, no se permitió el lujo de votar una opción más de izquierda.

Al año siguiente del frustrado golpe de Estado, el PSOE arrasó en las elecciones generales, consiguiendo una mayoría absoluta abrumadora y doblando en escaños y votos al segundo más votado que fue, ¡oh, milagro!, AP, Alianza Popular, el partido que aglutinaba a los altos cargos de la última etapa del franquismo que se negaban a arrojar la toalla, los llamados nostálgicos. La derecha pura, sin disfraz de centro, esa derecha nuestra, cañí, perdía el pudor y se presentaba como solución para resolver los endémicos problemas de España, también ahora, en la democracia, pero esta vez por las buenas.

Curiosamente, como decía, el partido que ganó en las primeras elecciones generales estaba más centrado que este que nos gobierna. ¿Qué pasó?, ¿por qué se disolvió? Nadie lo explicó bien, pero al parecer las luchas en el seno de UCD, partido que encabezaba el ya entonces carismático Adolfo Suárez, eran tremendas por las distintas facciones que englobaba y, sobre todo, porque, al parecer, aquello estaba lleno de saboteadores que se habían apuntado al carro del centrismo con la sana intención de dinamitarlo, a sabiendas de que con un partido de centro fuerte, la derecha, inevitablemente asociada a la dictadura, tenía pocas posibilidades de éxito.

Hay que tener en cuenta el perfil que gastaba aquel personal de la derecha. No había soltado el pelo de la dehesa y desde sus escaños se oponía a todo, hasta al divorcio. Recuerdo que aquel debate fue muy duro y Francisco Fernández Ordóñez, que entonces era ministro de Justicia con UCD, dijo una vez aprobada la ley, gracias a una votación secreta en la que se evidenció que muchos miembros de su propio partido habían votado en contra, o sea que trabajaban para el rival: «Nada cansa tanto como luchar por las causas que son evidentes, pero, afortunadamente, hemos conseguido derribar una importante barricada.» Seguían ahí, en la «barricada» del Movimiento, al pie del cañón.

Como estaba previsto, UCD, gracias sobre todo a los francotiradores que tenía dentro del propio partido, acabó saltando por los aires. El partido más beneficiado de esta destrucción fue, también como estaba previsto, Alianza Popular (AP), que recibió la mayor parte de la migración de políticos y de votantes. Creció de forma espectacular a costa del hundimiento de UCD. Así, UCD pasó de tener 166 diputados en 1977 a sólo 11 en 1982. El PSOE aumentó de forma considerable su número, pasando de 118 a 202, pero AP subió de 16 a 107, es decir experimentó una subida de casi el setecientos por ciento. Un partido que tenía un perfil claramente continuista creció como la espuma, se situó como segunda fuerza parlamentaria y comenzó a ver la luz al final del túnel. Fueron conscientes de que en un futuro no muy lejano podrían volver a alcanzar el poder gracias a las urnas. Esas urnas que tanto habían demonizado durante años.

Esto de la democracia tenía sus ventajas. A diferencia de lo que hacían ellos, que básicamente consistía en exterminar al rival, aquí cabía todo el mundo, los demócratas y los enemigos del sistema. Había que dar otro giro de tuerca al partido, otra capa de democracia a la fachada, y valga la redundancia, y España podría recuperar el timón que siempre la guió por el imperio hacia Dios.

El travestismo de fascistas a franquistas y de aquí a demócratas no había resultado traumático en absoluto. Todo parecía transcurrir como una canoa que se deslizaba corriente abajo. Ellos, que habían dedicado su vida a perseguir demócratas, se veían ahora representando el papel de parlamentarios de unas cortes democráticas con los medios de comunicación apuntándoles, mirándoles de cerca. Unos medios de comunicación que sólo en parte, la mayor pero sólo una parte, estaban a su servicio. Ésa era una nueva e ingrata servidumbre a la que tendrían que acostumbrarse, la de responder de su gestión.[98] También a estar rodeados de compañeros de hemiciclo que hasta hacía poco habrían metido en el calabozo. Se dio la circunstancia de que la primera sesión constitutiva del Congreso hasta que se formalizara el escrutinio estuvo presidida por el miembro electo de mayor edad, cometido que cayó en la persona, nada más y nada de menos, de Dolores Ibárruri, *la Pasionaria*, histórica dirigente del Partido Comunista, y que durante los cuarenta años anteriores había estado considerada, oficialmente, uno de los peores criminales de la historia, peste de la peor especie que contaminaba la tierra. Fue demonizada por el régimen franquista hasta límites ridículos, leyenda negra que caló hondo entre el personal que la acusaba de los peores crímenes, incluso de matar a niños con sus propias manos. Pues nada, ahí estaban contemplando como el que va al cine a la que consideraban una bestia sanguinaria.

¿Y por el otro lado? ¿Cómo llevaban los antiguos militantes clandestinos de izquierdas compartir escaño con sus verdugos? La generosidad fue grande y generalizada, los represaliados no exigieron justicia. También es verdad que la justicia no estaba para esos trotes. Muchos de los jueces y fiscales españoles fueron colaboradores imprescindibles en la causa de la dictadura contra los ciudadanos. Ni siquiera los más significados rindieron cuentas de sus abyectas decisiones. Lejos de ello, fueron promocionados a los más altos cargos de la magistratura, lo cual explica muchas de las decisiones que hoy nos resultan incomprensibles. La Transición no pasó por los juzgados. Lo que cambiaron fueron las leyes y a ellas se tuvieron que ce-

98. Cometido del que Rajoy se ha desprendido de un plumazo sin el menor problema.

ñir sus administradores, pero todo ese sentir patrio que afirmaban llevar dentro, y su devoción y vocación de servicio a la dictadura, que tan bien argumentaban en sus sentencias, es de suponer que quedaron indemnes, sobre todo entre los miembros del TOP (Tribunal de Orden Público), heredero de otro anterior, el Tribunal Especial para la Represión de la Masonería y el Comunismo.

Pero ¿qué es eso?, se dirán algunos lectores. Merece la pena detenerse un poco en este apartado para dejar constancia de otra pieza fundamental de ese puzle que configura nuestra gloriosa «marca España».

Justicia cañí

Al terminar la guerra, en el año 1940, se crea el Tribunal Especial para la Represión de la Masonería y el Comunismo. Lo del comunismo se comprende, pero eso de crear un tribunal especial para la represión de la masonería, aunque pueda parecer una broma, fue real y nos da un índice del seguidismo ciego de las paranoias y sandeces del Generalísimo, que, con el objeto de pillar cargo, hacían los responsables de las distintas administraciones. Con estas extravagancias de sátrapa sólo demostraba el grado de estupidez que le adornaba, y lo miserables que podían llegar a ser los que se humillaban y daban carta de cordura a este estado surrealista y cruel de las cosas. Claro que este tribunal rendía sus beneficios, ya que las penas iban desde la «incautación de bienes» hasta la reclusión mayor. Como vemos, eran múltiples las vías por las que se podía acceder a la propiedad ajena. Multitud de casos de acusaciones delirantes e incautaciones de propiedades no han tenido reparación alguna.

Este tribunal duró hasta 1964, cuando delegó su cometido en el TOP, creado en 1963. Este llamado Tribunal de Orden Público define los delitos que juzgará de la siguiente manera: «Aquellos delitos cometidos en todo el territorio nacional, cuya singularidad es subvertir, en mayor o menor gravedad, los principios básicos del Estado o sembrar la zozobra en la conciencia nacional.»

Los delitos cometidos para sembrar la zozobra en la conciencia nacional siempre me han conmovido. Es una pena que mi conciencia nacional se encuentre un tanto atenuada y no me ilumine a la hora de tomar decisiones, tal y como le ocurre a la mayoría de nuestros significados patriotas, porque la otra conciencia, la no nacional, la que configura el sentido ético de la existencia, me causa problemas que, visto el resultado, no les crea a estos servidores de lo público que lo dan todo por España al tiempo que se llenan los bolsillos con nuestros impuestos sin que tales acciones les provoquen el más mínimo rubor. Una pena, digo, que, en vez de conciencia nacional, me haya tocado la otra, la chunga, la que te hace dar vueltas en la cama si crees que has hecho algo impresentable.

Por este Tribunal de Orden Público, conocido en sus tiempos como «Las Salesas», porque así se llamaba la plaza donde estaba ubicado en Madrid, desfilaron 50.000 personas. Se llegaron a emitir 3.000 sentencias condenatorias y, prácticamente, todas fueron ratificadas por el Tribunal Supremo. Los delitos que se perseguían estaban relacionados, sobre todo, con acciones políticas. Duró hasta el año 1977 y con respecto a sus miembros se manifestaba así el fiscal anticorrupción Carlos Jiménez Villarejo: «Fueron cómplices hasta el último día de las torturas de la Brigada Político-Social y nunca abrieron una causa, ni siquiera por lesiones, durante cuarenta años.»

En 2007, este tribunal fue declarado ilegítimo, pero no se anularon sus sentencias, es decir, fue una declaración puramente testimonial, un brindis al sol, y todos los condenados siguen siendo delincuentes a día de hoy. Incluso Timoteo Buendía, que cargó en sus espaldas con el honor de ser poseedor de la primera sentencia del TOP por «cagarse en Franco» estando borracho en un bar. Le cayeron diez años. Estos jueces ocuparon los más altos cargos de la judicatura cuando llegó la democracia.

El espíritu de la Transición pasó sobrevolando la justicia a miles de kilómetros de altura. No sólo se impidió cualquier investigación sobre los abusos cometidos, sino que muchos de los responsables, como decíamos, fueron ascendidos a pesar de sus fechorías, o tal vez en pago a los servicios prestados. Alguien debió de pensar que si eran buenos jueces para llevar a cabo las funciones represivas en una dictadura, también lo serían para defender los derechos y las libertades de los ciudadanos en una democracia.

Estos chicos del franquismo, definitivamente, valen para todo; tan pronto jalean al pelotón de fusilamiento como defienden con vehemencia los derechos humanos.

Lo mismo ocurrió con los miembros de la Brigada Político-Social, una sección creada en la policía para la persecución y represión de los grupos clandestinos que operaban contra el franquismo. Al frente se puso al que sería llamado «superinspector» durante la Transición y la democracia: Roberto Conesa. En el franquismo adquirió fama por su brutalidad en los interrogatorios, por la frialdad con la que él y sus hombres ejecutaban las torturas. Su mano derecha, Juan Antonio González Pacheco, alias *Billy el Niño*, también era muy conocido por los mismos méritos. Sembraron el terror hasta 1976, año en que fue disuelta la unidad. Por sus manos pasaron muchos miembros destacados de los partidos de izquierdas, así como sindicalistas e intelectuales. Disuelta esta unidad especializada en la tortura y la represión, Fraga, el «padre de la Constitución», nombró a Conesa jefe superior de la Policía de Valencia, en pago, es de suponer también en este caso, a los servicios prestados.

El historial del inspector Conesa no tiene desperdicio. A sus muchas hazañas como torturador hay que sumar su paso por la dictadura de Leónidas Trujillo en la República Dominicana, donde debió de aprender técnicas sofisticadas de su reconocido oficio. También estuvo implicado en la guerra sucia y se le relacionó, entre otros casos, con el atentado en la sala Scala, donde hubo cuatro muertos; en el intento de asesinato de Antonio Cubillo, líder independentista canario que fue apuñalado en Argel y que salvó la vida gracias a la presencia de un vecino cuando iban a cortarle la cabeza en el ascensor de su casa. Cubillo pasó el resto de su vida en una silla de ruedas como consecuencia de las puñaladas recibidas. La implicación de las cloacas del Estado en este atentado fue reconocida en la sentencia por los magistrados. Conesa también intervino como jefe de la investigación de aquellos extraños secuestros, que a día de hoy siguen plagados de dudas, de Oriol y Villaescusa[99] por parte del GRAPO. En todos los casos anteriores aparecía también como presunto responsable político, logístico y de estrategia, ¡oh, casualidades de la vida!, Rodolfo Martín Villa.

El de don Rodolfo es otro caso tan sorprendente como espectacular de carrera político-empresarial-dictadura-democracia que sólo puede darse en nuestra piel de toro. Alguien que va ascendiendo en el escalafón a medida que se le acumulan monstruos y episodios siniestros manchados de sangre en el armario. Hay que hacer un paréntesis para dar cabida a toda la carrera de don Rodolfo.

Comenzó su carrera política con varios cargos en el sindicalismo vertical de la dictadura, y llegó a ser secretario general de la Organización Sindical. Más tarde fue gobernador civil y jefe provincial del Movimiento de Barcelona. Ya muerto Franco fue ministro de Relaciones Sindicales en el gobierno de Arias Navarro. Suárez le nombra en la Transición ministro de la Gobernación, donde se ganó el apodo de la «porra de la Transición» por la contundencia con la que reprimía las manifestaciones. Casualidades de la vida, fue precisamente cuando era ministro de la Gobernación cuando se produjeron los primeros casos de implicación de miembros de los cuerpos de seguridad en atentados de lo que más tarde se llamaría «guerra sucia». Recuperó al «supercomisario» Conesa, también conocido como «superinspector», como hombre de confianza a su servicio. Durante su mandato como ministro se produjeron los dramáticos sucesos de los Sanfermines de 1978, cuando la policía entró en la plaza de toros repartiendo a diestro y siniestro con botes de humo y porras para terminar con fuego real. El balance fue de siete heridos de bala. La ciudad se convirtió en un caos que se saldó con 150 heridos, 11 de ellos por disparos de la policía. Como consecuencia de los enfrentamientos en la calle falleció de un disparo en la frente Germán Rodríguez, conocido militante trotskista, sin que a día de hoy se

99. Oriol fue ministro con Franco y era presidente del Consejo de Estado cuando fue secuestrado. Villaescusa era teniente general.

haya sabido quién disparó, ni con qué tipo de arma. En el lugar donde lo mataron se encontraron 35 impactos de bala. A pesar de las evidencias, Martín Villa negó siempre que fuera la policía la que le disparó y eso que reconoció que se hicieron, por parte de las fuerzas del orden, 130 disparos de bala. El hecho de que fueran los «servicios del orden» los únicos que portaban armas de fuego y dispararan no parece que le diera pista alguna al ministro para deducir quién lo mató. Las imágenes de TVE de las acciones represivas se emitieron una sola vez y fueron destruidas, desaparecieron de los archivos. Parece que a don Rodolfo no le gustaron. Así era la Transición.

En 2008, una comisión el Parlamento Vasco le consideró responsable político de la matanza de Vitoria, de la que ya hablamos antes, junto con otro de nuestros todoterreno favoritos, don Manuel Fraga Iribarne, padre de la Constitución. Recordaba Martín Villa, con sorpresa y estupefacción, que, yendo a visitar a los heridos en compañía de don Manuel, un familiar les dijo que si iban a rematarlos. No entendía don Rodolfo a aquel ingrato paisano que no supo apreciar el gesto del verdugo que, deportivamente, se acerca a la víctima para darle ánimos. Tal vez esperaba que el antipático sujeto le recibiera con un abrazo, predisponiendo a las víctimas a una jornada festiva ante la presencia de las autoridades. Algo así como «sonreíd, que han venido de visita los señores que mandan en los que os pegaron los tiros para ver qué tal ha quedado su obra». Y es que la gente es rencorosa a más no poder.

La carrera de don Rodolfo continuó imparable, volvió de ministro con Calvo Sotelo y acabó en el Partido Popular como miembro de la ejecutiva nacional, recuperando el acta de diputado. Otro buen fichaje del «centro».

En el mundo de la empresa no le ha ido mal. Entró en 1997 como presidente de Endesa, que era pública en un 67 por ciento, encargándose de su privatización completa durante su gestión siendo presidente Aznar. Ya como empresa privada, Endesa ficharía como asesor al expresidente Aznar, con un sueldo de 200.000 euros anuales. Es lo que tiene saber de todo, que puedes asesorar. En 2003, Martín Villa vuelve a la política para un encargo importante: comisionado del gobierno para el desastre del *Prestige*. Si había tapado marrones con montones de muertos en sus buenos tiempos, esto para él era pan comido. En 2004 fue nombrado presidente de Sogecable, donde estuvo hasta 2010. Una pena, porque desperdició una ocasión de oro, como es presidir una sociedad que posee un medio de comunicación, para desvelar muchos enigmas de la parte más siniestra de nuestra historia reciente y de la que era uno de los responsables. Aunque, la verdad, no parece muy dispuesto a aclarar cosas. De hecho, la comisión de investigación del Senado que promovió el Partido Popular sobre la guerra sucia contra ETA se suspendió, de forma súbita, cuando tenía que declarar el general Sáenz de Santamaría, máximo responsable de la Guardia Civil en materia antiterrorista en aquellos tiempos, al revelar que declararía sobre el GAL y todos los demás casos de asesinatos de las cloacas del Estado. Después de varias conversaciones telefónicas, Rodolfo Martín Villa se reunió con él. Dos días más tarde se suspendió la comisión. Al parecer le iban a citar como uno de los protagonistas de la película. Según contó el propio general, Martín Villa «habría informado al presidente del PP de mi intención de desvelar a la comisión del Senado todos los casos de guerra sucia que conozco desde 1975. Entonces se acojonaron». La comisión se había montado, únicamente, para acosar al PSOE. Pretendían hacerle responsable único de aquellos crímenes. Se suspendió cuando el principal testigo de los hechos dijo estar dispuesto a contar quiénes fueron los organizadores. Todos. También los que ahora militaban en las filas del «centro». También le dijo el general a José Bono: «Tú diles que el PP impulsó la disolución de la comisión de investigación al saber que Sáenz de Santamaría iba a hablar de Fraga.»

A don Rodolfo, que junto con Fraga y Rosón era responsable de las fuerzas de seguridad hasta la llegada del PSOE al poder, le llegaba el agua al cuello. Le temblaban las canillas.[100] La comisión se suspendió, paradójicamente, cuando se iban a dar pasos muy importantes para esclarecer la verdad, pero no se trataba de eso. Se trataba de utilizar la guerra sucia como arma política. A juicio de este general, que jamás negó la exis-

100. Bielas.

tencia de esa guerra, ni la implicación del Estado en ella, y que algo sabría puesto que era el responsable máximo de la lucha antiterrorista durante todo aquel tiempo, la actitud de la derecha le parecía hipócrita, «obscena». La guerra sucia había comenzado, según él, antes de 1975, y por tanto la mayoría de los responsables estaban en el partido que, precisamente, había montado la comisión.

Cabría esperar que al llegar la democracia personajes tan siniestros fueran, si no investigados, por lo menos apartados de las instituciones, con lo que se crearía un círculo de seguridad sanitario de varios kilómetros a su alrededor. Nada más lejos de la realidad. El propio Martín Villa impuso al «superinspector» Conesa, al que reclamó para hacerse cargo de la investigación del secuestro de Oriol y Villaescusa,[101] la medalla de oro al mérito policial junto con su compañero *Billy el Niño*, y le nombró jefe de la Brigada de Información, donde permaneció hasta su muerte.

Lo dicho, políticos, policías y jueces, presuntos responsables de la guerra sucia, la represión y las torturas durante el franquismo fueron ascendidos durante la Transición, y ocuparon altos cargos en la jerarquía de sus propias instituciones también durante la democracia.

Mientras, los condenados por el Tribunal de Orden Público, considerado ilegítimo, siguen siendo, a día de hoy, delincuentes.[102] Su único delito, luchar por la democracia y la libertad. La democracia española nació con una malformación

---

101. Antes dijimos que este secuestro fue turbio, extraño. Los secuestrados dieron versiones absurdas y contradictorias de su cautiverio. La más llamativa fue que uno de ellos dijo que estuvieron juntos, mientras el otro afirmaba desconocer el secuestro de su compañero. Alguien no se aprendió bien el guión. La teoría de que fue un montaje desestabilizador de la propia policía sigue vigente. El GRAPO estaba totalmente infiltrado por la policía del señor Conesa. Uno de los cómplices de ese secuestro fue nuestro reputado contertulio e historiador Pío Moa. Curioso, ¿verdad?

102. En el año 1984, Enrique Curiel, vicesecretario general del PCE, fue retenido en Barajas por sus actividades políticas durante el franquismo. A pesar de que, oficialmente, se han borrado esos antecedentes, parece que en alguna parte siguen quedando archivos que señalan a los malos, por si acaso.

congénita. Muchos de los vicios y actitudes prepotentes que hoy nos sorprenden vienen de ahí, de ese ADN que transmite por vía genética un estilo, una forma de hacer política, que proviene de aquel tiempo en el que todo, como decía León Felipe, «funcionaba como un reloj perfecto». «Aquella extraordinaria placidez» en que vivía Mayor Oreja.

«Marca España.»

Con Franco murieron cuarenta millones de españoles

Existe un mito en España y es que con Franco desapareció el franquismo y lo que resulta más delirante: los franquistas. Todos los que entonces se llamaban a sí mismos «adictos al régimen» no les bastaba con ser simpatizantes, se hicieron un presunto *lifting* cerebral con sorprendentes resultados éticos y amnésicos. Del mismo modo que san Pablo vio la luz al caerse del caballo, los que perseguían hasta debajo de las piedras a los ciudadanos que luchaban por la emancipación del ser humano, para hacerles entender las ventajas del nacionalcatolicismo a golpe de tortura y cárcel, de la noche a la mañana se convirtieron en amantes de la libertad y la democracia. Así, de repente, del mismo modo que se especifica el nivel de inglés en un currículum, aquellos altaneros delincuentes que elevaban el brazo durante los actos oficiales en comandita con los obispos, formando una espeluznante imagen de glorificación del fascismo, pusieron una cruz en la casilla de «demócratas de toda la vida» al rellenar su nueva filiación ideológica. Hubieran preferido que Franco fuera inmortal, pero no quiso dios. Con la llegada de los nuevos tiempos tendrían que dar vivas a la democracia y a la Constitución, esos engendros producto de la debilidad de los liberales e intelectuales que son la puerta de entrada de la decadencia, la masonería y el libertinaje.

Durante el franquismo, la inmensa mayoría de los españoles era del régimen. Unos de forma activa, otros por comodidad y cobardía, y muchos porque habían perdido la costumbre de pensar. La realidad es que se miraba para otro lado mientras aquí se robaba, se secuestraba, se torturaba, se fusilaba y se incautaban bienes a los disidentes. Aquel éxito de la adhesión masiva al régimen era el resultado de la política de exterminio del rival que se siguió durante cuarenta años. Entre los que tuvieron que exiliarse, los fusilados y los que pasaron años entre rejas, no quedó un rojo a la vista, era más fácil encontrar una piña de percebes en la orilla del mar. Los antifranquistas vivían bajo tierra operando en la clandestinidad, en un secretismo absoluto. Salvo los irreductibles, todo el mundo había aprendido la lección. El menor intento de rebeldía significaba la pérdida de libertad y la ruina física y económica. Así, salvo los militantes, los enemigos del régimen callaban por miedo, o por un instinto elemental de supervivencia. España se había convertido en un inmenso páramo carente de cualquier actividad intelectual, cultural o política, bajo la amenaza permanente de las fuerzas de seguridad y los jueces, que velaban por la «conciencia nacional». Cuarenta años después, esa política había rendido sus frutos.

Franco era indiscutible, por eso murió en la cama. También es verdad que, como el resto de los humanos, se empleó en durar lo máximo posible. No se prodigaba en apariciones públicas y con su carácter paranoico estaba convencido de que si salía de España no volvería a entrar, así que, salvo en un par de ocasiones puntuales, no se movió de casa. Eso sí, cuando aparecía en público, juntaba muchedumbres en la Plaza de Oriente. Muchos venían en autocares pagados por el régimen, pero venían encantados. Se chupaban la concentración, se comían un par de bocadillos y se volvían para el pueblo la mar de contentos. También veían a Franco, que se había convertido en un mito. El dichoso fascismo que parecía una farsa de opereta, presidido por un general bajito y rechoncho con voz de castrato, seguía vigente y completamente vivo cuarenta años después. Tan vivo y dispuesto que el mismo año de la muerte de Franco, 1975, fusilaron a cinco personas a pesar de las múltiples presiones internacionales que se ejercieron desde todos los ámbitos de la política, la sociedad e incluso la religión. Tras sopesar aquellas presiones y protestas, se pasaron todo por el forro, sacaron brillo al paredón y le dieron uso. Como me empeño en recordar, algunos de los que firmaron las penas de muerte se encontraban ¡sólo dos años después! redactando la Constitución, una Constitución que en su título preliminar proclama: «Un Estado social y democrático de Derecho que propugna como valores superiores del ordenamiento jurídico la *libertad,* la *justicia,* la *igualdad* y el *pluralismo político.* Asimismo, se afianza el principio de *soberanía popular,* y se establece la *monarquía parlamentaria* como *forma de gobierno.*» Como rezaba el eslogan que uno de los padres de la Constitución, Fraga Iribarne, inventó siendo ministro de Información y Turismo: *Spain is different.* Y tan *different.*

Mi insistencia un tanto machacona en recordar estas cosas está provocada por la marea de informaciones que surgen en nuestros días con la intención de reescribir la historia y sus protagonistas, de la mano de nuestros líderes liberales, intentando hacer creer que la democracia no es más que una continuidad del franquismo: que éste nos condujo hasta aquélla. Circunstancia que se sostiene en la confusión que se generó con la añorada Transición, que tanto reivindica la derecha de este país, porque significó una amnistía para todos los delitos cometidos durante la dictadura. Al no haber solución de continuidad entre dictadura y democracia y volver a ver las caras de siempre en los puestos de salida del protagonismo político, los amantes del río revuelto hicieron y siguen haciendo su agosto. Muchos de los actores principales, como decíamos, continuaron en los puestos de máxima responsabilidad dentro de las instituciones del Estado. A diferencia de otros cambios de regímenes totalitarios, España fue el único caso donde altos representantes del régimen dictatorial extinto participaron en la redacción de la Constitución del nuevo sistema. La tutelaron, era evidente que no tenían gran cosa que aportar a la nueva situación política del país y, en cualquier caso, no eran necesarios. Podían haber dejado la redacción de la Constitución en manos de personas en cuyo ideario estuviera un régimen constitucional y democrático, pero se impuso la presencia de estos ponentes de «la vieja guardia» para apaciguar lo que entonces se llamaba «ruido de sables». Por eso, cuando se habla de Fraga en términos de «padre de la Constitución», puede parecer que fue uno de sus instigadores, uno de sus promotores, cuando durante toda su vida fue un azote, una pesadilla para aquellos que creían en un mundo libre donde los ciudadanos no fueran tratados como ganado. Su presencia, como la de otros, fue obligada, impuesta, una garantía para los defensores del franquismo de que las cosas no se iban a sacar de quicio, y de que los militares podrían seguir tranquilos, jugando a las cartas y bebiendo güisqui en el bar de oficiales.

Otro de los grandes mitos de la Transición fue dar a entender que con Franco, el 20 de noviembre de 1975, murieron cuarenta millones de franquistas. Se pretendía hacer creer que todos aquellos que abarrotaban las algaradas oficiales, los que hicieron cola para visitar la capilla ardiente, los muchos que portaron un luto mal disimulado, desaparecieron con él. Y no desaparecieron, se inhibieron, se camuflaron en espera de lo que pudiera venir. Un par de años después de que muriera el ínclito inaugurador de pantanos, pescador de salmones y cazador de venados y ballenas, apenas quedaban unos grupos de extrema derecha que seguían reivindicando su figura y su obra. Los altos cargos de la dictadura que se acababan de subir al carro de la democracia para poder seguir manteniendo sus privilegios les señalaban como «nostálgicos de la caverna», al tiempo que se desmarcaban de su propio pasado haciendo creer a los demás que esos grupúsculos constituían los últimos vestigios del franquismo. ¡Ojalá!

Tuvieron que pasar unos cuantos años para que el pueblo se diera cuenta de que la libertad no tiene sentido si no se usa, y que el miedo a los uniformes había que dejarlo aparcado para comenzar una nueva era. En cualquier caso, habían sido muchos años de ceguera y propaganda del régimen, un franquismo sociológico se había instaurado en la sociedad española y todavía hoy se refleja en muchas decisiones políticas y también en las urnas.

El mito de las dos Españas que muchos se empeñan en negar, por desgracia, sigue más vivo de lo que se pretende. Aquellos bandos que disputaron la guerra hace ya casi ochenta años siguen diferenciados. De hecho, algunos hijos y nietos de los vencedores, hoy en el poder, todavía se niegan, ochenta años después, a que los hijos y nietos de los vencidos den a sus familiares cristiana o civil sepultura, en un acto de crueldad sin equivalente en el resto de las sociedades que se llaman a sí mismas civilizadas. Siguen siendo los herederos del totalitarismo los que marcan la pauta, por no decir el paso y, por supuesto, los dueños y señores del poder real. No ese que emana de las urnas cada cuatro años, sino el otro, el de verdad, el que decide la vida de los ciudadanos, el que exige «reformas estructurales profundas». Esa falta de pudor, ese mantenimiento de un estilo absolutista, chulesco y arrogante, que debió abolirse con la dictadura, es una de las características más simbólicas y definitorias de la marca España.

Un desprecio y una crueldad que, a juzgar por los hechos, parecen hereditarios. Aunque roben, pongan la salud en manos de mercaderes, priven a sus hijos de una educación de calidad, les quiten derechos, reduzcan sus salarios o el poder adquisitivo de sus pensiones, esos ciudadanos que formaban aquella mayoría silenciosa les seguirán votando por una sola razón: son de los suyos.

Curiosamente, España, el único país donde, como decíamos, triunfó el fascismo y estuvo en el poder durante cuarenta años, es también el único que no tiene un partido que se llame a sí mismo de «derechas» con representación parlamentaria.

Ese esfuerzo por hacernos creer que no tenemos pasado es ridículo. Si no entendemos quiénes somos y de dónde venimos, no podremos comprender lo que nos está pasando, ni por qué unos señores que deberían administrar el patrimonio público del que depende nuestro bienestar, nuestro presente y nuestro futuro, se dedican a incautarlo, a dilapidarlo y a repartirlo entre sus colegas como si de un botín de guerra se tratara. Lejos de actuar como administradores cuya prioridad es procurar el bienestar de los ciudadanos, se comportan como una banda de facinerosos que cierra filas en torno a los suyos, como un solo hombre, con su presidente al frente. Ante cualquier acusación de corrupción o acción de la justicia, instauran la ley del silencio, cuando su obligación es separar a los honrados de los que no lo son, para rendir un servicio imperativo, imprescindible, a los ciudadanos que representan, y también a los que presencian este espectáculo sobrecogidos y que no se sienten representados, en absoluto, por actitudes, formas y estrategias que creían enterradas desde aquel 20 de noviembre de 1975, cuando no había que dar explicaciones de las responsabilidades de gobierno.

Por eso, insisto, es más fácil entender lo que nos pasa si conocemos nuestra historia reciente. Ellos insisten con vehemencia en que no hay que mirar al pasado. ¿Por qué? Luego se muestran acérrimos admiradores del Cid y don Pelayo. Esto de la marca España tiene su gracia.

Como dice Javier Krahe: «Cuando todo da lo mismo, ¿por qué no hacer alpinismo?»

«A mí nadie me da clases de democracia»

Al comenzar su andadura, esta joven democracia debía sentar unas nuevas bases de convivencia y al presidente Suárez le tocó hacer de aglutinador de las distintas fuerzas políticas. No era sencillo sentarse a negociar con la vieja guardia del régimen, a la que había pertenecido y en la que hizo su carrera política y militó hasta que le tocó ser presidente. La vieja guardia no estaba dispuesta a ceder, temerosa de que una nueva legislación se volviera contra ella al investigar lo que había ocurrido durante los años de la dictadura. Por otro lado tenía que escuchar las exigencias de la corriente en la que se situaban los partidos que acababan de ser legalizados y que apremiaban al presidente urgiéndole a realizar cambios serios, de calado, para que abandonara la tentación de convertir aquella etapa en un mero maquillaje del sistema anterior. En realidad, estas fuerzas legalizadas estaban dispuestas a todo con tal de que no se diera marcha atrás en el proceso democratizador. Entendían los problemas y los miedos del presidente y, sin renunciar a unos mínimos imprescindibles, se lo pondrían fácil porque eran conscientes de que la justicia, el control de las armas y el orden público seguían en manos de los mismos. De hecho, hacían demostraciones de fuerza constantemente.

En las manifestaciones que se sucedían en las calles de toda España exigiendo cambios, se disparaba a la población sin contemplaciones y fueron muchos los muertos a tiros en aquel tiempo. Todos innecesarios, evitables, producto de la chulería de los responsables del orden público. Así, los recién legalizados partidos políticos estaban dispuestos a tragar y tragaron ruedas de molino. Querían alcanzar como fuera el estatus institucional de partidos reconocidos oficialmente que exigía la nueva España plural y que en el año 1977 todavía parecía un sueño. El personal no terminaba de creerse que aquello fuera a durar. Los comunistas no se sentían legales del todo y el pueblo tenía dudas acerca de que los militares aceptaran con normalidad a Carrillo, la Pasionaria y demás legión de descamisados.

La guerra todavía estaba muy presente y quedaban en activo muchos militares de aquella época que se preguntaban para qué los habían echado a tiros y fusilado sin contemplaciones si luego los tendrían que ver sentados tan panchos en el Congreso, y hablando, opinando y ¡legislando! ¿Para qué servía ganar una guerra? Franco no lo hubiera consentido y sentían que le estaban traicionando cuando su cuerpo, como quien dice, todavía estaba caliente.

Para escenificar un acto de buena voluntad por todas las partes se firmaron los «Pactos de la Moncloa», que tenían una doble vertiente económica y política, y también suponían un acuerdo tácito de todas las partes en el sentido de que una mesa redonda de todos, vencedores y vencidos, hablando de forma civilizada, era posible, aunque suponía pasar página, así, sin más, a nuestra historia reciente: «Aquí no ha pasado nada y ahora nos vamos a tomar unas cañas.»

Unos querían afianzarse y que su carrera política fuera por fin eso, un carrera; y los otros, tener constancia de que no habría movimientos de venganza, examen del pasado. Al no existir una ruptura, sino un período de transición, en lugar de ser considerados delincuentes, los que habían abolido los derechos fundamentales de los ciudadanos durante cuarenta años pasaban a constituir la parte generosa del proceso, la que cedía. A fin de cuentas, estaban entregando un poder que les había pertenecido en exclusiva durante cuarenta años. En vez de pedir perdón, se veían con el derecho a exigir, a tutelar, a tener la última palabra.

Suárez tranquilizaba como podía a aquellos desconfiados miembros de lo que se llamaba «el búnker». Les debió de decir: «Fijaos qué bien me tratan a mí.» Pero, claro, Adolfo Suárez reunía unas características de adaptación, camuflaje y diplomacia que no todo el mundo poseía. Los encuentros necesarios con los poderes fácticos debieron de ser una risa. Todos poniendo su mejor sonrisa, cara de circunstancias y ganas de hablar de cualquier cosa menos de lo que había que hablar. Unos así, como diciendo: «Que no somos malos, que queremos una España nueva a imagen y semejanza de los países europeos»; y los otros pensando: «Más os vale no meter la gamba, que tenemos a los militares en los cuarteles como la niña de *El exorcista* cuando le da el chungo.» Estaban fritos por arrancar los tanques y salir a dar una vuelta.

Estos pactos, por un lado, cedían en lo político en cuanto a la libertad de asociación, manifestación, abolición de censura y unas cuantas normas más sin las cuales la democracia no era creíble, y a cambio legitimaban a la «vieja guardia» en el nuevo sistema. Había que inventar una fórmula donde nadie quedara excluido, ni siquiera aquellos que no creían en la libertad ni querían democracia alguna. La culminación de este proceso vino de la mano de la amnistía de octubre de 1977.

El primer gobierno surgido de las urnas desde 1936 fue el encargado de llevar adelante una propuesta del PNV para elaborar una ley de amnistía aplicable «a todos los delitos de intencionalidad política, sea cual fuere su naturaleza, cometidos con anterioridad al 15 de junio de 1977». En realidad se trataba de sacar de la cárcel a los presos de ETA, y de rondón se colaron los de otros grupos terroristas como los GRAPO. Digo que se hizo con esa intención porque varias medidas de gracia y otras leyes habían puesto en la calle a la mayoría de los presos políticos. La intención pretendía ser la de acabar con el terrorismo con esta manifestación de buena voluntad. Nada más lejos de la realidad. Fue interpretada por la otra parte como un signo de debilidad. A los pocos días de salir a la calle, los terroristas se pusieron a matar y más que nunca. En el año 1978 mataron a 64 personas; en el 79, a 84; y ya en el 80, a 93. Se batía el récord un año tras otro.

La contrapartida a esta amnistía de presos de ETA fue renunciar a cualquier tipo de investigación sobre lo ocurrido durante la posguerra y posterior dictadura de cuarenta años. En la redacción de la ley de amnistía ya quedaba reflejado que afectaría también a «los delitos y faltas que pudieran haber cometido las autoridades, funcionarios y agentes del orden público con motivo u ocasión de la investigación y persecución de los actos incluidos en esta ley». Y más adelante, para que quedara claro: «A los delitos cometidos por los funcionarios públicos contra el ejercicio de los derechos de las personas.» O sea, a todos los que pudieran haber cometido delitos de cualquier índole durante la dictadura. Como anunciaban algunos diarios, «La guerra ha terminado».

Claro está que, tanto los «Pactos de la Moncloa», como la amnistía de octubre de 1977 fueron decisiones políticas tomadas por políticos elegidos democráticamente, en las que los ciudadanos no tuvieron arte ni parte. No les quedaba más remedio que aceptar el hecho de que la justicia no perseguiría a estas personas, pero algunos de los beneficiados por esta amnistía se lo tomaron como una obligación de la ciudadanía de olvidar todo lo ocurrido, como si el hecho de no tener repercusión penal fuera equivalente a negar la existencia de los hechos. Así, muchos políticos sacaron pecho reivindicando su condición de demócratas, aunque se hubieran pasado la vida difamando y desprestigiando ese sistema y, en muchos casos, además, persiguiendo y encerrando a los que lo defendían. En aquellos tiempos se acuñó, y se usaba con mucha frecuencia entre políticos de la derecha durante los debates parlamentarios, la expresión «a mí nadie me da clases de democracia», obviedad solemne puesto que solían gritarlo personas que cantaba a la legua que, como ya se ha dicho, ni las recibían ni las habían recibido nunca (y vista la inquina con la que se han alineado en fechas recientes contra la asignatura de «Educación para la ciudadanía», no están dispuestos a que las reciba nadie tampoco ahora). Se empeñaban en hacer creer a todo el mundo que eran tan demócratas como cualquiera de los que se sentaba en el hemiciclo y a los que habían encerrado por serlo. Reivindicaban el derecho a ser demócratas como si se tratara de pertenecer a un club.

Una vez adquirida la condición de demócrata por decreto ley, se permitían el lujo, como siguen haciendo a día de hoy sus herederos, de llamar totalitarios a los demás. No sólo se hicieron integristas del sufragio universal, sino que esta conversión llevó aparejada una aversión hacia el totalitarismo que tantas alegrías y dividendos les había proporcionado. Les gustaba hablar de totalitarismo y dictadura para referirse, exclusivamente, a los regímenes del otro lado del Telón de Acero. Las dictaduras de Latinoamérica, por ser «de los suyos», no les producían ninguna urticaria, sino que, más bien, les hacían asomar la patita por debajo de la túnica de demócratas, al negarse a condenarlas dejando escapar de vez en cuando un detalle verbal de simpatía nostálgica. Solían justificarlas como mal menor que evitaba el caos, el desastre, la barbarie y, cómo no, como necesarias para la recuperación económica de la zona. Siempre la productividad como fin que justifica cualquier medio.

Pues eso, que nadie les dio clases de democracia y ese déficit que arrastraban por el ambiente y la educación donde se criaron lo íbamos a pagar los demás cuando llegaran situaciones límite como esta crisis que nos han traído de no se sabe dónde, o mejor dicho, sí se sabe. Ahora, cuando salen a la luz maniobras y estrategias que van encaminadas, exclusivamente, al lucro personal sacrificando el bien común, es cuando se delatan las formas de aquellos que entienden el poder no como una vocación de servicio, sino como una arma de sometimiento, y las fuerzas del orden como un elemento de provocación a su servicio. Es ahora, cuando se ven frente a las joyas de la corona con la llave de la caja grande, cuando se les ve el plumero, y cual yonqui frente a alijo de heroína recién incautado, se abalanzan sobre los bienes del Estado repartiéndose el patrimonio colectivo sin el menor recato. Como los niños que dicen «lo que está en la calle no es de nadie», trincan lo público para deshacer un patrimonio cuya sola idea les produce un sarpullido. Es ahora cuando resulta evidente que nadie «les da ni les dio clases de democracia». ¡Con la falta que les hacía! ¡Con la falta que les hace! ¡Con lo bien que nos hubiera venido!

EL ROBO DE LOS SÍMBOLOS

—

Demagogia contra democracia

La asunción de la condición de demócratas por parte de los franquistas reciclados llevó aparejada una estrategia de confusión necesaria. Por un lado, se hacía imprescindible un sistema de camuflaje, mezclado con ciertas dosis de amnesia, para que los enemigos de la democracia pasaran a ser miembros de pleno derecho en el nuevo juego político, amantes de la libertad y la pluralidad. Por otro, había que nutrirse de nuevas consignas, postulados que encajaran con el sistema. Era evidente que si estos activos miembros de la dictadura utilizaban un discurso que chocara frontalmente con lo que todo el mundo sabía que pensaban, resultaría increíble, quedaría devaluado, pero serviría para sembrar la idea de que la democracia estaba teñida de demagogia. Manchaban la democracia para demostrar que era un sistema sucio.

En estos días vemos constantemente cómo los miembros del gobierno mienten sin pudor un día tras otro bajo la batuta del presidente, don Mariano Rajoy, que lo hace también en sede parlamentaria, consciente de que todo el que le escucha sabe que falta a la verdad.

Lo que se pretende es desprestigiar al sistema que le obliga a rendir cuentas, dándose la paradoja de que el señor Rajoy, con su actitud de silencio y engaño, deslegitima aquel sistema al que recurre constantemente para eludir sus responsabilidades apelando, precisamente, a la legitimidad que le otorga la ciudadanía con sus votos. Estos señores, cuando se niegan a dar explicaciones acerca de fechorías graves, vienen a decir que este sistema en el que todo el mundo miente y los partidos se financian de forma ilegal no tiene fuerza moral para juzgarles. Se sienten por encima de un sistema donde anida la corrupción, exhibiendo con descaro que son la mejor prueba de ello. Su discurso subliminal puede traducirse así: «No me puede exigir explicaciones un sistema en el que todo es basura, mentira y corrupción.» Esta estrategia que vienen practicando cada vez con mayor intensidad desde el primer día que este país entró en la democracia, ha calado fino entre la ciudadanía, que se vuelve contra el sistema en lugar de perseguir a los corruptos, dejando un hueco por el que se fugan los malhechores en un Jaguar descapotable, cuya existencia no le consta al que lo conduce.

Decían los griegos que nos movemos en un triángulo perverso del que, según parece, no podemos escapar: democracia, demagogia, dictadura. Las tres «des». Hay seres que están como pez en el agua en cualquiera de ellas. Tal es su condición moral. No hay más que encender el televisor y escuchar a los distintos portavoces hablando desde sus atriles. Siempre un paso por delante, ya viven en la demagogia. Ahora se trata de que nosotros entremos por nuestro propio pie en ella o nos resistamos. La consigna, el salvoconducto para dar el paso es afirmar: «Todos son iguales.» Ésa es la trampa. Curiosamente es el argumento eterno del chorizo: «Todo el mundo roba.»

Mientras, ellos se van de rositas.

Pijo y popular

Los símbolos son de una importancia capital. Sirven de distintivo, de elemento diferenciador, de faro que indica la ideología. Los conservadores lo tienen muy claro. De ahí su amor a la bandera, a la patria, a la familia, a la religión, a sus ritos, elementos que conforman lo que ellos llaman tradición. Suelen pisotear casi todos ellos con sus actitudes cotidianas, pero no consienten que se cuestionen y exigen para ellos el mayor respeto. La patria se puede vender y con ella condenar a su pueblo, pero no se puede mancillar.

Con orgullo hacen ostentación de su representación, para lo cual se ponen banderas, medallas o cualquier signo de poder que marque la época en forma de polo, bermuda o color de corbata, de modo que un ciudadano podría ir por la calle y afirmar sin equivocarse: «Ése es de los míos.» Pero tan importante como dotar de «superpoderes» la simbología propia es destruir la del rival. Recordemos que una posición no está tomada hasta que la infantería entra y coloca la bandera propia en lo alto. En ese momento, nunca antes, se alcanza la victoria. Es esa conciencia del valor de los símbolos la que provoca que todavía, cuarenta años después de que los adictos al régimen abrazaran la democracia con el entusiasmo del converso, sigan defendiendo con énfasis las estatuas, calles, plazas y demás monumentos dedicados al fascismo.

Además llevan a cabo una maniobra nada casual de apropiación de los símbolos ajenos para terminar con ellos. El primer partido de derechas que surgió en la España de la democracia con vocación de gobierno, formado por la coalición de varios partidos, todos presididos por exministros franquistas, se llamó Alianza Popular. A día de hoy el nombre parece de lo más normal, pero no lo era entonces.

Popular es aquello que viene del pueblo. Por extensión, también es lo asequible a las clases con menos recursos. Así, hablamos de precios populares. También se usa para definir a aquel que es muy conocido y querido por el pueblo. Blas de Otero, poeta, que como tal daba a las palabras la importancia que tienen, decía: «Que no quiero ser famoso, / a ver si tenéis cuidado / en la manera de hablar, / yo no quiero ser famoso / que quiero ser popular.» Hacía el poeta una distinción clara entre lo popular y lo otro. Por eso sorprende que hoy se llamen «populares» aquellos que, a través de todos los signos de poder imaginables, como ropa de marca, automóvil, complementos, perfumes, estén dispuestos a pagar por algo una cifra disparatada con respecto a su valor real con tal de distanciarse, de huir de lo «popular». Sorprendido el autor por el precio de una camisa, intrigado al pensar que el tejido tendría algo especial, en su condición de gañán, fue a preguntar a la dependienta por qué lo desorbitado de la cifra. La respuesta fue: «Es que es un modelo exclusivo, hay muy pocas.» «Hay muy pocas», ésa es la razón, pagas para distinguirte de los otros, no en el sentido de huir del uniforme, sino para mostrar el poder adquisitivo. Por eso he llamado antes a estos productos «signos de poder».

El término «popular», en política, era característico, y podríamos decir que exclusivo, de la izquierda. Todavía hoy la definición de «democracia popular» viene dada como «régimen político cuya representación institucional son los Estados socialistas». Por eso sorprendió cuando estos señores decidieron poner en el nombre del partido el término «popular», y más aún en nuestro país, donde todas las fuerzas políticas de izquierdas en las últimas elecciones democráticas que se recordaban, las de 1936 de la Segunda República Española, se unieron formando el llamado Frente Popular. Contra ese Frente Popular y su victoria en las urnas fue contra lo que se alzaron Franco y los demás generales golpistas. A los que nos criamos en aquella España nos enseñaron que el Frente Popular y el demonio eran la misma cosa. Ver a Fraga encabezando una formación con ese nombre era como si Rouco Varela presidiera una asociación llamada «Por la Democracia, la Libertad y el Derecho a Decidir de las Mujeres».

Lo siguiente fue comenzar a utilizar como insulto un término que hasta hacía poco lucían con orgullo: «Fascista.» Sorprendentemente, los que mantenían viva la única llama del fascismo en Europa empezaron a emplear el término en sentido peyorativo acusando de ser fascistas a los demás. Lo que parecía un acto de enajenación colectiva se ha convertido en una costumbre. Hoy los chavales de las Nuevas Generaciones del «centro» hacen el saludo fascista, sacan la bandera y los símbolos fascistas cuando están contentos, pero siguen llamando fascistas a los rivales políticos y negando la importancia de esos gestos. Recientemente, uno de los cargos jóvenes del PP, al verse en internet criticado por hacerse una foto rodeado de compañeros que hacen el saludo fascista detrás de una bandera nazi, se ha disculpado pidiendo perdón a los que se hayan podido sentir ofendidos y alegando: «No era sabedor de que la bandera estaba pintada, puesto que estoy situado detrás.» La excusa es casi peor que la acción porque en lugar de parecer un hecho puntual, debemos entender que lo de estar rodeado de jóvenes que hacen el saludo fascista le pareció normal, no vio nada extraño en ello y por eso pensó que era la bandera que llaman «constitucional». En realidad viene a decir: «Si molesta, no lo hago.» Parece que se aviene a la disciplina de los que le mandan sin que él o sus correligionarios entren en el fondo de la cuestión. A sus superiores jerárquicos les parece una chiquillada y así lo expresan cada vez que ocurre algo parecido, que es, por desgracia, con demasiada frecuencia. Esta dualidad contradictoria de tintes esquizoides de negar lo que se hace como si no fueran conscientes de su significado, utilizada como estrategia y sumada a la estupidez intrínseca que conlleva el fascismo, sin duda crea problemas de identidad y pasa factura; lo malo es que esa factura la pagamos los demás.

Los que se niegan a condenar el golpe de Estado y afirman que Franco fue un personaje histórico de gran relevancia, también utilizan «nazi» para definir al rival cuando el único aliado que le quedaba a Hitler en Europa era, precisamente, Franco. Durante mucho tiempo en España se negó el Holocausto, y en la educación sentimental de los niños del franquismo, los alemanes eran los buenos de la guerra. También recordamos que Franco capitalizaba la lucha contra ese enemigo ante el que había que estar siempre prevenido y que quería acabar con nuestra civilización, con nuestro sacrosanto nacionalcatolicismo, ese enemigo que bautizó como: «Contubernio judeomasónico.» Antisemitismo duro y puro. Así, con dos huevos. Los niños de nuestra generación teníamos al judío por animal de la peor especie y cuando un chaval escupía a otro, algo muy común en mis tiempos, se decía: «No seas judío.» Según dicen, los judíos escupían a Jesucristo durante la Pasión. Sufrimos un *shock* cuando nos enteramos de que Jesucristo era judío. Ese antisemitismo tuvo su máxima expresión en la primera mitad del siglo XX con el nazismo, que se lo tomó muy a pecho. Los nazis llegaron a una conclusión que llamaron «Solución Final» con la que pretendían, nada más y nada menos, exterminar a todos los judíos del mundo.

Los herederos del franquismo también olvidan que el ejército alemán con su aviación, la temida e implacable «Legión Cóndor», fue decisiva en la victoria de los golpistas en nuestra guerra civil. A ella se le atribuye el dudoso honor de perpetrar el primer ataque de la aviación contra una población civil de la historia, el célebre bombardeo de Guernica que inmortalizara Picasso en un cuadro para la Exposición Universal de París de 1937, con la intención de que el mundo tomara conciencia de la crueldad de estas hordas criminales. Por mirar para otro lado, Europa pagó más tarde un precio muy alto.

Estos nazis fueron los grandes maestros del uso de los símbolos, que también mezclaban con la cosa esotérica, y que plasmaban en las impresionantes coreografías castrenses que quedaron inmortalizadas en las películas de Leni Riefenstahl y que son el paradigma de la propaganda política y la exhibición de fuerza. Contaban con ese gran maestro de la manipulación del que ya he hablado y que se llamaba Goebbels. También para los nazis era tan importante la imposición de sus símbolos como la destrucción de los ajenos. De ahí que un partido que se creó para acabar con el socialismo, que se extendía como una plaga en aquella época, se llamara, precisamente, nacionalsocialista. De hecho, Hitler, en la última sesión donde hubo debate del Parlamento Alemán, el Reichstag, antes de quemarlo y tomar el poder absoluto, para demostrar el cariño que tenía a los socialistas se dirigió al líder de la socialdemocracia de aquel país, Otto Wels, y le espetó: «Ustedes ya no son necesarios, la estrella de Alemania se alzará y la de ustedes se hundirá. La hora de su muerte ha sonado.» Digo esto porque ahora, haciéndose eco de estas maniobras de manipulación, en algunos programas de debate de la televisión digital se afirma como ejemplo de la maldad del socialismo que Hitler era socialista, ya que su partido era nacionalsocialista. Esa manipulación de los términos permite, precisamente, a los que se encuentran más cerca de esa ideología dentro del espectro político, llamar nazis a los demás. Son los afines a Franco, el socio y aliado de Hitler, los que señalan a los demás con el dedo acusándoles de fascistas, totalitarios y nazis.

Por el contrario, un adjetivo que usaban para desprestigiar a los que eran tibios en sus manifestaciones públicas y no se definían como adictos al régimen, fue el elegido para bautizarse en la nueva democracia: «liberal». En los «buenos tiempos» de la dictadura se utilizaba el término liberal para desacreditar a alguien por su falta de compromiso, por no ser carne ni pescado, por su tibieza. Sólo «maricón» tenía el mismo efecto descalificador. Pues bien, en el afán de encontrar un adjetivo que les defina y para no verse obligados a decir lo que realmente piensan y ubicarse en esta sociedad de lo políticamente correcto, encontraron en el término «liberal» el adjetivo perfecto.

En política, liberal es el partido asociado a la libertad. En España está unido al liberalismo político que tiene su origen en las Cortes de Cádiz que se oponía a la invasión francesa y también al Antiguo Régimen. Desde luego, si de algo es inocente esta simpática muchachada de la derecha que nos gobierna es de haber luchado por la libertad. Todas las reformas que llevan a cabo van, precisamente, en el sentido contrario, el de menguar las libertades individuales de los ciudadanos. Ellos no son liberales, son conservadores, de los de toda la vida, de peineta y mantilla, están por la sociedad de castas y a ese proyecto se entregan con entusiasmo juvenil, últimamente plasmado en su reforma educativa que a todas luces persigue terminar con la igualdad de oportunidades.

¿Cómo se come esto? La cosa tiene truco. La cuestión es que existe también el término liberal aplicado a la economía, que es aquella teoría que aboga por la mínima intervención del Estado, partidaria de la libertad económica, el mercado libre, la libre competencia, la iniciativa privada y demás. O sea el desarrollo de las iniciativas económicas sin control o intervención del Estado. Libertad o descontrol que propiciado desde el púlpito del imperio por George W. Bush nos ha traído hasta la actual situación de crisis. La cosa se resume en que si todo el poder de la relación económica se vuelca del lado del empresario, al que se le dan todas las facilidades posibles para que desarrolle sus iniciativas, que incluyen incentivos fiscales, abaratamiento de los contratos con los trabajadores, liberalización de los despidos, flexibilización de la jornada laboral, en resumidas cuentas, eso que llaman optimizar la productividad a través de «reformas estructurales profundas», o sea, reducir los gastos al máximo para que los beneficios crezcan y la inversión sea más tentadora, con esos alicientes, se supone que se favorecerá la iniciativa empresarial y, con ella, la creación de puestos de trabajo. Es decir, si puedo tratar a los ciudadanos como objetos productivos de usar y tirar, como si fueran cosas, igual me animo y contrato. La idea no es mala, ya la conocían los egipcios y les sirvió para construir esas pirámides tan bonitas.

En este cuento de la lechera neoliberal, ¿dónde termina la voracidad del empresario?, ¿existe un tope en el margen de beneficio que permita al trabajador llevar una vida digna? Por decirlo de otra manera, ¿cómo se evita el abuso?, si es que le importa a alguien. El Estado debería controlar el mercado laboral, pero no interviene en los asuntos de las empresas privadas porque el manual neoliberal lo prohíbe, ya que tal intervención es característica de un totalitarismo de izquierdas trasnochado. El ciudadano se queda con el culo al aire.

Hace unos meses, en un debate televisivo, pude ver al que fuera consejero de Economía y Hacienda de la Comunidad de Madrid, Percival Manglano, que al ser preguntado por las consecuencias de esta crisis que produce puestos de trabajo en los que se exige (y le pusieron este ejemplo de oferta real) titulación superior, dos idiomas y dedicación completa por un salario de 600 euros mensuales, contestó sin vacilar que eso es mejor que estar en el paro y no cobrar nada. Contestó como si estuviera en un concurso, eludiendo toda responsabilidad exigible a los gobernantes de procurar el bienestar de la ciudadanía, y sin hacerse eco del drama que supone en una sociedad avanzada vivir en la pobreza a pesar de estar todo el día trabajando. Su respuesta es incontestable, 600 euros es mejor que nada. Un cerebro privilegiado. Este problema no va con él, a pesar de estar a cargo de la nave, y ése es «nuestro problema».

No entiende don Percival que es difícil hacer responsable del desempleo a una persona concreta, pero no lo es detectar el abuso y la explotación que, a mi entender, deben ser perseguidos, y más ahora cuando vivimos tiempos de necesidad y desprotección absolutos. Para proteger a los ciudadanos, que en ningún caso están en igualdad de condiciones a la hora de negociar un sueldo cuando se solicita un trabajo, debería estar la Administración. La labor de control cae en manos de los sindicatos a los que desde la Administración y sus medios de comunicación afines se ha demonizado y difamado constantemente, mientras que jamás se ha escuchado una sola crítica a las innumerables situaciones de abuso que se están dando en el mundo empresarial aprovechando la situación de precariedad que nos han traído la crisis y su herramienta más eficaz: la «reforma laboral». Y esto, a pesar de que la cúpula de la CEOE (Confederación Española de Organizaciones Empresariales) tiene serios problemas con la justicia por delincuente. Su anterior presidente, Díaz Ferrán, está en la cárcel; un hijo de su predecesor, José María Cuevas, detenido por blanqueo de capitales; su actual vicepresidente, Arturo Fernández, está procesado por pagar con dinero negro a sus empleados sin que este detalle le haya supuesto el menor problema de incompatibilidad para continuar en el cargo, ni siquiera después de una anunciada reforma de regeneración ética de la Confederación. Debe de ser que ahí se encuentra en su elemento y sus compañeros también. ¡Vaya cartel!

El futuro para los trabajadores se ve negro cuando el Banco de España, a través de su gobernador, Luis María Linde, recomienda que se permita hacer contratos al margen de los convenios colectivos, así como traspasar la línea roja del salario mínimo interprofesional, que actualmente está en 645 euros. Me llamarán demagogo, pero quiero destacar que quien eso afirma ganó 81.320 euros pagados de las arcas públicas en los seis primeros meses del año 2012. Dice este señor que el salario mínimo de 645 euros puede suponer un freno a la contratación, ya que «no se ha conseguido paliar el desolador panorama laboral a pesar —y cito textualmente— de los esperanzadores logros alcanzados por la reforma laboral en materia de flexibilidad interna y moderación salarial». Bueno, como sabemos que este cargo lo ostenta un técnico de esos que no tienen ideología, no hacemos comentario alguno, pero cualquiera diría que no es que se le vea el plumero, es que parece un pavo real haciendo de *cheerleader* en la puerta de la CEOE. Por cierto, ¿cuándo van a dejar los distintos gobernadores del Banco de España de repartir doctrina política, siempre en el mismo sentido, y se van a dedicar a poner orden en este «sin dios» en el que se ha convertido el sistema financiero de este país, donde Bankia puede presentar unas cuentas con un saldo positivo y terminar necesitando unas ayudas de 23.500 millones de euros sin que salten las alarmas? ¿Nadie les va a pedir cuentas? ¿Nadie va a asumir responsabilidades? ¿Para qué les pagamos? ¿Se les va a exigir productividad?

Pues eso, estos que se llaman, con toda la razón del mundo, liberales en economía, tiran hacia arriba y por extensión se hacen llamar liberales en general, dejando a los otros, los que son liberales de verdad, los amantes de la libertad, fuera de juego. La liberal *number one* de España es Esperanza Aguirre, que repite tal condición cada vez que abre la boca. Cuando uno cree que es liberal, no necesita decirlo, ya lo demuestra con hechos. Ella tiene que ayudarse constantemente de la muletilla para convencer a los demás. Como dijo nuestro señor: «Por los hechos los conoceréis.» ¡Vaya tropa!

El pueblo unido

Rematando el tema de los símbolos, este autor se quedó de piedra un día que coincidió con una manifestación de liberales, neoliberales, neocons, conservadores, de centro, de derechas, que en todos esos apelativos se reconocen, que gritaban a coro: «El pueblo unido jamás será vencido.» Esa consigna por la que en mis tiempos mozos uno podía ir a la cárcel también se la habían apropiado. No habían dejado nada para el recuerdo. Cualquier símbolo de la lucha por la libertad de otro tiempo había quedado desposeído de sentido. Se habían quedado con todo. Por eso, muchos jóvenes que provienen de ese mundo que ellos llaman apolítico afirman que no existe la derecha ni la izquierda, que son términos obsoletos que no van a ninguna parte. Pues sí que existen, y también la extrema derecha a la que pertenecen algunos de los que hoy desempeñan cargos de responsabilidad. Son aquellos que justifican el golpe de Estado de 1936. Los que afirman que hubo otro en 1934 para referirse a la huelga de Asturias. Los que dicen que hacer el saludo fascista o portar banderas golpistas son chiquilladas sin importancia. Los que equiparan la bandera republicana, símbolo de una democracia, con la del golpe de Estado, símbolo de una dictadura. Los que defienden la permanencia de los nombres de militares y civiles golpistas en las calles y plazas de nuestro país. Los que se resisten y resistían a la retirada de las estatuas ecuestres del dictador. Los que afirman, y ahora son legión, que la Segunda República trajo un millón de muertos. Y dejemos de apuntar signos que delatan la ideología, porque si nos metemos en internet con la lista, salen retratados más políticos de los que desearíamos. La misma Esperanza Aguirre, la liberal que está dispuesta a volver si el pueblo se lo pide para regenerar la democracia, tuvo mucha gracia cuando en un programa de televisión comentaba que Franco era bastante socialista. Si le parece que Franco era socialista, ¡dónde estará ella!

Confundirlo todo, desvirtuarlo todo, hacer de la política un acto abominable, convertir el Congreso de los Diputados en una taberna de pendencieros, utilizar la mentira de forma sistemática para cotidianizarla, convertir el sistema democrático en una mera herramienta electoral periódica sin ningún tipo de connotación ética o moral. Abolir la responsabilidad política. Ésa y no otra es la meta. En un sistema de gobierno que surgiera de esa catarsis estarían solos. No tendrían que aguantar pamplinas de la chusma ni dar tantas incómodas e innecesarias explicaciones.

A POR LAS JOYAS DE LA CORONA

—

¡Mira cuánta pasta!

Existe un gen que portan los liberales en economía que les obliga a hacer negocio allí donde haya posibilidad, pasando por encima de quien sea, cargándose lo que sea, hundiendo lo que haya que hundir. Cuando ven un bosque piensan en madera. Cuando miran un río ven embalses. Cuando están en una playa se les aparecen bloques de apartamentos, un paseo marítimo y un puerto deportivo. A esto lo llaman «desarrollo».

Dice Stephen Emmott, científico de prestigio que trabaja en Cambridge, que «nuestra inteligencia, nuestra creatividad y nuestras actividades son, en realidad, la causa de todos los problemas globales que padecemos». Hay que sujetarse, no se pueden exprimir los recursos hasta la última gota. Como el náufrago o el que se extravía en el desierto, hay que racionar los víveres para durar lo máximo posible.

Pues bien, los liberales en economía piensan que las personas que han estado yendo durante años a lugares tranquilos, alejados, disfrutando del paisaje, del placer de admirar una playa sin edificios son, simplemente, gilipollas. Seres pasivos, anodinos, sin iniciativas, que no vislumbran la pasta que atesoran los lugares remotos. Se sienten genios emprendedores por concebir la idea de sacar la mayor cantidad de dinero posible de aquellos terrenos. No comprenden que a algunos les parezca una mala idea. Como visionarios, se sienten los elegidos, los únicos que saben descifrar el mapa de un tesoro enterrado, precisamente, debajo de tu culo, donde pones la toalla. A veces son lugares que otros han protegido con leyes para que todos podamos disfrutarlos. Pamplinas. En el artículo primero de su manual de trabajo se puede leer: «Las leyes se ponen y se quitan, y los cargos que las deben hacer respetar se compran y se venden.» Ésa es la mentalidad. Para ello hay que sentar las bases que permitan acceder a la administración local con ofertas que el concejal o funcionario de turno no puedan rechazar. Siempre contarán con la coartada del desarrollo de la zona o de la creación de puestos de trabajo.

El mecanismo es sencillo. Recientemente, la juez Alaya, la que lleva el caso de los ERE de Andalucía, ha introducido un término que me ha llamado la atención. Ha imputado a personas porque bajo su responsabilidad se dictaron normas que han podido, dice, propiciar el delito. Es decir, estaríamos ante un agente pasivo porque la utilización perversa de la norma no sería, en principio, responsabilidad del que la dicta. No sé si en este caso tiene o no sentido la imputación, lo desconozco, pero esto es abrir la caja de Pandora. Se puede montar un cristo importante. ¿Cuántas normas dictan estos gobernantes neoliberales que puedan favorecer la corrupción? Me viene a la cabeza una que parece que se ha hecho para favorecer la especulación y el latrocinio. Alguien debió de pensar que la recalificación de los terrenos para que pasen a ser urbanizables debía estar en manos de los ayuntamientos, con lo cual sometió a los responsables municipales a unas presiones por parte de la mafia el ladrillo que no son fáciles de soportar, como se ha visto. Eso en el mejor de los casos, porque el poder que otorga ser el que decide dónde se construye y dónde no también hace que haya facinerosos que se presenten a las elecciones para ejercer ese poder con la sana intención de forrarse. Esa iniciativa ha propiciado una marea de corrupción que ha minado la confianza de los ciudadanos en la Administración y ha sumido a la clase política en un desprestigio sin precedentes.

La corrupción es una enfermedad infecto-contagiosa. Se acaba convirtiendo en epidemia, por eso está totalmente contraindicado salir, como hizo el señor Rajoy en febrero de 2009, arropado por la plana mayor de su partido, a hacerse una foto declarando que las acusaciones del llamado caso Gürtel no son más que una trama para acabar con el PP. Esto es dictar barra libre para el saqueo con la bendición de la cúpula. En la foto estaban, entre otros, Rita Barberá, Ana Mato, Javier Arenas, Federico Trillo, Francisco Camps, Alberto Ruiz-Gallardón, personas de reconocida trayectoria que con el paso del tiempo, en su mayoría, han ido desfilando por diferentes tribunales, por distintas causas. Pasaron de brillantes regeneradores de la vida pública a «presuntos». Mal viaje.

Debemos entender que, para que una trama como la Gürtel pueda llevarse a cabo, un caso tan complejo que se reparte por toda la geografía española y cuyo procedimiento consta de decenas de miles de folios, se necesita indefectiblemente la colaboración de la Policía Nacional, Guardia Civil, Policía Judicial, Unidad de Delitos Económicos y diferentes jueces en distintas localizaciones del país. Supone la unidad de la mayoría de las instituciones que configuran nuestro Estado de derecho, asociándose cual banda de malhechores con el fin de hundir a un partido, para más inri, el que representa a los españoles de verdad. Además, se produce un discurso contradictorio por parte de los que se pasan la vida pidiendo que no se generalice cuando se habla de casos de corrupción, mientras no dudan en acusar a la Administración en su conjunto, de arriba abajo, de estar corrompida. La verdad es que si las instituciones que se ven aludidas por el señor Rajoy estuvieran al servicio de alguien, por ir descartando, podríamos afirmar que no trabajan para la extrema izquierda. Antes al contrario, el juez que desveló la trama que implica a muchos de ellos, Baltasar Garzón, fue expulsado de la carrera judicial con el aplauso estruendoso de los medios de comunicación (los mismos que hicieron de él un héroe cuando investigaba el caso de los GAL) y el partido del gobierno. Fue expulsado decía, en condiciones anormales, por procedimientos extraños y con resoluciones discutibles.

No debe hacer ese tipo de exhibiciones públicas con la cúpula del partido el que más tarde fue elegido presidente de Gobierno, porque consigue lo contrario de lo que se propone. Los que dan la imagen de banda organizada son los que aparecen en la foto. Como este sumario es tan extenso que implica a tantas personas, Rajoy arriesga mucho al proclamar la inocencia del colectivo, así, a bulto, alegando que les tienen manía, como en el cole, a no ser que el actual presidente disponga de un «superpoder» que en forma de escáner le permita hacer un barrido cerebral a todos y cada uno de sus cargos y leer en su interior si están libres de mácula.

La otra posibilidad es más triste: que esté al tanto de todo lo que pasa y no tenga escapatoria. Eso justificaría que no dé la cara y se esconda, lo contrario de lo que hacen los inocentes. Esa nueva cantinela que repiten todos a coro de «ya he dicho lo que tenía que decir», como la prerrogativa de los reos de no declarar, sólo se entiende desde el beneficio concedido al que tiene un marrón importante encima y, debido a su falta de cualificación, cualquier cosa que diga pueda volverse en su contra. Pero choca frontalmente con las actitudes de los que son acusados injustamente, que lo que quieren es aclarar las cosas cuantas más veces mejor, en el momento, «sin aplazamientos», y en directo, no «en diferido». Finiquitar, pero de verdad, sin que quede atisbo de duda.

Como decimos, esa foto genera desasosiego, pues aquel que tenga sospechas sobre ilegalidades cometidas por estas personas, que según han ido demostrando los hechos estaban más que fundadas, llega a la conclusión de que todos están en el ajo. Nadie quiere comerse un marrón que no le corresponde. Se convierte así don Mariano en encubridor y responsable de lo que ocurra, lo cual no es arriesgar mucho en un país donde nadie asume sus responsabilidades. Se sube a la cima del montón de basura para desde allí dictar un mensaje que no es de tranquilidad sino de disciplina, ordena la «ley del silencio». Llama a la solidaridad del resto de los miembros del partido en lugar de discriminar a los presuntos delincuentes, separándolos de los que no lo son, pudiendo, más tarde, rehabilitarlos en sus puestos si se demostrara su inocencia. Cosa que no ha hecho, por ejemplo, con el señor Camps, del que han exigido a los medios de comunicación y a la ciudadanía en general la rehabilitación de su honorabilidad una vez que la sentencia le fue favorable, cuando la mayor rehabilitación posible habría consistido en reponerle en el cargo dándole de nuevo la presidencia de la Generalitat Valenciana, que había abandonado provisionalmente, en tanto se llevaba a cabo el proceso. Al apartarle de la presidencia da la impresión de que son los primeros que no creen en su inocencia. Algo como: «Te has salvado de milagro, ya te estás largando.»

Resumiendo, al cerrar filas en torno a los «presuntos», pidiendo complicidad a la militancia en lugar de aclarar a la ciudadanía lo que está ocurriendo, no dan imagen de partido de gobierno, sino que se retratan como «los Soprano». No está bien.

Cuentan, sin embargo, con un factor a favor, la baja capacidad de reacción del pueblo soberano, que parece totalmente anestesiado por la cantidad de hechos luctuosos, fechorías y engaños que un día tras otro salen en los medios. Un amplio sector de la ciudadanía parece haber arrojado la toalla, dispuesto a aceptar lo inaceptable, al punto de que a pesar del gran número de imputaciones, en plena efervescencia del caso Gürtel, el pueblo español les otorgó con su voto una espectacular mayoría absoluta en el Congreso. En plena crisis, con unos índices de paro escandalosos, y con la derecha gobernando en toda Europa, la mayoría absoluta se ha convertido en una especie de suicidio colectivo. Parece que, acosados por los delitos de corrupción que florecen por todas partes, no les queda más remedio que huir hacia delante y llevar a cabo con urgencia, contra reloj, una serie de «reformas estructurales» que suponen de facto el desmontaje del Estado de bienestar. Cuando pase este *tsunami*, parafraseando a Alfonso Guerra el día que el PSOE ganó en el 82 con mayoría absoluta, «a este país no lo va a conocer ni la madre que lo parió». Han debido de pensar «ahora o nunca» y, en efecto, como si alguien hubiera «tocado a rebato», se han lanzado en tromba para terminar con el maltrecho Estado de bienestar, privatizando los servicios esenciales para que empresas de enigmático accionariado se forren. Más tarde, estos agentes privatizadores aparecen en los consejos de administración de las empresas adjudicatarias o son contratados como consejeros, así, por lo sencillo.

Al puesto que tengo allí

Así, con estas cosas del ladrillo y sus posibilidades hemos llegado a la cifra de unos ochocientos casos de corrupción, que afectan, sobre todo, a los dos principales partidos, en los que los responsables políticos se han lucrado a través de sobornos u otras malas artes. No se suele intervenir contra los corruptores, que nunca aparecen en la prensa y son los inductores del delito.

Otra característica de nuestro país es la política de hechos consumados. Es la que llevaba adelante, por poner un ejemplo de todos conocido, Jesús Gil y Gil y que consiste en construir donde a uno le dé la gana, vender los pisos y luego a ver quién es el guapo que desahucia a las familias y derriba las viviendas. Recuerdo una ocasión en la que la Junta de Andalucía intentó parar unas obras en el municipio de Marbella, se originó un rifirrafe que terminó con don Jesús amenazando con que la policía municipal plantaría cara a la Guardia Civil si se presentaba a parar la construcción de las viviendas, un desafío a duelo como en el Far West. Así de brabucón era aquel alcalde, presidente del partido que llevaba su nombre, y que murió con decenas de pleitos pendientes y todos por lo mismo: trincar. La justicia se negaba a meterle mano. En toda su etapa reciente, posterior al indulto de Franco, pasó tres días en el talego. Claro que esa política que llevaba adelante el célebre presidente del Atlético de Madrid habría sido imposible sin la colaboración de algún elemento de la justicia local que archivaba lo que iba llegando. La jueza Pilar Ramírez, que finalmente fue apartada de la carrera judicial porque su familia firmaba convenios urbanísticos por mucha pasta con el ayuntamiento, veía con buenos ojos toda la corrupción que pasaba por delante de sus narices. El Supremo rebajó la pena de la jueza al estimar que los hechos no parecían tan graves a pesar de que se apreciaba «un ostensible y profundo ataque a la imparcialidad judicial». No se tuvo en cuenta el daño que hacen este tipo de conductas, el desprestigio que causa al sistema judicial, ni la sensación de impunidad que crea el poder actuar al margen de las leyes, como hacía el señor Gil, gracias, entre otros, a esta jueza, y que le permitió hacer ostentación de un gran desprecio por el Estado de derecho. La suspensión de la jueza quedó en cuatro años. Tampoco les vamos a pedir que tiren piedras contra su propio tejado, oye. Hoy luce toga en Torremolinos. ¡Enhorabuena a los premiados!

En la apoteosis del surrealismo, teniendo varios casos pendientes de ser juzgados, don Jesús organizó una fiesta que llamó «Homenaje a la Justicia» a la que acudieron jueces de todos los puntos de España, incluso miembros de la alta judicatura, para pasar un «finde» en Marbella a todo plan, a cuenta del señor alcalde o, mejor dicho, del Ayuntamiento.

Mención aparte merece el juez Torres, que, como se dijo en su día, «llevó el Estado de derecho a Marbella» y emprendió un proceso, por fin, contra aquella mafia. No le fue bien. Luego se ha metido en otros casos gordos como la «Operación Guateque», «Los Miami»... Decepcionado y exhausto, harto de recibir presiones y defender aquello en lo que cree, ha terminado con problemas de salud dejando la carrera judicial. Así está el patio.

Siguiendo con el ladrillo, es difícil entender desde la óptica de la justicia la amnistía disfrazada de regulación que ha concedido el gobierno nada más llegar al poder a todas las construcciones ilegales de los últimos años. Ha creado una nueva clase de ciudadanos: la de los idiotas que cumplen y respetan las leyes. De paso, se han sacado de la manga un proyecto de ley para reformar la Ley de Costas, sin que nadie se lo haya pedido, bueno, salvo los que tienen línea directa con el gobierno. Así, con secretismo, que es como se hacen las cuestiones vergonzantes, sin que el ministerio que dirige Arias Cañete lo haya consultado con organización alguna, tal y como se había comprometido personalmente. Otra maniobra para evitarse el lío de legalizar lo condenado por la justicia. Así, serán legales algunas construcciones que antes no lo eran. Decisiones que perjudican a la inmensa mayoría de los ciudadanos para que se forren unos pocos.

Y alguno se preguntará por qué los responsables políticos que están relacionados con estas mafias ven premiada su gestión en las siguientes elecciones. La respuesta está en la premisa del capítulo, cuando afirmaba que la corrupción es una enfermedad infecto-contagiosa. Pongamos un ejemplo. Un paisano tiene un terreno rústico cuyo valor viene a ser de 30.000 euros, pero que por un proceso de recalificación irregular podría multiplicarse por diez, cincuenta o cien veces, según lo cerca que esté de la costa. Teniendo en cuenta que ya ha habido precedentes en el pueblo y otros se han forrado antes que él, ¿a quién votaría este señor? Tiene dos opciones. Otorgar su confianza a un candidato que le promete la regeneración de la honestidad en la gestión pública, o sea, palabras. O al otro candidato que le va a llenar la cuenta corriente de ceros, o sea, de pasta. Tarda unos segundos en tomar una decisión y el corrupto obtiene cada vez más votos, que restriega por la cara a los que piden justicia, acusándoles de antidemocráticos y de no respetar el resultado de las urnas.

El empeño de los liberales en economía por abolir los controles y la intervención del Estado no es una lucha por la libertad y la emancipación de los ciudadanos de las garras de los gobiernos, sino un allanamiento del terreno para forrarse prevaricando, sobornando, comprando voluntades, pillando comisiones, áticos de lujo, en fin, esas cosas que son seudolegales si tenemos en cuenta el bajo precio que pagan cuando les pillan, si es que pagan algo.

En el famoso caso Banesto de Mario Conde, cuando se descubrió el agujero patrimonial de 3.636 millones de euros que provocó su intervención, de cuya cantidad nadie sabe lo que se llevaron los condenados, muchos se preguntaban con ingenuidad si no sabían que les iban a pillar. Pues claro, también sabían, porque lo tenían muy estudiado, lo que les iba a pasar cuando les pillaran: nada, o casi nada y, en cualquier caso, la pasta se iba a quedar en la saca. El golpe compensaba, y con creces. De hecho, los que fueron condenados andan ahora dando clases de ética en las televisiones de la TDT. «Marca España.»

Por cierto, para que se vea qué pequeño es el mundo, el abogado de Mario Conde en aquel caso, que también según algunos fue uno de los muñidores de la trama, fue Mariano

141

Gómez de Liaño, hermano de Javier Gómez de Liaño, magistrado de la Audiencia Nacional y miembro del Consejo del Poder Judicial hasta que fue expulsado de la judicatura tras una condena por prevaricación por el llamado caso «Sogecable». Javier fue indultado por el gobierno de José María Aznar (todo indicaba que el proceso estaba inducido por el propio gobierno) y ahora es el abogado de Luis Bárcenas. En este caso no se puede decir lo de dios los cría... ya que se criaron juntos. Vaya sainete.

Hablando de justicia y liberalismo, mientras estoy escribiendo estas líneas, un juzgado de Madrid ordena la suspensión cautelar del proceso de privatización de varios hospitales. El consejero de Sanidad de esta comunidad, Fernández-Lasquetty, afirma a las pocas horas que el juez «no emite opiniones de tipo jurídico sino de tipo personal y político impropias de un auto de un juzgado». No sé si este juez correrá la misma suerte que Garzón, pero la acusación de ser un agente político al servicio de intereses espurios dando la espalda a la justicia ya está de nuevo sobre la mesa. Recuerda esta actitud a la de Federico Trillo, portavoz de Justicia del Partido Popular, que tenía la costumbre, también en un gesto de respeto institucional impecable, en su condición de ministro y diputado, de referirse al juez Garzón como «el juez prevaricador». Su suerte estaba echada.

¿Pretende este máximo responsable de la sanidad madrileña inculcar el respeto a la justicia con estas declaraciones? ¿Debería exigir respeto a la justicia como cuando las decisiones le son favorables? Lo que el juez dice en su auto es que el proceso de privatización de la sanidad es irreversible y está basado en un ahorro económico y una mejor gestión, y que, por tanto, dada la importancia del caso, se deberían aportar datos que demuestren ambas cosas. Además, manifiesta su incomprensión por la manera en la que, precisamente, los encargados de gestionar la sanidad se declaran incompetentes.

Lo que se deduce de las palabras de este consejero que tiene bajo su responsabilidad la gestión de los hospitales es que cualquiera que se presente al concurso lo va a hacer mejor que él y su equipo. Podrían ponerlo en los carteles durante la campaña electoral: «Vota a Lasquetty, tu próximo consejero de Sanidad: un inútil.» O simplemente la verdad: «Vota PP, vamos a privatizar la sanidad.» Da la casualidad de que repetían hasta la saciedad lo contrario: «Habrá tres líneas rojas que no se van a traspasar: la sanidad, la educación y las pensiones.» Da la casualidad de que se han cargado las tres. En educación en 2012 han reducido el presupuesto en 8.000 millones de euros, para 2015 supondrá el 3,9 por ciento del presupuesto, lo que nos situará en los niveles del año 80 y a la cola de la Unión Europea. Gracias.

Con respecto a las pensiones, han anunciado que dejarán de revisarse con relación al IPC, lo que supondrá una pérdida de poder adquisitivo de los pensionistas. Eso sí, haciendo de nuevo uso del desprecio a la inteligencia del pueblo soberano, han anunciado con una sonrisa de oreja a oreja que se incrementarán en un 0,25 por ciento. Cuando el IPC sea superior a ese 0,25 por ciento, cifra que se supera todos los años, los pensionistas palmarán pasta.

La pregunta que nos hacemos muchos ciudadanos es: si el señor Lasquetty se considera incompetente para gestionar la sanidad, ¿por qué se postula para ello? ¿Por qué acepta el cargo? La respuesta, como diría Bob Dylan, está en el viento: no aceptó la consejería para gestionar el servicio, sino para acabar con el Sistema Público de Salud, que, por cierto, en todas las encuestas cuenta con el apoyo de más del 90 por ciento de los ciudadanos. Por tanto, la competencia o no en la gestión no cuenta para su fines perversos, no debe ser evaluada por el uso que hace de los recursos destinados a sanidad, sino por su capacidad para desmontarla, que es a lo que se dedica, y ahí hay que reconocer que lo borda. Su capacidad destructiva y descalificadora de los profesionales de la sanidad, a los que tanto debemos los ciudadanos de este país, no tiene precio. Es difícil encontrar a alguien capaz de dar la cara como él hace en los medios de comunicación, sin sonrojarse, con una especie de rabieta como la de un niño pequeño cuando le quitan el juguete, defendiendo el desmontaje del sistema, sabiendo que no representa a nadie, ni siquiera a sus votantes. A veces dudo de si es consciente del daño que está haciendo a la sociedad, que está haciendo al conjunto de los españoles. He llegado a la conclusión de que les da igual.

Del mismo modo que sus antecesores en la Consejería de Sanidad de Madrid, los señores Lamela y Güemes,[103] continúa un proceso de desmantelamiento que se está llevando a cabo contra viento y marea bajo la batuta de Esperanza Aguirre, que ahora sigue los movimientos desde el palco, como testigo privilegiado de la ejecución de su obra. Nadie ha solicitado esta privatización, ni los médicos ni el conjunto de la sociedad, que asiste aterrorizada al desmantelamiento de nuestro sistema sanitario. Este plan no es nuevo. Hace ya muchos años que en las asambleas del Colegio de Médicos de Madrid un sector de los profesionales alardeaba de que la señora Aguirre se había comprometido a privatizar la sanidad. Entonces parecía un disparate que nadie se atrevería a acometer. Este colectivo de profesionales alegaba que no había ninguna razón para que la salud fuera el único servicio realmente socializado en este país.

No lo pueden remediar. Son liberales en economía y no pueden resistir estar al frente de la gestión pública de un potencial negocio de miles de millones sin «pillar cacho». Ya lo hicieron con Telefónica, con Repsol, con Argentaria; con todas las grandes empresas públicas de este país que rendían cuantiosos beneficios a las arcas públicas y que nos vendrían de perillas para paliar los catastróficos efectos de esta crisis, dividendos que ahora van a parar a los bolsillos de los accionistas. Todavía estamos por ver los beneficios que han producido a la ciudadanía estas privatizaciones. Ellos ganaron muchos millones de euros. Durante el gobierno de José María Aznar, el del milagro económico, fueron nombrados presidentes de esas tres compañías Juan Villalonga,[104] Alfonso

103. Güemes es yerno de Fabra, el del aeropuerto de Castellón al que le toca siempre la lotería y así justifica ingresos extraordinarios, y marido de la célebre diputada que dijo lo de «que se jodan» cuando se anunciaba en el Congreso una reducción de las prestaciones a los parados. Lo dicho, qué pequeño es el mundo.
104. Compañero de pupitre de don José María.

Cortina (hijo de un ministro de Arias Navarro) y Francisco González,[105] respectivamente. Los tres, colegas de Aznar. Las cosas volvieron a los tiempos «de la extraordinaria placidez», a hacerse como «dios manda». Se encargaron de la privatización total de sus respectivas compañías, y una vez privatizadas se quedaron de presidentes. Lo dicho, que somos gilipollas y no sabemos ver negocio donde lo hay. Olé, olé y olé, la marca España. Se trataría una vez más de un proceso de incautación: privatizo y me lo quedo.

Pero volvamos al tema de la sanidad. Contradiciendo al señor Lasquetty en la loa de las ventajas de su proceso privatizador no está sólo la sociedad, sino también la propia historia del modelo que quiere implantar. Resulta que ese dichoso modelo, el de la Generalitat Valenciana, cuya experiencia piloto fue el Hospital de Alzira, no ha resultado más barato, sino que se ha convertido en un sistema caótico en el que nadie ha salido beneficiado, salvo las empresas adjudicatarias y sólo gracias a la reescritura del pliego de condiciones de la adjudicación, que ha permitido la inyección, como ha ocurrido en Madrid con secretismo y nocturnidad, de millones de euros además de los comprometidos en los contratos, para que no se hunda el servicio. Aun así, ha habido meses en los que no han podido pagar las nóminas, los profesionales han tenido que incrementar sus horarios y los impagos por parte de la Comunidad están a punto de llevar la situación al colapso.

El nuevo presidente de la Generalitat Valenciana, el señor Fabra, también del PP, no parece un entusiasta del sistema que ha heredado. De hecho, en su última conferencia en el Fórum Europa afirmó que el modelo que persiguen Madrid y Castilla-La Mancha no lo quiere para Valencia. Vaya lío, resulta que Madrid y Castilla-La Mancha andan persiguiendo el

105. Este señor, que se hizo banquero por orden de Aznar, es otro de los valedores de la austeridad para salir de la crisis. Ganó de sueldo 16,6 millones de euros (2.762 millones de pesetas) entre 2006 y 2008. Tiene una cláusula de indemnización para el día que prescindan de sus servicios de 93,7 millones de euros (15.590 millones de pesetas). Él tiene una fórmula para afrontar estos tiempos difíciles diferente a la que recomienda para los demás.

modelo de Valencia. Al parecer, se da la paradoja de que seguimos un modelo que rechazan los que lo implantaron y lo sufren. En cualquier caso, sería conveniente que el señor Lasquetty, antes de seguir pregonando a los cuatro vientos las bondades del sistema de privatización, hablara con su compañero de partido el señor Fabra y dieran una versión común, fabricaran una coartada conjunta.

¿Estamos locos o qué? No, amigos, hay mucha pasta en juego, mucha pasta para repartir.

Sólo hay que conseguir la concesión, el tema de los cobros ya se verá. De momento, en Madrid, como decimos, no hacen más que inyectar pasta a las empresas adjudicatarias sin pasar por el control del Parlamento Autonómico. Una vez que la salud esté en manos privadas, el Estado será rehén de ellas, gobierne quien gobierne. La Administración tendrá que pasar por el aro y pagar lo que se le exija porque a un pueblo no se le puede dejar sin asistencia.

Lo que denota esta estrategia de privatización de la sanidad es una falta absoluta de escrúpulos y un nivel de crueldad y desprecio hacia el bienestar de la ciudadanía que no son deseables en ningún gestor, pero mucho menos en el responsable de una cuestión tan primordial como la salud. Hasta ahí llegan los liberales en economía, nada escapa a su voracidad crematística.

La convocatoria que lanzó la Comunidad de Madrid para asesorar a los posibles interesados en los concursos de privatización de la sanidad no podía ser más reveladora: «La sanidad: una oportunidad de negocio.» Esta sola proclama desde los que deberían preservar el servicio de los buitres que lo acosan da escalofríos. El servicio, que no debería ser rentable, se transforma en negocio.

A todas luces, dado que el dinero no es elástico, la única manera de obtener beneficio con estos hospitales es disminuyendo la asistencia o reduciendo la calidad del servicio. Los especialistas advierten dc que una de las primeras consecuencias será la disminución de las pruebas diagnósticas preventivas que tantas muertes evitan, aunque supongan un ahorro a corto plazo.

En el Reino Unido la señora Thatcher implantó un sistema parecido. La sanidad pública británica se estudiaba como modelo en todas las universidades hasta finales de los años setenta. A mí me tocó. Era el referente. Dejó de serlo. Inició una carrera de deterioro imparable. Recientemente, el señor Cameron ha pedido disculpas por lo que ha calificado de «negligencias realmente espantosas» cuando varias investigaciones han detectado la muerte innecesaria de entre 400 y 1.200 personas en «un solo hospital», sumado a un trato vejatorio y en muchos casos inhumano por parte del personal de asistencia. El informe habla de abandono en la gestión y de contratación de personal inadecuado y de baja cualificación, personal que se dejaba a cargo de enfermos en situación crítica. El informe hace responsable de este caos, y cito textualmente: «A la consecución de objetivos económicos por encima de la calidad del servicio.» Así de claro. ¿Alguien va a pagar por estas muertes? No. El señor Cameron ha pedido disculpas, pero ha cargado sobre esos trabajadores toda la responsabilidad. Estaría bien que, además, hubieran entrado en el fondo de la cuestión, la parte en la que el informe denuncia que es «la consecución de los objetivos económicos» la que ha provocado la situación.

En el tope de la desvergüenza, tanto el señor Güemes como el señor Lamela, exconsejeros de Sanidad, forman parte de las sociedades a las que ellos mismos han adjudicado los servicios privatizados. Es decir, les doy el dinero de los impuestos y luego me paso por la ventanilla a cobrar. Ante el descubrimiento de estos hechos, tanto ellos como su partido, lejos de presentarse ante la sociedad para pedir disculpas por un comportamiento tan corrupto y degradante, aparecen como víctimas de una persecución alegando que todo es legal. Olvidan el pequeño detalle de que son ellos mismos, los políticos, los que hacen las leyes. De paso, estos señores legales olvidan que el cometido que se les encomienda cuando son elegidos por los ciudadanos a través de las urnas consiste en llevar a cabo la mejor gestión posible de los recursos que se les asignan. Les votan para que pongan su inteligencia al servicio del bien común. Sí, del bien común, para eso se les paga, no para invertir el dinero público en negocios personales, ni para promocionar su carrera en el mundo empresarial gracias a las concesiones que se realizan desde el ámbito de sus competencias. O sea, que no están ahí para hacer negocios en detrimento de la calidad de los servicios, sino para mejorarlos.

De nuevo nos restriegan por la cara nuestra condición de gilipollas por no habernos percatado de que los resquicios de la ley permiten forrarse con el dinero de esos idiotas llamados contribuyentes. Sus compañeros del gobierno central les apoyan a muerte. Debemos entender que hacen lo mismo con el resto de las partidas presupuestarias de sus diferentes competencias.

Estas prácticas tan torticeras no se consienten en ningún otro país de nuestro entorno. La ley es contundente con los que acceden al poder para forrarse con los recursos públicos. Y si grave es la conducta, aún lo es más la comprensión unánime que encuentra entre sus correligionarios. Por eso insisto en que nuestra derecha es diferente, viene de donde viene, se forjó en aquellas fraguas de la impunidad y jamás, por voluntad propia, va a abandonar su condición de «amo» para pasar a la de administrador. Aquellas empresas públicas que se construyeron con el esfuerzo y el dinero de todos los ciudadanos han pasado a ser suyas. A eso vinieron, a eso vienen, mientras el contribuyente, ese ser anodino carente de inteligencia mercantil, se queda cada vez más desnudo.

Inasequibles al desaliento, siguen viendo el salario mínimo de menos de 650 euros como una barrera para estimular la contratación. «Marca España.»

Aparte de estas argucias legales para forrarse, cada día salen a la luz nuevas acusaciones de violaciones de la ley que se ven atenuadas por la colocación de incondicionales en los medios de control. El gobierno tiene asegurada la mayoría tanto en el Consejo del Poder Judicial como en el Tribunal Constitucional; así como el control de la Comisión Nacional del Mercado de Valores, presidida por una militante y exministra del PP, Elvira Rodríguez, recientemente amonestada por un juez por no haber castigado a su valedor político, el que la nombró directora general de Presupuestos dentro de su ministerio, Rodrigo Rato. Lejos de ello envió una documentación a la

Audiencia Nacional para evitar que los imputados fueran castigados, según ella, «dos veces por los mismos hechos». También el Tribunal de Cuentas,[106] que está formado por miembros elegidos por los dos principales partidos y que cuenta entre otros personajes célebres con Manuel Aznar López, hermano del expresidente y que no se sabe qué cualificación le ha llevado hasta allí. Para acceder al puesto tienen que explicar sus virtudes a los diputados, nadie pregunta. También en ese tribunal se encuentra Margarita Mariscal de Gante, exministra de Justicia y miembro del Consejo General del Poder Judicial, famosa por su defensa del juez Estevill, de la que dicen que a día hoy no distingue el «debe» del «haber».

Voy a hacer un pequeño paréntesis para hablar de este caso porque es muy ilustrativo de la «marca España» y de cómo funcionan algunos órganos de control del poder judicial y la estrecha y permeable frontera de la división de poderes.

Luis Pascual Estevill estudió derecho y fue juez por lo que llaman el «cuarto turno»: se hacía juez a un «jurista de prestigio». La cosa es que este señor se dedicaba a extorsionar a empresarios, a los que detenía, en unos casos, o amenazaba con procesar y montar escándalo en otros, líos que podían evitar contratando a su socio de fechorías, Joan Piqué Vidal, como abogado y al que los empresarios debían pagar dinero para quedar en libertad, dinero que luego se repartían Estevill y Piqué. Bien, por razones que se escapan a la mente, antes de que estos hechos fueran conocidos, Jordi Pujol lo colocó en el Consejo General del Poder Judicial. Sí, amigos, parece cachondeo, pero es verdad. En fin, cuando se descubrió el pastel algunos jueces pensaron que no era muy apropiado para estar en ese consejo cuya principal misión es, precisamente, evitar fechorías de los jueces. Después de votar, la mayoría decidió que se quedara. Defensores del caballero fueron José Luis Manzanares, más tarde asesor de Aznar en la Moncloa, y también Margarita Mariscal de Gante, que fue nombrada ministra

---

106. Órgano inútil donde los haya, encargado de fiscalizar las cuentas públicas, cuyos miembros cobran una pasta, va por el año 2005. Cualquier anomalía que descubra habrá prescrito. ¿A que tiene gracia?

de Justicia. ¿Tenemos, como dicen, los políticos que nos merecemos? No, esto no se lo merece nadie.

Para más cachondeo, porque la cosa lo tiene, uno de los vocales del Consejo, García Ancos, denunció que Estevill le había intentado sobornar para que votara a favor de su permanencia. Después de discutir estas cosillas se votó y el señor Estevill se quedó. A la que fue ministra le parecía un tipo estupendo. Más tarde fue condenado por el Supremo y enviado a la cárcel. También fue condenado en el mismo proceso su socio el señor Piqué, que, ¡oh, mira tú por dónde!, había sido el abogado de Jordi Pujol en el caso Banca Catalana. Nunca quiso responder por qué impuso a Estevill en el CGPJ en nombre de CiU. Sus razones tendría, pero ni Piqué, ni Estevill, ni Pujol nos las van a contar.

Sigamos. También el Defensor del Pueblo, defensora en este caso, Soledad Becerril, es militante del PP.

Esta política de copar los órganos de control tiene su máximo exponente en la imposición de un militante del PP en la presidencia del Tribunal Constitucional. La cuestión, siendo grave en sí por lo torticero de la maniobra, ya que se ocultó tal militancia cuando se le nombró vocal, lo es más cuando, descubierta la marrullería, se defiende su legalidad a capa y espada y se le mantiene en el puesto. No sólo tiene la defensa del gobierno, sino que también cuenta con el apoyo encendido de la Asociación Profesional de la Magistratura, que aglutina a la mayoría de los jueces de este país, a pesar de que ha asesorado (en el caso de la reforma laboral se han incluido aportaciones suyas) sobre temas que ahora tiene que juzgar. Todo un ejemplo de imparcialidad. La pregunta obligada es: si es legal, ¿por qué sólo uno? Hay que aprovechar la legalidad vigente. Superada la vergüenza de haber sido pillados en un juego tan sucio, hay que aprovechar el tirón y nombrar a unos cuantos más. O mejor, que pongan la militancia en el partido como condición para pertenecer al Constitucional.

La pista está libre, no hay tiempo que perder: hacerlo todo, hacerlo de golpe, hacerlo rápido, y sin la obstrucción de la justicia. Como diría don Quijote: «Ésa es la consigna, Sancho.»

LAS ALEGRES VACACIONES

—

Como decíamos antes, nunca en la historia de nuestra democracia un partido político había copado los órganos de poder para ponerlos a su servicio con tanto descaro y falta de pudor como ha ocurrido desde las elecciones del 20 de noviembre de 2011.[107] Este intento por conseguir la impunidad, por intentar actuar al margen del imperio de la ley, tanto en el desarrollo de las funciones de gobierno como en las del partido, mengua la calidad del sistema de una forma extraordinaria, degeneración que es percibida por los ciudadanos y así lo manifiestan en las encuestas. Al mismo tiempo, desde la Administración se toman medidas regresivas de todo tipo que atenúan el margen de libertad que disfrutábamos. Estas maniobras generan un descontento creciente, una desconfianza hacia un sistema que si bien no es el propulsor de estas actitudes bastardas, las consiente en su seno, las admite bajo la ancha manga de la ley que, al estar administrada por órganos próximos al poder ejecutivo, actúa de una forma cada vez más laxa, más permisiva con el poderoso.

Además del poder ejecutivo y el judicial, cuentan con el poder económico, que, lógicamente, ha estado siempre de su lado y en cuyo beneficio dirigen la mayoría de sus acciones de gobierno.

Para rematar la faena cuentan con la bendición divina. También está de su parte el poder espiritual, el gobierno de

107. La fecha se las trae, en ese día murieron Franco, José Antonio y, para culminar la faena, Buenaventura Durruti, al que la historia ha borrado de sus páginas.

las almas, la Iglesia católica, que en España trabaja en monopolio, recibiendo del Estado todo tipo de prebendas y exenciones fiscales gracias a un acuerdo con la Santa Sede, así llamada a pesar de que su recién cesado secretario de Estado, Tarsicio Bertone, acusado de corrupción, se refiere al lugar como un nido de cuervos y víboras. Seguro que el cardenal sabe de lo que habla.

Y a dios lo que es de dios

Ese concordato que se firmó, tras años de negociaciones, durante la dictadura de Franco y que fue renovado después de su muerte, obliga al Estado a «financiar a la Iglesia directa e indirectamente». Esta financiación del Estado a través del IRPF es anticonstitucional, según declara, entre otros, el informe elaborado por el catedrático de derecho público Alejandro Torres, basándose en que «el fenómeno religioso no es un servicio público, así que son los fieles los que deben contribuir a pagarlo, no el Estado». Además de que nuestra Constitución señala que «ninguna confesión tendrá carácter estatal», aunque sólo una recoge todo el zurrón.

La Iglesia se autofinancia en el resto de Europa, incluso en la muy católica Irlanda, por una razón que explica muy bien la ley francesa, que se declara incompetente «para tomar parte y poder elegir entre unas u otras creencias filosóficas». Además es falso, como afirman algunas voces, que países como Alemania, Suecia, Dinamarca y otros financien a la Iglesia, puesto que lo hacen a través de un impuesto religioso especial que no aminora los ingresos del Estado.

La excusa de la Iglesia católica para tener la exclusividad de los dineros destinados a la cuestión religiosa es que la inmensa mayoría de los españoles son católicos. Bueno, en realidad sería más preciso decir que están bautizados, ya que en la realidad no son tantos los que practican la religión. Además, la jerarquía eclesiástica, astutamente, no deja que te borres. Ha pasado de amenazar con la excomunión y eliminarte de su privilegiado seno a impedir la salida aunque uno se declare el Anticristo. Ahora que, casualmente, está en juego la cuestión económica han quitado el derecho a borrarse. La apostasía, un acto que consiste en renegar de la religión a través de un trámite burocrático, que siempre había supuesto la salida de esa confesión, ha quedado anulada de hecho. Uno puede apostatar, y así consta, pero no es borrado del listado. Lo gracioso es que no es sólo la jerarquía eclesiástica la que impide a un individuo decidir si es o no católico, también el Tribunal Supremo. En una sentencia escrita por Margarita Robles se afirma que no hay obligación de registrar junto a la inscripción del bautismo el rechazo de la religión católica, porque esas partidas, al no estar ordenadas por orden alfabético, no son «ficheros». Parece cachondeo, pero es verdad. Están ordenadas por fecha de bautismo y, para ese alto tribunal, esa cuestión es suficiente para negarle al ciudadano el derecho a decidir si es católico o no. Yo, por ejemplo, estoy seguro de no serlo, pero el Supremo dice que sí, pero no por cojones, sino porque no acepta, en contra del criterio de la Audiencia Nacional y el voto particular de uno de los magistrados, la fecha de bautismo, que es como aparecen inscritos los bautizados, como sistema de ordenamiento para que esos documentos adquieran la «cualidad» de ficheros, indispensable para registrar la voluntad o la palabra del ciudadano en torno a su pertenencia y adscripción a determinada creencia. ¿Es surrealista? No, es morro.

Me gustaba más la coartada de la jerarquía eclesiástica, que viendo el aluvión de peticiones de renuncia que se le venía encima, decidió no aceptar la apostasía como un borrado definitivo, puesto que, según decían, «el sacramento del bautismo imprime carácter y queda grabado en el individuo como su ADN». O sea que se eleva la cuestión religiosa a categoría genética, contra la que es muy difícil luchar, aunque los transexuales le han dado un vuelco importante a la tiranía cromosómica. Al menos, hay que agradecer que, aunque sea para eliminar un derecho, la Iglesia católica vaya por una vez de la mano de la ciencia.

Pues bien, en este estado de cosas, pagada por todos los ciudadanos, la Iglesia debería ser más discreta. Pero no, cuando le parece bien salta a la arena de la política, sin dejar la sotana en la sacristía, y exigiendo respeto hacia la creencia superior, inicia campañas contra un gobierno, convoca concentraciones multitudinarias, o hace declaraciones puntuales de signo doctrinal político, siempre en el mismo sentido. En período electoral, cuando ha pedido el voto siempre lo ha hecho para el PP. Nuestra Iglesia no es muy partidaria de la alternancia, estaba con Franco a partir un piñón y sigue escogiendo lo más afín.

Para colmo, la alternativa socialista, sabiendo la influencia que tienen estos líderes religiosos, en su afán de arañar votos se niega a luchar contra esta injusticia. Lejos de ello, cuando gobiernan, suelen poner a la vista de la afición cargos que manifiestan sus profundas creencias religiosas para tranquilizar a las masas creyentes.

Habría estado bien, por una cuestión de imagen y proximidad hacia su propia doctrina, que la Iglesia se manifestara con la misma intensidad ahora que se han recortado eso que se llaman servicios sociales, que muchos no saben qué es, pero corresponden a la partida de los presupuestos que el gobierno dedica a los más pobres, aquellos para los que la Iglesia fue concebida. El desmantelamiento de los servicios creados por la Ley de Dependencia al amparo, una vez más, de la política de recortes que tiene como justificación la crisis económica, supone uno de los capítulos más vergonzosos y crueles de estos días. Han dejado sin asistencia a personas que no pueden valerse por sí mismas y cuyos recursos económicos no les permiten acceder a ningún otro servicio. No hemos escuchado la voz de la jerarquía eclesiástica, que tradicionalmente se erige como defensora y amante de los pobres. Ni siquiera a través de sus medios de comunicación, alguno tan importante como su radio, la COPE, que, más bien al contrario, siempre suscribe cualquier decisión encaminada a favorecer a los que más tienen. Un gesto de la jerarquía eclesiástica expuesto con la misma contundencia que emplea cuando otras administraciones cuestionan la obligatoriedad de la enseñanza de la religión en los colegios, por ejemplo, condenando estas políticas antisociales y anticristianas, les dotaría de cierta credibilidad; pero lejos de ello, pelean en el cuadrilátero del reparto del botín para que los colegios de corte religioso obtengan el mayor pedazo del pastel presupuestario posible, en detrimento de la educación pública, que se va degradando progresivamente, creándose una diferencia cada vez mayor entre las distintas clases sociales.

Por no hablar de la rapiña que se ha generado a raíz de una ley ad hoc que les hizo José María Aznar en la reforma de la Ley Hipotecaria, que permitió que la Iglesia pusiera a su nombre un sinfín de propiedades inmobiliarias que estaban sin registrar, como ermitas, prados, casas parroquiales que pertenecían a los pueblos y ciudades pero se cedían a la Iglesia para su uso. Ahí sí han estado listos. Han salido en tromba al grito de «¡arropa que hay poca!».

Se calculan en torno a 4.500 las propiedades que de la noche a la mañana han sido registradas a nombre de la Iglesia, aunque su número podría ser muy superior. El gobierno se niega a facilitar el dato de la cantidad de «inmatriculaciones», amparándose en la Ley de Protección de Datos.

Al abolirse la ley que impedía el registro de los lugares de culto, sólo en Navarra se sabe que se incautaron 1.087 bienes que incluían fincas rústicas, iglesias y hasta cementerios. Las diferentes administraciones se han dado cuenta por casualidad, porque estas acciones se han llevado con una absoluta discreción y con gran premura, encontrándose, de repente, con gran sorpresa y estupor, con esa pérdida de patrimonio. Resulta que hay una ley del tiempo de Franco que permite a la Iglesia inscribir en el registro las propiedades directamente; basta con que el señor obispo dé fe y certifique su propiedad, sin necesidad de notario. Ley a todas luces inconstitucional desde el momento en el que nuestro Estado se proclama aconfesional, lo que impediría a la Iglesia ejercer funciones públicas, pero que ha permitido que todo esto suceda sin que se enteren los ciudadanos ni las diferentes administraciones. Tan sólo señalando con el dedo y un sencillo trámite que es prácticamente gratuito, se endosan esos bienes inmobiliarios que pertenecen a los ciudadanos. De hecho, muchas de esas propiedades ya se alquilan o se han vendido. El gobierno navarro está estudiando una ley para la defensa de su patrimonio, ya que es muy difícil que, a título individual, los ciudadanos o los ayuntamientos puedan detener este proceso de rapiña generalizado.

El caso más sonoro ha sido el de la Mezquita de Córdoba, que ha pasado a ser propiedad del obispado por el módico precio de 30 euros, y donde se sigue cobrando una sustanciosa entrada sin recibo ni factura. Se calcula que el número de visitantes ronda el millón al año, lo que genera un dinero que va a las arcas del obispado. Mientras, los gastos de restauración y mantenimiento de la Mezquita corren a cargo del Estado. ¡Chúpate ésa!

Desde luego, si bien es cierto que el rey no ha querido dar título nobiliario a Aznar, cuestión que al parecer le hacía ilusión al hombre, según dicen las malas lenguas, la Iglesia debería canonizarle puesto que el dinero que les ha metido en la faltriquera es incalculable. La derecha siempre ayudando al que más lo necesita. Eso sí, el daño que ha hecho al patrimonio español y la pérdida en bienes materiales que ha causado a su pueblo, así de tapadillo, sin que nadie se entere, es imposible determinarlo. Un ejemplo más de lo nefasta que puede ser una gestión cuando se accede al poder para favorecer a unos pocos, en contra del cacareado interés general que tantas veces arguyen para hacer lo que les da la gana.

Bendita Iglesia que, en plena crisis, en lugar de salir a la calle a defender a los desfavorecidos se entrega al saqueo.

De nuevo hay que citar a aquel que toman como referencia: «Por los hechos los conoceréis.»

A los míos no los toquéis

En este estado de crisis económica y, como dirían los médicos, de «fallo sistémico», donde, como decíamos, nunca se había conocido tal concentración de poderes, político, judicial, económico y espiritual, en las mismas manos, no faltan puntilleros que salten al ruedo para menguar la maltrecha existencia de nuestro Estado de derecho[108] exigiendo, para remate, recortes en la libertad.

---

108. Triste tesitura la de un sistema así llamado cuando en las encuestas de opinión aparecen los jueces junto con los periodistas como los profesionales peor valorados por la ciudadanía.

Un ejemplo que roza lo patético son unas recientes declaraciones del exministro Mayor Oreja ante las protestas que genera, irremediablemente, la situación que vivimos. Aún recordamos al señor Rajoy, ignorando que había un micrófono abierto, comentando a un colega europeo que una reforma que estaba preparando iba a traer aparejada una huelga general. En honor a la verdad hay que reconocer que la contestación de la calle ha estado por debajo de las propias previsiones del gobierno. Son tantas las medidas de recortes que están tomando, tantas las causas abiertas, en tantos frentes, que dejan al ciudadano exhausto, impotente.

Por otro lado, la policía se emplea cada vez con mayor contundencia contra los que protestan por lo que consideran no un paquete de medidas de gestión de gobierno, sino un verdadero cambio de sistema. Pues bien, el señor Mayor, ante este estado de cosas, en un intento por evitar que nos enteremos de lo que pasa en la calle, aparece en los medios de comunicación afirmando que es un «disparate que se televisen todos los problemas del orden público con cámaras de televisión, porque incitan a manifestarse». Al parecer, le gustaría volver a aquellos tiempos de silencio; de la oficial como única e incontestable versión de los hechos; de la revisión de la tomas grabadas por los responsables del gobierno antes de su emisión, para su selección y censura. Aquellos métodos de manipulación y restricción informativa que ya creíamos superados permanecen en la memoria nostálgica de algunos que reivindican sus bondades por la tranquilidad que aportan, porque ahorran un ruido de fondo incómodo, porque evitan la perturbación de la siesta del que se educó en la impunidad. Se vive mejor ocultando la verdad, negando los hechos. Ya, qué nos va usted a contar.

Ayudan a entender esta mentalidad las declaraciones del presidente de la Comunidad de Madrid, Ignacio González, cuando, al ser preguntado por unas cargas policiales emitidas por televisión en las que se apreciaba una brutalidad policial sin sentido, afirmaba que la actuación de la policía le había parecido «impecable». En esas imágenes podíamos ver la entrada de unidades antidisturbios en la estación de tren de Atocha, donde golpeaban a ciudadanos que esperaban en el andén tranquilamente y, de paso, a los periodistas que grababan lo que estaba ocurriendo. Al ser preguntado de nuevo por las imágenes que demostraban lo contrario respondía sin dudar: «No he visto imágenes.» Entonces, ¿por qué la actuación policial le parecía estupenda? ¿En qué se basaba para emitir su opinión? La respuesta es sencilla: porque los manifestantes no eran de los «suyos». Por tanto, si eran apaleados, bien apaleados estaban. En ese sentido puede estar tranquilo don Ignacio. No se recuerda una sola manifestación de los «suyos» que haya recibido semejante trato por parte de la policía, tampoco se lo deseo y, de ser así, estoy seguro de que rodarían las cabezas de los responsables: ¡faltaría más!

De nuevo surge esa perversión donde el cargo institucional confunde sus funciones y se convierte en *hooligan* de partido olvidando quién es y para qué está. No puede permitir el presidente de «todos» los madrileños que los hechos le priven de alinearse con la versión unitaria y firme de sus compañeros de partido y, muy especialmente, de la delegada del Gobierno, Cristina Cifuentes,[109] que tiene por costumbre insultar desde los medios afines a los ciudadanos que no lo son y ejercen ese derecho a manifestarse. Por cierto, esta señora exime a los miembros de las fuerzas del orden de la obligación de llevar la placa identificativa que podría evitar generalizaciones innecesarias sobre la policía, al tiempo que provoca que, una vez más, la impunidad prevalezca sobre la ley.

Hubo una ocasión, sin embargo, en la que dos policías fueron condenados, pero paradójicamente no fue por agredir, sino por intentar evitar una agresión. El incidente, que tuvo una gran repercusión política y mediática, se llamó caso Bono. Acudió el entonces ministro de Defensa junto a su hijo a una manifestación, convocada por la Asociación de Víctimas del Terrorismo (AVT) bajo el lema «memoria, dignidad y justicia con las víctimas». Durante la manifestación se fueron congregando a su alrededor un grupo de personas cada vez

---

109. Empezó militando, de jovencita, en AP, aquella coalición de partidos de exministros franquistas.

más numeroso que comenzó a zarandearle y a proferir todo tipo de insultos, no sólo contra su persona, sino también contra Pilar Manjón, la presidenta de la asociación de víctimas del 11-M, mientras daban vivas al exministro Acebes. Ese tipo de gente se identifica, al parecer, con ese señor. Sus motivos tendrán. La cosa tenía mala pinta. El grupo se fue haciendo cada vez más numeroso y los servicios de orden de la manifestación junto con los escoltas del propio Bono consiguieron sacarle del tumulto. Una vez despejada la plaza, José Bono relató que había sufrido algún golpe en las costillas y en la espalda. Hubo dos detenidos que portaban sendos mástiles de banderas y se dirigían con intenciones poco claras hacia el exministro. La policía se los llevó a comisaría. Después de hacerles unas preguntas quedaron en libertad sin cargos. El bochornoso espectáculo fue condenado de forma unánime tanto por los convocantes como por todos los partidos políticos. Por parte del PP, Gustavo de Arístegui, portavoz de Exteriores, lo hizo en una rueda de prensa en la que manifestaba su indignación por que hubiera habido comportamientos violentos en una manifestación en «contra de la violencia». Algo habían calentado ellos la convocatoria cuando, en la carta que enviaron a su militancia invitándola a acudir, decían que el objeto de la misma era «protestar contra la liberación de presos etarras por parte del gobierno». A los etarras los «habían soltado» los jueces, pero era un episodio más de su habitual uso del terrorismo y sus víctimas como estrategia para difamar al rival político.

Lo que, en principio, podría quedar como un caso aislado obra de ultras incontrolados se convirtió en una declaración de principios al descubrirse que los presuntos agresores detenidos eran militantes del PP, que, además, ostentaban cargos municipales. La cosa cambió. En un acto surrealista, al conocerse su filiación, los malos pasaron a ser los buenos. Eran de los «suyos»: cambio de chip. Los agresores se convirtieron en víctimas de la represión fascista. La posesión de ese carnet puede cambiarle a uno su condición de agresor por la de víctima, o la de jurista por la de presidente del Constitucional. Dicho esto desde el respeto a Justicia.

De repente, en bloque, sin fisuras, todos, incluidos los que habían condenado los hechos, se pusieron del lado de los agresores y denunciaron que el PP estaba siendo víctima de una persecución política. Esperanza Aguirre y Ángel Acebes calificaron los hechos, refiriéndose a la detención de sus militantes, como «característicos de la Gestapo». En la Asamblea de Madrid hubo una especie de protesta-*happening* en la que los diputados y diputadas del PP se levantaron del escaño y sosteniendo esposas y cadenas saltaban manifestando su repulsa a la represión y la persecución política de la que, decían, eran objeto. Un espectáculo bochornoso en sí, y un insulto para los que en otro tiempo habían sufrido esa represión a manos de agentes que esos mismos que saltaban jubilosos ascendieron y rehabilitaron en sus puestos.

En los medios de derechas publicaban que Bono se lo había inventado todo y calificaban los hechos de «agresión fantasma». Era evidente que la agresión física no tenía gravedad alguna, carecía de importancia, pero ésa no era la cuestión. Un ministro había sido rodeado por un grupo de personas y tuvo que ser rescatado por los servicios de seguridad para evitar males mayores. Menos mal que había vídeos, señor Mayor, ustedes lo habrían negado todo.

El PP denunció a los policías que llevaron a los presuntos agresores a la comisaría. Los policías fueron juzgados. El fiscal no apreció delito alguno y pidió la absolución. Fueron condenados. La condena tiene tela. Al comisario de las dependencias le cayeron cinco años y medio de cárcel y ocho de inhabilitación por «detención ilegal de dos militantes del PP, falsedad documental y coacciones». Otros dos policías fueron condenados a cinco y tres años respectivamente. Además se estableció una indemnización de 12.000 euros que iría a parar a la AVT, asociación convocante que condenó la agresión con contundencia en su momento desmarcándose de los agresores, pero que no volvió a manifestarse sobre la sentencia ni dijo nada acerca de negarse a aceptar la indemnización que le caía de rebote de manos de aquellos ultras violentos. Tampoco sirvieron de nada los ofrecimientos de los testigos para declarar. Nadie les llamó. El juez no admitió ningún vídeo como prueba, pero las fotos sí, para concluir que de las imágenes no se podía deducir nada. Al ser una imagen estática no se apreciaba amenaza o agresión alguna. La típica foto de alguien blandiendo un palo que camina hacia otro con intenciones amistosas. El típico encuentro que se celebra en las calles de Madrid donde alguien levanta un palo para decirle a su amigo: «Mira qué palo tan bonito me he encontrado en la ribera de un río. Puede que sea de fresno, o tal vez de avellano. Ve corriendo allí y tal vez encuentres otro para ti.» El juez debía de ser un cachondo.

El señor Rajoy, que entonces no comparecía a través de un plasma, no contento con eso pidió una comisión de investigación en el Congreso. En fin, la cadena de disparates, estupideces y demagogia rozó el infinito. Todo porque dos señores con actitud sospechosa habían sido interrogados cuando se dirigían con un palo en un tumulto violento hacia un ministro, que tuvo que salir de naja[110] abandonando la concentración. A lo mejor éste es el estilo que proponen algunos delegados del gobierno cuando pretenden restringir el derecho de manifestación.

Al final, los policías fueron absueltos por el Supremo. Quedaron bastante tocados, alguno pidió la baja por problemas anímicos y, finalmente, solicitaron la prejubilación, que les fue concedida. No se disculparon sus señorías.

Estos exministros, presidentes de comunidad y diputados que aplaudieron el acoso callejero de José Bono, que dio con la condena de los que le protegían, son los mismos que califican de proetarras nazis a los protagonistas de los escraches de ahora. Los mismos que pretendían encerrar durante años a aquellos policías califican de impecable, siempre, la acción de las unidades antidisturbios en un país con demasiados tuertos por pelotas de goma.

Una anécdota más, no me puedo resistir. En un documental que se hizo en defensa de los médicos del Severo Ochoa en el que tuve el honor de intervenir, sacamos tomas del acoso que sufrían esos profesionales cuando acudían a declarar a los

110. Eso mismo.

juzgados. Estos médicos fueron denunciados por el consejero de Sanidad, señor Lamela, a las órdenes de Esperanza Aguirre, de cometer doscientos asesinatos, basándose en una denuncia anónima. Así, por lo sencillo. La denuncia se formalizó el mismo día que, sin ningún tipo de debate, en secreto, se aprobaron los planes de privatización de la sanidad que hoy están llevando a cabo. Muchos vieron en esta repugnante maniobra una cortina de humo para llevar adelante esa estrategia crematística. El señor Lamela, instigador de la privatización y valedor de la adjudicación de grandes cantidades de dinero a empresas privadas, aparece como consejero de una empresa adjudicataria, como ya hemos comentado. Más claro, agua. En la puerta de los juzgados, decíamos, les esperaban grupos de personas que les gritaban asesinos, nazis y demás lindezas. Denunciados e identificados, resultaron ser también cargos municipales del PP. Resulta que estos demócratas de centro fueron los inventores de los escraches que hoy denuncian como «actos de filoterrorismo que aniquilan la convivencia y la democracia». Los médicos fueron absueltos después de tres años de espera y, gracias al secreto del sumario, en un estado de completa indefensión. Un vergonzoso caso de promiscuidad entre la justicia y la política que, por desgracia, sólo tiene consecuencias para el ciudadano que sufre estas maniobras espurias. Nadie pagó un precio político por esta fechoría.

Si alguien quiere más información sobre los orígenes de los escraches en España sólo tiene que visitar alguna clínica donde se practican abortos, en cuyas puertas se producían concentraciones que comenzaban con el rezo del rosario y, en muchos casos, se terminaba con acciones violentas. Hubo insultos, agresiones físicas, rotura de cristales, intento de incendiar una clínica, y mientras algunas autoridades locales echaban leña al fuego, como la actual alcaldesa en funciones de Madrid, nuestra bilingüe Ana Botella, que entonces manifestaba su estremecimiento por «algo que han visto todos los ciudadanos: esas escenas realmente espeluznantes de niños de siete meses de gestación en las trituradoras», sentenciando que «la ley que regula la práctica de abortos en España no se cumple en ningún sentido». Escenas que sólo habían ocurrido en su imaginación, pero cuyo relato legitimaba esas acciones violentas. Acciones que, a su parecer, son loables y nada tienen que ver con las otras, las que protagonizan los que se oponen a los desahucios, que, aunque carentes de violencia, son calificadas de actos nazis por la señora de Cospedal. Pobres nazis, con lo que los quería Franco.

Tras este paréntesis que se ha estirado un poquito, volvemos a las declaraciones del señor Mayor, sobre las que hacíamos un sesudo análisis. En ellas manifiesta su incomprensión por la emisión de las imágenes de las cargas policiales. Siendo generosos, podemos afirmar que le dejan en mal lugar, si de defensa de la democracia hablamos, por un doble motivo. En primer lugar porque abogan por un eclipse informativo característico de regímenes totalitarios; y en segundo, porque convierten en censurable aquello a lo que, según él, incita la información, que es a «manifestarse», derecho reconocido en la Constitución, que no sólo no debería ser demonizado sino entendido como un ejercicio muy recomendable para todos los que creen en el «liberalismo» y la democracia. Es su esencia, la manifestación pública de la libertad, su expresión más cercana. Este que advierte de los peligros de la información porque incita a la gente a manifestarse fue ministro del Interior y, como tal, debería ser el principal garante de ese derecho. Además le gusta ejercerlo, es un habitual de las concentraciones convocadas por las víctimas el terrorismo o contra la ley del aborto, en una de las cuales, por cierto, en el año 2009, en el manifiesto de la convocatoria se señalaba que «la nueva Ley del Aborto privará a la mujer de su derecho a la maternidad». En este caso, habría que estar de acuerdo con él. Esa información que alertaba del deseo de los legisladores de acabar con la especie humana incitaba a acudir a la convocatoria. Ahí debería ver el señor Mayor las bondades de la información. Una relación causa efecto positiva. Una invitación a protestar contra los que quieren arrebatar a las mujeres el natural proceso de la gestación contra su voluntad. ¡Hay que estar ahí! Él estaba, y todos deberíamos haber acudido a esa llamada para evitar, por un instinto natural de supervivencia, la extinción del Ser Elegido por Dios en la Creación. Es bueno que la información genere rebelión contra la injusticia. Claro que él sólo acude a las manifestaciones «buenas», exentas de demagogia y limpias de elementos subversivos, donde, además, cada convocatoria se convierte en récord mundial de asistencia, superando a la anterior.

Remata la faena en la misma entrevista el señor Mayor con una afirmación sorprendente que supondremos producto del despiste, por no calificarla de soberana estupidez, o acto de mala fe: «No me imagino una manifestación en Alemania siendo retransmitida por cadenas públicas alemanas.» Si recordamos que es el presidente del Grupo Popular en el Parlamento Europeo, esta falta de conocimiento de que en los informativos de toda Europa no existe censura en las cadenas públicas sorprende todavía más. Un detalle revelador es que se refiere a las «cadenas públicas», distinguiéndolas del resto de los espacios informativos, como si tuvieran una característica o condición especial de cara a la calidad de la información, como puede ser la obligación de filtrar datos, de ser restrictivas. Revela ese lapsus, si es que lo es, que para el señor Mayor la televisión pública debe estar al servicio del gobierno y no del ciudadano, norma que, de hecho, llevan a la práctica los liberales en cuanto se hacen con el cotarro. Recordemos que han conseguido en un tiempo récord que los informativos de TVE pasen de ser líderes de audiencia y premiados internacionalmente —por dos años consecutivos consiguieron el reconocimiento que otorga Media Tenor con sus TV News Award como mejor informativo del mundo, por delante de la BBC, ABC News etcétera— a ocupar el tercer puesto, el último, por detrás de las otras dos grandes cadenas generalistas, Antena 3 y Tele 5, en el *ranking* de audiencias, y, de paso, recibir una amonestación de la UE. Así trabajan estos que se venden como grandes gestores. Hunden, a veces deliberadamente, las sociedades públicas que gobiernan, y luego las muestran a la opinión pública, no como producto de su incompetencia o perversión, sino como un lastre para el desarrollo por el déficit económico que generan. Las suelen privatizar para ponerlas en manos de amigos que las compran a precio de risa.

Volviendo a los informativos de TVE, poco más de un año después de llegar al poder el PP, en enero de 2013, el Consejo de Europa alertaba de la manipulación que sufren los informativos de la televisión pública española, señalando: «La Asamblea ve con preocupación informes recientes sobre la presión política en las radiotelevisiones públicas de Hungría, Italia, Rumania, Serbia, España y Ucrania.» En ese pelotón se encuentra nuestra «marca España» en calidad informativa. Campeones olímpicos de la manipulación. Ahí sí podríamos presentarnos para organizar unos juegos. Este órgano recomienda: «Debe evitarse en los cargos de dirección a profesionales con filiación política partidista.» Exactamente lo contrario de lo que ha hecho este gobierno colocando al frente de los Servicios Informativos a Julio Somoano, que era el encargado de los informativos de Telemadrid, que pueden ser calificados, sin temor a error, como la aventura más notoria de manipulación informativa de nuestra historia reciente, no ya al servicio de un partido, sino de la persona que le nombra, en este caso, nuestra celebrada Esperanza Aguirre, que, como decimos, se ofrece a regenerar la democracia si el pueblo se lo pide. Decía que Telemadrid estaba al servicio personal de doña Esperanza porque cuando se postulaba como alternativa a Rajoy para hacerse con las riendas de su partido, en los informativos de su cadena, y nunca mejor dicho, ponían a parir a don Mariano, el pobre, con la carita que tiene de no haber roto nunca un plato. Clarificadoras son las imágenes en las que habla a unos reporteros de esa cadena durante una visita a un pueblo donde se había producido un incendio. Se dirige a ellos como si fueran sus empleados, olvidando, si es que alguna vez lo pensó, que trabajan para los ciudadanos, no a su servicio. Gran parte de la responsabilidad de esta situación recae en los propios profesionales de la información que amparan con su silencio estas humillaciones, ese maltrato a sus compañeros, que no cesan de denunciar su situación sin que las distintas asociaciones de prensa tomen cartas en el asunto y planten cara a estos abusos. El patético seguidismo que han hecho los medios de comunicación acudiendo a ruedas de prensa donde no se admiten preguntas, convirtiéndose en meros vehículos de propaganda, o retransmitiendo las apariciones del presidente del gobierno a través de una pantalla de plasma, nos sitúa por debajo de esas repúblicas bananeras a las que se recurre como ejemplo de caciquismo olvidando que allí hace mucho tiempo que no pasan estas cosas.

Le cuesta imaginar al señor Mayor que en la televisión pública alemana retransmitan manifestaciones. Pues le cuesta imaginar algo que ocurre todos los días. No posee el señor Mayor (dicho con todos los respetos) una gran imaginación. Y a mí me sucede lo contrario, no consigo imaginar qué pasa por la cabeza de este «liberal», de centro, cuando dice esas cosas. ¿En qué Alemania piensa? ¿En aquella en la que Goebbels recomendaba, precisamente, este tipo de intervenciones? No, señor Mayor, en Alemania la televisión pública retransmite lo que sucede, y a veces son manifestaciones, sí, aunque no se lo crea. Y en el hipotético caso de que no fuera así, que la televisión pública alemana se transformara en un órgano de propaganda al servicio del partido que gobierna sería de todo punto censurable, no recomendable como modelo.

Cuando dice estas cosas el que estuvo a punto de ser candidato a la presidencia de nuestro país, muestra el lado más oscuro de los que se encuentran incómodos en un régimen de libertad. Recordamos que era uno de los tres candidatos que Aznar había elegido a dedo para sucederle y ocupar la presidencia de la nación, cuyos nombres llevaba apuntados en aquel ridículo cuadernillo azul con el que hacía ostentación de que en el PP no había más voluntad que la suya.

También resulta preocupante que estas opiniones tan extravagantes en torno a la libertad de expresión e información no encuentren contestación en el seno de su partido. Debemos entender que no chocan, que no sorprenden, que no molestan. Parece que han perdido el oído que permite distinguir las notas disarmónicas de esta sinfonía, las formas elementales que camuflan las ideas improcedentes, delatoras, de los que están en esto, ya sin disimulo, porque no les queda otra, pero les gustaba más «lo otro». Cualquier barbaridad que diga un compañero les suena bien.

Este ejemplo es significativo de los tiempos que corren, donde todos los derechos se quieren «regular». Los «reguladores» advierten de que no se quieren restringir, sólo «regular», y uno, que no se fía, porque estos «reguladores» aseguran que, dada la importancia de las cuestiones, las «regulaciones» irían precedidas de un amplio consenso, no quiere que «regulen» nada, no se fía, porque ese consenso nunca se ha buscado en ninguna de sus decisiones importantes. Además, ¿de dónde surge la necesidad de regular lo ya regulado? Alguno mete la pata y adelanta sus intenciones «reguladoras», como Felip Puig, que siendo consejero de Interior de la Generalitat catalana, aseguró: «Necesitamos un sistema judicial que dé miedo a los manifestantes.» ¡Coño, señor Puig, manifestantes somos todos! En democracia todos somos manifestantes potenciales. No necesitamos un sistema judicial que nos dé miedo, sino que nos ampare, un sistema judicial en el que podamos confiar. Que nos proteja de los abusos, de las tramas organizadas para corromper a los políticos, de los políticos que se organizan en tramas cuando son descubiertos en casos de corrupción, y también de los abusos de las fuerzas del orden que usted, entre otros, ha dirigido y que cometen más excesos de los deseados. Recuerde, señor Puig, que, a pesar de las múltiples evidencias y de que casi todos los casos se terminan archivando, en numerosas ocasiones sus Mossos d'Escuadra han sido condenados por abusos o malos tratos en comisarías, aunque luego el gobierno los acabe indultando. El miedo no cabe en este sistema, el miedo lo usan otros, los que no están dispuestos a someterse al dictado de la razón, o de la voluntad popular. El miedo es la principal herramienta del tirano.

Un visionario de poca monta

Pasado el tiempo de aquellas alegres vacaciones, cuando los herederos del fascismo se inhibieron, lo que permitió un margen de libertad necesario para que se desarrollaran las leyes fundamentales que han regido nuestra convivencia, parece que de nuevo, gracias a la mayoría absoluta, se ha tomado el timón de esta nave llamada España para reconducirla por el rumbo que nos lleve a recuperar el sentido común en las decisiones de Estado, para hacer las cosas, de una vez, «como dios manda», tanto de puertas para adentro como en el contexto internacional. Como diría don José María Aznar: «Para sacar a España del rincón de la historia.» ¡Qué grande estuvo!, un poco modesto tal vez, pero grande. Él solito, a pulso, nos iba a sacar de ese rincón al que habíamos llegado, ¿de la mano de quién?, ¿de Franco?, ¿de la democracia? Él nos iba a impulsar fuera de ese chiscón en el que nos hallábamos y donde, al parecer, se encontraban tan a gusto los anteriores gobiernos, dando muestras palpables de falta de ambición, así como de mediocridad espiritual. Para sacarnos a pulso de esa sima, se dotó de un preparador físico que le ayudó a conseguir un cuerpo «danone» en toda regla, imprescindible en todo héroe que se precie, pues arriesgadas serían las misiones a las que tendría que enfrentarse en este mundo de lobos que es el contexto internacional.

Comenzó por apuntarnos, sin comerlo ni beberlo, a la guerra de Irak. Una vez aclarado que todo fue una farsa, un montaje para el que se inventaron unas armas de las que él dijo: «Todos sabemos que Sadam tiene armas de destrucción masiva. Estoy diciendo la verdad: un régimen con armas de destrucción masiva es un riesgo para la paz», algunos pidieron perdón, pero él decidió que no tenía por qué. «Por mucho que algunos se empecinen, yo nunca me voy a arrepentir de la foto de las Azores. Fue el momento histórico más importante de España en doscientos años.» Hombre, una vez demostrada, como decía, la concatenación de mentiras que justificaron la barbarie que allí se cometió por motivos que desconocemos, pero que apuntan a miserables intereses económicos que han supuesto un revulsivo para los grupos terroristas y un incremento en la desestabilización de una zona en permanente conflicto, no se trata de empecinamiento de los demás, sino de sorpresa al comprobar cómo alguien que tiene bajo su conciencia la muerte de miles de civiles inocentes no alberga la menor duda de que volvería a hacerlo a pesar de que la situación, tanto para Oriente Medio como para Occidente, ha empeorado a causa de esa guerra. Según todos los expertos, la amenaza terrorista, que era lo que supuestamente se quería combatir, ha crecido considerablemente. Los movimientos integristas y los grupos radicales islámicos se han visto fortalecidos y legitimados por esa guerra que nunca debió ocurrir.

Aznar lanzó la consigna y ordenó a sus diputados el voto en el Congreso asegurando no tener ninguna duda de «la talla moral y la responsabilidad de los diputados del PP, que no están dispuestos a cambiar seguridad y convicciones por votos frente a un PSOE que juega a la deslealtad y es comparsa del Partido Comunista». La misma retórica de los tiempos del Caudillo.

La unanimidad en la votación del Congreso, ni un solo diputado del PP se abstuvo —ni siquiera aunque fuera por cuestiones religiosas, ya que el papa se mostró en contra—, y el posterior aplauso con una celebración adornada por una alegría que no se comprende cuando se acaba de decidir la entrada en una guerra, representan, en mi opinión, los momentos más patéticos de la historia de nuestro parlamentarismo. No parecían conscientes de lo que acababan de votar. Mejor pensar que eran inconscientes antes que creer que estaban felices sabiendo que con su voto acababan de condenar a muerte a miles de inocentes que aún confiaban en que las presiones de la ONU y las declaraciones de sus inspectores, que aseguraban no haber encontrado nada, detuvieran aquella salvajada. Sí, mejor pensar que con su voto sólo pretendían algo tan miserable como mantener los privilegios que les proporcionaba el escaño, a cualquier precio, sin calibrar las consecuencias.

Desde luego, la frase de Aznar en el sentido de que sus diputados no cambiaban seguridad por votos no pudo ser más desafortunada. Tanto España como el Reino Unido sufrieron brutales atentados por parte de grupos terroristas islámicos.

Aquel gobierno del PP, a diferencia del británico, que no tuvo en ningún momento dudas acerca de la autoría, intentó, con la ayuda de sus socios mediáticos, evitar que se relacionara el atentado del 11-M con la entrada en la guerra. Pensaban que les haría perder muchos votos de cara a las elecciones que se celebraban a los pocos días, endosando la autoría del atentado a ETA y fabricando lo que se llamó la «Teoría de la Conspiración», que pretendía hacer responsable de aquel horror a un supuesto autor intelectual que, según Aznar, no había que buscar en tierras lejanas, y que sería el que ordenó el atentado para ganar las elecciones. Pero de esa ignominia no vamos a seguir hablando porque es de una bajeza insoportable y supone un desprecio absoluto por las víctimas y el dolor que sufrimos todos los ciudadanos, y una muestra de hasta dónde están dispuestos a llegar estos liberales demócratas con tal de hacerse con el poder. No vamos a abundar en ello porque no habría páginas suficientes para manifestar toda la repulsión que me merecen estas maniobras difamatorias y aquellos que las sustentan. Simplemente, les definen. Toda la basura y mentiras que han venido después están en consonancia.

Sólo quería recordar aquí a las víctimas de aquel atentado que fueron objeto, desde el primer momento, de humillaciones, insultos, vejaciones de todo tipo y, lo más sorprendente y detestable, del desprecio de las autoridades del PP, desprecio que mantienen intacto a día de hoy, sólo porque consideraron que no eran de «los suyos». Porque no se prestaron a su estrategia política de utilizar el terrorismo y sus víctimas, permanentemente, como arma electoral. Son estos gestos de crueldad infinita, inimaginables en ningún otro país de nuestro entorno, exclusivos, distintivos, por desgracia, característicos, los que nos hacen diferentes. Ahí se ve la verdadera «marca España».

Tenía mala opinión de la «alegre muchachada» liberal, pero ni en mi peor pesadilla pensé que se atreverían a traspasar esa línea roja. Para mí marcó el fin de una era. El fin de la infancia de nuestra democracia. El fin de las vacaciones. Desde entonces, como hemos visto y ya venían apuntando, se instauró el «todo vale».

El día de la boda

A la sombra de aquellos acontecimientos luctuosos hubo una celebración lúdica que definió a sus protagonistas y que con el tiempo ha cobrado relevancia porque la foto de los que allí se encontraban no tiene desperdicio. La hija de Aznar, Ana Aznar Botella, decidió casarse con uno de los colaboradores íntimos de su padre, Alejandro Agag. Dadas las características de los padres de la novia, el acontecimiento no fue, precisamente, modesto. Si el presidente Aznar nos había sacado del «rincón de la historia» gracias a la desgraciada guerra de Irak, este acontecimiento social nos sacaría del rincón de la mediocridad, de la ordinariez y del catetismo ibérico. El mundo rosa celebró un acontecimiento irrepetible donde se materializaron los sueños de las niñas cursis que alguna vez tuvieron fantasías de príncipes azules llevándolas de la mano camino del altar. Como diría el poeta Pablo Guerrero: «En el altar barroco sueñan los serafines / fuentes de porcelana con luces y delfines / y paseos dorados en las noches de estrellas.»

Comoquiera que la niña tenía veintiún años y todavía no había hecho nada destacable, los padres montaron un espectáculo de exhibición de su propia grandeza en el acontecimiento privado más «gordo» del que se tiene constancia, en el ejercicio de ostentación más grande que se recuerda en España. Al parecer, ese consejo que dan los ricos a sus hijos, «no cuentes dinero delante de los pobres», no iba con ellos. El pueblo español pudo ser testigo de aquel poderío sin precedentes. Allí acudió lo más granado de esa España.

Además de los Reyes de España y los miembros del gobierno, vinieron algunos jefes de Estado como Tony Blair y Durão Barroso, los de la foto de las Azores, y también el figura de todos los figuras: Silvio Berlusconi. No faltó el magnate de la información Rupert Murdoch, completando un mosaico aterrador que unos años más tarde cobraría otro sentido, aclararía el porqué del listado de los invitados y las nefastas consecuencias que traerían para nuestro país aquellas «amistades peligrosas».

El magno acontecimiento, bautizado como «la boda de la tercera infanta», fue objeto de muchas críticas por lo ostentoso de la ceremonia y levantó algunas sospechas en cuanto al coste de la misma, que fueron atajadas por el entonces vicepresidente Mariano Rajoy asegurando que no había supuesto gasto alguno para el erario público. Teniendo en cuenta que asistieron los Reyes de España y cuatro jefes de Estado, además de todo el gobierno y más de mil invitados, el despliegue de seguridad fue, como la ocasión merecía, imponente. El hecho de que se celebrara en El Escorial no abarató ni facilitó las cosas. Intervinieron un sinfín de policías nacionales, guardias civiles y policías municipales, que, diga lo que diga Rajoy, debieron de costar un pastón, a no ser que actuaran por cuenta propia, como los voluntarios de los Juegos Olímpicos, a beneficio de inventario. O bien que ese día, como los de huelga, se lo descontaran de la paga, aunque como hemos visto después, Mariano Rajoy no es muy de fiar cuando nos explica quién cobra, cuánto, por qué y de qué manera.

Tras los comentarios inevitables que provocó el acontecimiento del año, el recuerdo de los fastos fue borrado por la trascendencia que cobraron algunos de los invitados. El oropel dio paso a una resaca que traería cola. Una cola que no serían capaces de transportar los cuatro niños uniformados que tuvieron el honor de acarrear la de la novia en la basílica.

De los invitados a la boda hay dieciocho imputados en la trama Gürtel, entre otros Correa y Álvaro Pérez, *el Bigotes*, los supuestos cabecillas. Ana Mato y su entonces marido Jesús Sepúlveda, procesado por trincar, al que el PP subió el sueldo en plenas sospechas y al que dieron una indemnización de 229.000 euros por dejar el partido cuando todo estaba más que claro. ¿Por qué?, ¿para que esté calladito? También pisaron la sin par lonja de granito Luis Bárcenas y su antecesor Álvaro Lapuerta, los que, según los miembros del partido, se hicieron con toda esa pasta que todavía nadie ha explicado de dónde ha salido, y sin que nadie en la sede se enterara de nada. Y uno se pregunta qué volumen de dinero manejan en la calle Génova para que desaparezcan muchos miles de millones de las antiguas pesetas, que es sólo lo que se ha descubierto en distintas cuentas en Suiza, sin que nadie se entere. ¿Son tontos? ¿Son ingenuos? ¿A cuánto asciende el montante total si esto es sólo lo que les corresponde a los cajeros? En cualquiera de los casos, ¿son los más indicados para llevar las cuentas del Estado? Otros ilustres invitados fueron Miguel Blesa, entonces presidente de Caja Madrid, y Rodrigo Rato, titular de la cartera de Economía, ambos imputados por las irregularidades en la gestión de Bankia. Para remate gráfico y que no «falte de na», bendiciendo la ceremonia, encargándose de casar a los novios, otro personaje fundamental en la historia política reciente, el cardenal Rouco Varela. ¡Cómo no fue la Virgen, que se aparece en un prado allí al lado!

El cuadro no tiene desperdicio. Cuando Francis Ford Coppola rodó la célebre boda de Connie Corleone, la hija de don Vito, en la primera parte de *El Padrino*, no sabía que estaba haciendo la versión *ultralight* de un suceso «marca España». Aquella escenificación cinematográfica de la promiscuidad del poder económico, de la mafia del dinero, con los poderes públicos sería superada por la realidad de una forma abrumadora. Como decía mi amigo Ricardo Franco: «La realidad no imita al arte, imita a la mala literatura.» En aquella boda hubo muchos, demasiados «contrayentes».

Alfonso Guerra, que tiene una lengua como un bisturí, recomendó en su día al fiscal que tirara de la lista de invitados para ahorrarse trabajo, ya que allí se encontraban la mayoría de los «aforrados».

Según Rajoy aquella boda no había tenido coste alguno para el erario público, pero los sustanciosos contratos con la Administración que obtenían y siguieron obteniendo algunos de los invitados, así como las comisiones que, presuntamente, cobraban los que estaban al otro lado de la mesa, los hemos pagado todos, los gregarios del erario.

La duda ofende

Cuando Ana Botella fue preguntada por el regalo que el cabecilla de la trama Gürtel, Francisco Correa, testigo de la boda, había hecho a los novios (ya que la contabilidad de la empresa en manos del juez refleja que pagó la iluminación del evento), y si podría tener contraprestaciones, la respuesta fue: «La duda ofende.» Claro que ofende, por eso se lo preguntaron. Los que pagamos esos caprichos estamos muy ofendidos ante la duda porque el flujo de prebendas entre los cargos públicos que disfrutaban del banquete y estos señores emprendedores rebasaba con creces la casualidad.

173

Empresarios puestos más tarde ante la justicia, adjudicatarios de una gran cantidad de contratos con unos márgenes de beneficio espectaculares, que en muchos casos superaban el ciento por ciento, festejaban el enlace de la hija del presidente del gobierno, y su razones tenían. Preguntado por el juez sobre unos sustanciosos contratos con AENA, Correa no dudó en achacarlos a su amistad con Álvarez Cascos, a la sazón ministro de Fomento, que también andaba por allí.

Dice el señor Agag que no debe explicaciones a nadie porque cuando se casó ya no tenía cargo público alguno y, además, tanto Correa (testigo por parte del novio), como Álvaro Pérez, *el Bigotes*, del que Correa dice que Ana Botella se quedó prendada, en el sentido humano del término, y le metía en todo, no estaban todavía imputados. Es cierto, todavía no se había descubierto el pastel; era precisamente entonces cuando estos señores estaban dándolo todo, al máximo de su actividad productiva, que ahora parece a todas luces delictiva. No explica el señor Agag cómo surgió y se fraguó tamaña amistad con estos empresarios corruptores, ni por qué le hacen regalos a él y favores a su familia política. ¿De dónde viene esa amistad íntima del presidente y familia con una trama que se dedica a cobrar comisiones de las administraciones públicas y a sobornar a políticos para recibir adjudicaciones? Es más, parece evidente que, dado lo extendido del negocio, alguien debió de recomendar la contratación de los servicios que ofrecían estos señores desde algún órgano central, porque no se explica, a no ser que tuvieran una inmensa red de visitadores y comerciales, que aparezcan relaciones «comerciales» de sus empresas con comunidades y municipios repartidos por toda la geografía española y, curiosamente, siempre donde gobierna el PP.

Debería leerse doña Ana el libro de su marido *Retratos y perfiles*, por aquello de cómo funciona el mundo de «los favores». Alaba don José María en ese libro a su amigo Silvio Berlusconi, precisamente por lo cumplidor que es en el pago de favores para, a continuación, erigirse en su maestro. Dice Aznar: «Berlusconi tiene un alto sentido de la amistad y la lealtad debida a los amigos. No olvida nunca a quien le ayudó, y siempre está dispuesto a devolver un favor.» Y más adelante: «Berlusconi me dice que yo he sido su maestro en la vida política. Incluso me llama su profesor cuyas instrucciones sigue puntualmente.» ¡Qué orgulloso se le ve a Aznar de su pupilo! ¡Vaya obra!

Don Silvio prestó su yate a la pareja para que pasaran parte de la luna de miel. También introdujo a Agag en el mundo de los negocios italianos y le presentó a la élite de los despachos y la vida nocturna. Antes, Aznar le había hecho un favor, y de los gordos. Bueno, varios.

En primer lugar presionó para que el partido de su colega, Forza Italia, se incluyera en el Partido Popular Europeo, a lo que se oponía la Democracia Cristiana Italiana, que lo conocía bien. Esa inclusión supuso su reconocimiento oficial como político abandonando la condición de sospechoso «trinca» que se mete en política para conseguir otros fines ajenos a la gestión de lo público, para promoción de sus negocios, vamos. Agag fue el encargado de arreglar las cosas, de limar las asperezas con los otros partidos para que dieran cabida a Il Cavaliere. Como se ha visto, el señor Aznar, enchufándole, le ha hecho un flaco servicio a la democracia y a la clase política en su conjunto. Pero vamos a algo más concreto, un favor que no tiene precio.

La ley española prohibía a un grupo extranjero tener más del 25 por ciento del accionariado de una televisión. El juez Garzón tenía documentación que demostraba que Berlusconi, a través de distintas empresas, poseía el 80 por ciento de Tele 5. Además, según el juez, estaba engañando a Hacienda, por lo que decidió procesarle por los delitos de falsedad documental y evasión fiscal, para lo cual solicitó el suplicatorio al Parlamento Europeo, puesto que era eurodiputado. Aznar le hizo a Berlusconi dos favores que fueron decisivos para salvar el pellejo. En primer lugar, aumentó el porcentaje que un grupo podría tener sobre una televisión, así, de repente y por decreto, lo que convirtió a Berlusconi en dueño y señor, ahora de forma legal, de Tele 5. ¿Tienes problemas, te saco una ley? Por otro, el gobierno retuvo la solicitud del suplicatorio, ante la irritación del fiscal anticorrupción, lo que dejó inactivo el procedimiento, justo cuando el juez tenía a Il Cavaliere contra las cuerdas.

«La duda ofende», dice doña Ana, pero a veces los hechos son tozudos e inoportunos. El señor Piqué, entonces ministro de Aznar, anunció la pretensión de cambiar la ley que permitía a Berlusconi hacerse con la televisión sólo dos días después de la boda de la niña. La parejita, mientras, tomaba el sol en la borda del yate del magnate de la televisión. Ya sabe, señora alcaldesa: Berlusconi siempre paga los favores. ¡Qué peliculón!

También parece olvidar la señora Botella que el señor Correa se encargó de financiar «por la patilla» muchos actos electorales de su marido, y entre otros, ése supongo que no lo habrá podido olvidar, el de la presentación de doña Ana en el mundo de la política sólo seis meses después de la boda de la niña en las elecciones municipales de 2003, donde aparecía como número tres en la lista de Gallardón. Esos actos fueron abonados en parte por la fundación Fundescam, presidida por Esperanza Aguirre. Además se le ha olvidado a doña Ana que todos los viajes de su marido durante esa campaña fueron facturados por Pasadena Viajes, propiedad de Francisco Correa. Ahora parece que cobra otro sentido eso de «la duda ofende».

Si eso no son contraprestaciones, hay muy buen rollo.

También reaccionó muy airado el propio presidente contra estas informaciones en una entrevista que le hizo Gloria Lomana en Antena 3, en la que descalificaba al Grupo Prisa,[111] al que acusaba de estar detrás de una campaña difamatoria: «Es un grupo que me distingue con su odio desde hace muchos años [...]. Lo que más me preocupa es que ese grupo pueda llegar a ser insolvente y no pueda pagar las condenas a las cuales espero sean condenados en los tribunales de Justicia, por tanta infamia y tanta falsedad.» ¡Vaya lengua! ¡Qué amenazas!

Con respecto a lo primero, lo del odio está muy feo, pero también se lo había ganado a pulso. El gobierno del señor Aznar jaleó un proceso llamado «Caso Sogecable», con el que se intentó encarcelar a Jesús de Polanco y a Juan Luis Cebrián,

111. Grupo propietario entre otras cosas de la Cadena SER y *El País,* que publicó la mayor parte de estas informaciones.

cabezas visibles del Grupo Prisa. El juez instructor del caso no descansó hasta que les hizo subir la escalerilla de la Audiencia Nacional, imagen que fue repetida en decenas de ocasiones en la TVE que ellos controlaban y aparecía con frecuencia para ilustrar casos de corrupción. Se demostró que el proceso no era más que una farsa política y arruinó la carrera del juez instructor, Gómez de Liaño, del que hemos hablado antes, el actual abogado de Bárcenas, que fue expulsado de la carrera judicial por prevaricador. Aznar le indultó. Especial virulencia contra los acusados de aquel proceso mostró Ana Mato, que entonces, paradojas del destino, ejercía de justiciera con los corruptos desde su cargo de portavoz de telecomunicaciones del PP. Luego se haría famosa porque no le constaba si había o no un Jaguar en su garaje. Jaguar que había sido regalado a su marido por la trama Gürtel, que también pagaba viajes de la familia, cumpleaños y demás fiestas. El exmarido de la ministra amasó una fortuna con estos socios. La pobre, que sabía todo de los presuntos corruptos que se encontraban a kilómetros de distancia, ignoraba lo que se cocía en el seno de su hogar. No preguntaba. Nunca le surgieron dudas sobre aquel tren de vida ni sobre lo abultado de las cuentas corrientes familiares, a pesar de que el sueldo de alcalde de su ex no daba para tanto. El marido la engañaba con las cuentas, y ella tan feliz. A gastar.

Especial cachondeo se montó cuando investigando la trama apareció un factura de confeti de una fiesta infantil en casa de la ministra por un valor de 4.600 euros, que, supuestamente, habrían abonado empresas de la Gürtel. Parece que más que engañada se hacía la tonta. No se le ocurrió a la señora que maneja la sanidad de nuestro país comentar: «Cariño, estás un poco derrochador. Tanto confeti, es mucho confeti.» Y uno entra en conjeturas paralelas: si había tanta pasta en confeti, ¿cómo sería la tarta?

Si nos creemos todas las excusas y los goles que a estos campeones de la gestión, que así se venden en las campañas electorales, les meten en su propia casa, temblaremos al pensar qué ocurrirá en los despachos donde se decide qué hacer con nuestros impuestos. En fin, lo mejor es no pensar demasiado sobre estas cosas, como dice Ana Botella, muy digna, «la duda ofende».

Por otro lado, el señor Aznar se limita a amenazar al grupo propietario del diario que publica esas cosas, pero no entona un mea culpa por su relación con esos «presuntos». No niega los hechos, los califica de difamación, así, a bulto.

Claro que esto está viciado de origen. Si recordamos el famoso caso de los trajes del que fuera presidente de Generalitat Valenciana, Francisco Camps, la excusa o defensa siempre era la misma: ¡coño, cómo se ponen por unos trajes! Pero la cuestión no eran los trajes, ni que se pueda o no regalar trajes, sino qué hace un presidente de una comunidad autónoma recibiendo regalos de los responsables de una trama especializada en sobornar a políticos para «trincar». Para ellos eso es intrascendente. No tienen prejuicios, valoran a las personas por lo que valen y si esas personas se meten en líos es su problema, pero eso no va en detrimento de su amistad. No aceptan pulpo como animal de compañía, prefieren a los chicos de la Gürtel. Total, porque cometan fechorías no van a dejar de ser «amiguitos del alma», ni de «quererse un huevo», según reflejaban aquellas grabaciones de conversaciones telefónicas que se escucharon en el juicio, que, a no ser por el contexto, podrían haber pasado a la antología de las mejores declaraciones de amor de la novela rosa. Especial ternura expresaban las palabras de la mujer del expresidente cuando, al mismo tiempo que rechazaba el regalo por excesivo, advertía al Bigotes de que no eran de la talla adecuada. Como diciendo...

EL PUEBLO MACERADO Y ALIÑADO
—

Aunque ahora las estadísticas hacen pensar que las cosas podrían cambiar, las cifras de las elecciones generales mostraban que los ciudadanos conservadores permanecían fieles a su partido pasara lo que pasara. No cambiaban de opción política. Tampoco castigaban con la abstención a su partido cuando creían que lo hacía mal, o que trabajaba en contra de sus intereses. Los conservadores tienen referentes muy arraigados, eso que llaman tradiciones. Entre ellas incluyen la religión, que lleva consigo una tremenda carga ideológica.

En misa y repicando

Esta relación Iglesia-derecha se retroalimenta. La Iglesia, desde siempre, ha incluido los postulados conservadores en su doctrina, y la derecha, a su vez, hace de la Iglesia su causa, en exclusiva, como si fuera una fundación a su servicio. Durante la Segunda República, la guerra civil y la dictadura, caminaron siempre de la mano. Como hemos comentado, Franco tenía la potestad de nombrar obispos de una terna que le presentaban. La alianza Iglesia-Estado llegó a ser consustancial. El vencedor de la «Santa Cruzada» concedió toda suerte de privilegios a la Iglesia, que todavía mantiene, y ésta, por su parte, lo paseaba bajo palio mientras sus obispos no dudaban en hacer el saludo fascista en los actos oficiales y conmemoraciones eclesiásticas a las que acudía aquel que había impuesto el «nacionalcatolicismo» a sangre y fuego.

No soy quién para entrar en las cuestiones internas de tan

alta institución, pero a juzgar por los beneficios económicos que les ha producido la incautación alevosa del patrimonio español que han llevado a cabo con las «inmatriculaciones», perpetradas gracias a esa ley que les hizo Aznar a medida, lo del palio se me queda corto, deberían pasearlo en el papamóvil.

Del hecho consustancial de la identificación Iglesia-derecha, de la alianza tradicional con los poderosos, nace un sentimiento anticlerical profundo y muy arraigado en las clases populares españolas, que sorprende a los extranjeros. Claro que ellos son especiales. Los ingleses, por ejemplo, aceptan la disciplina que lleva su nombre sin rechistar. A nosotros las palizas del cole se nos hacen «trauma» y aborrecimiento. Ellos se limitan a vestirse de colegiala cuando están solos en casa. Definitivamente, el español no está dotado para la sublimación.

Nosotros siempre hemos estado definidos por cualidades «trivalentes». España es: «Una, grande y libre.» También solemos utilizar esta forma en la ponderación de las virtudes: «Quiero que mi mujer sea buena, limpia y trabajadora.» O a la hora de insultar, en este caso con una intención lesiva creciente: «Mamón, hijoputa, gordo.» El nombre completo de nuestra religión no se escapa a este formato y resulta ser: «Católica, apostólica y romana.» Aunque a los españoles la tercera cualidad siempre nos ha sobrado. Eso de «romana» nunca lo hemos llevado bien. La española siempre ha sido mucho más verdadera, está demostrado y más ahora que los papas son de cualquier sitio, primero uno polaco, luego argentino. ¿Qué será lo próximo? ¿Un papa chino?

Nuestra Iglesia es selectiva, no admite intrusos en su seno. De hecho la jerarquía española protagonizó un hecho histórico al cerrar la parroquia de San Carlos Borromeo del barrio de Entrevías de Madrid en 2007. La excusa fue que sus curas no se ajustaban a la liturgia. Daban rosquillas con la comunión y celebraban la misa vestidos de paisano. La verdadera razón: eran «rojos». Se da la circunstancia de que es una iglesia que construyeron los vecinos con sus propias manos y que goza de gran prestigio en un barrio muy duro, marginal, conflictivo. Ni por ésas, la Iglesia española no baja la guardia, seguimos siendo la reserva espiritual de Occidente. Vale que Rouco Varela sea clavadito a Paco Clavel, pero cachondeos, los justos.

Hubo una excepción, un cardenal llamado Vicente Enrique y Tarancón, que llegó a presidir la Conferencia Episcopal Española entre 1971 y 1981. Fue fundamental en la Transición y su espíritu aperturista le hizo granjearse muchos enemigos. Durante el funeral por Carrero Blanco[112] fue recibido con gritos de «¡Tarancón al paredón!», ante la plana mayor del gobierno y el ejército, consigna con la que se pintaban las calles de Madrid, y tuvo que salir de la basílica de San Francisco el Grande por la puerta de atrás para evitar males mayores. Cuando Franco condenó al exilio al obispo de Bilbao Antonio Añoveros por pedir el reconocimiento de la «identidad cultural y la lengua del pueblo vasco», Tarancón amenazó con excomulgar al dictador. ¡Hostias! Fue de las pocas ocasiones en las que Franco dio marcha atrás. Según dicen, este asunto le hizo llorar. Tal vez fue consciente de que se volatilizaban sus posibilidades de canonización. Eso le pasó, como con tantas otras cosas, por no haberla dejado cerrada en vida. La fe en el ser humano sólo lleva a la decepción, es ingrato por naturaleza. Monseñor Escrivá fue más listo, lo dejó todo resuelto y ahora tiene su figura policromada repartida por los templos, con coronita en unos casos, aureola dorada en otros, y nadie anda borrando su recuerdo de las plazas como ha ocurrido con los motivos ecuestres del general que salvó a dios de las garras marxistas. ¡Qué hubiera sido de dios sin su ayuda!

Juan Pablo II se refirió a monseñor Escrivá como «el santo de lo ordinario» en su canonización, a la que acudió lo más granado de la cúpula del PP y que fue retransmitida en directo durante dos horas y media por TVE. Como el Festival de Eurovisión. Sin duda, lo de «santo de lo ordinario» debió de decirlo en un sentido irónico, pues todos estos intentos de hacerle pasar por un ser humilde contrastan con una tradición que rompió el santo español. Resulta que, por una cuestión de principio, los nobles que abrazaban los hábitos renunciaban a sus títulos, consideraban que eran incompatibles con servir a

112. Asesinado por ETA en el año 1973 siendo presidente del gobierno.

los demás (se supone que uno adquiere la condición de noble para lo contrario). Pues bien, el «santo de lo ordinario» removió Roma con el Pardo con el fin de obtener el marquesado de Peralta de las manos de Franco, para lo cual hubo que falsificar documentos que hicieran coincidir la familia de los Peralta, de Jerez de la Frontera, con la del humilde santo de Barbastro. Tonterías de santos que se escapan a los humanos. Pero dejémonos de canonizaciones, que, a buen seguro, no me han de conceder una a pesar de los méritos que estoy contrayendo con la escritura de este libro.

Aparte de la excepción que supuso la irrupción de un cardenal acorde a su tiempo como Tarancón, la Iglesia española siempre ha sido un agente político regresivo de primer orden, trabajando para los mismos. Hay que reconocer que no se equivoca. Sus convocatorias y llamamientos a manifestarse son siempre multitudinarios, involucionistas y, aunque «la duda ofende», muy bien recompensados, como hemos visto, cuando el partido para el que pide el voto alcanza el poder.

En la salud y en la enfermedad

La relación del PP con sus votantes puede ser definida como un auténtico matrimonio. No se basa en el compromiso de la gestión de la voluntad popular. Se acepta como inevitable, imperecedera e irreversible. Así, desde el año 1996 en el que el PP ganó por primera vez las elecciones generales, su horquilla de votos variables ronda en torno al millón. En aquella ocasión obtuvo el poder con 9.716.000 votos y ya nunca ha bajado de esa cifra, teniendo su techo en las del año 2011, donde obtuvo 10.866.566. Disfrutan de una gran fidelidad. Parece que les votan siempre los mismos, hagan lo que hagan. En las elecciones en las que se alzó con la victoria Zapatero el año 2004, apenas perdieron votos, y eso que el desgaste que sufrió el gobierno del PP fue enorme. Suficiente para haber borrado del mapa a cualquier otro partido. Las movilizaciones de ciudadanos contra la guerra de Irak fueron las mayores que se recordaban. A eso se sumó el desastre ecológico del

Prestige, provocado por la decisión de arrastrarlo a alta mar cuando quería entrar en puerto: «O joder A Coruña o joder toda la costa», según dijo en conversación telefónica el responsable de Salvamento Marítimo en aquellos momentos. Alguien tomó «la decisión del avestruz»: si el petrolero se hundía, el problema desaparecería. Como todos recordamos, una inmensa marea negra cubrió el litoral gallego. Sólo la intervención de voluntarios que por miles se sumaron a la limpieza, llegados de todos los puntos de España, consiguió adecentar la costa en un tiempo récord. Nuestro siempre recordado presidente de la Xunta, don Manuel Fraga Iribarne, no tuvo el gesto de otorgarles la mayor distinción posible. Nunca antes se había visto un movimiento solidario tan masivo y eficaz. Un ejemplo de cómo los ciudadanos podían cambiar las cosas en un ejercicio de compromiso desinteresado, puramente afectivo, con su vecino.

Tan desastrosa como la catástrofe fue la gestión de la crisis que llevó adelante don Mariano Rajoy, entre otros linces ibéricos, donde dio un avance de lo que nos podíamos esperar cuando fuera presidente del Gobierno. Cito algunas de sus frases célebres: «La marea no va a llegar a las Rías Bajas» (21 de noviembre). «A una profundidad de 3.500 metros y a dos grados de temperatura, el fuel estaría en un estado sólido, por lo que, en principio, el combustible no se verterá» (24 de noviembre). Refiriéndose al PSOE: «No he visto ni un grado de patriotismo, sólo oleadas de críticas, peticiones de dimisión y una actitud irresponsable..., ninguna oposición ha actuado así en situaciones similares»[113] (4 de diciembre). «Se piensa que el fuel está aún enfriándose, salen unos pequeños hilitos, los que se han visto, hay en concreto cuatro regueros que se han solidificado con aspecto de plastilina en estiramiento vertical» (sólo superada por el finiquito en diferido, 5 de diciembre). «La popa está mejor que la proa. Sólo tiene un par de peque-

---

113. El mismo Rajoy acusaría a Zapatero en el Parlamento de estar «de rodillas ante ETA y pisotear la memoria de las víctimas» sólo unos meses después. Es de suponer que en un gesto de patriotismo y de oposición responsable.

ñas grietas» (7 de diciembre). Y así hasta el infinito. No es de extrañar que haya descubierto un burladero en el plasma.

Tampoco faltó la gracia dicharachera de Federico Trillo, el hombre que todo se pasa por el «arco del triunfo»: «Pensamos en bombardear el *Prestige* para hundirlo o hacer arder el fuel» (20 de noviembre, aniversario de la muerte de aquel gallego ilustre). ¡Con dos cojones!

No podía faltar en este desaguisado Martín Villa, nombrado comisionado del Gobierno para el *Prestige*, el hombre capaz de echarse a las espaldas cualquier catástrofe por un módico precio de salida: «Si llegara a deducir que la responsabilidad está en alguna autoridad pública, me lo callaría, porque estaría perjudicando al patrimonio nacional» (3 de febrero). O, dicho de otra manera, si la han cagado los míos nunca se sabrá. Curtido en los «buenos tiempos», sabía cómo tapar lo impresentable.

Ana Botella también dio alguna muestra de sus dotes de gran estadista, que serían refrendadas con el tiempo: «En la catástrofe del *Prestige* sólo hay un culpable: el barco» (12 de diciembre). Algo que ya sabía don Rodolfo Martín Villa.

Con respecto a resolver el tema de las responsabilidades, pues ya se sabe, el PP disolvió la comisión de investigación del Parlamento Gallego con su voto en solitario, mientras la ministra Ana Palacio y el mismísimo presidente de la Xunta, don Manuel, se fueron a Bruselas a presionar para que la posible investigación del asunto que se preparaba en Europa se centrara en cómo prevenir catástrofes y no en buscar las causas y los responsables. O por ponerlo en palabras del ínclito ministro de Franco, para evitar la tentación de «algunos grupos de la oposición de este Parlamento y de España, de enredar políticamente». Él era como Franco, no le gustaba la política.

Ana Palacio cogió experiencia en estos temas de influir en la opinión extranjera y la utilizó con motivo del 11-M, cuando logró introducir en la condena que la ONU hizo del atentado la autoría a ETA, en contra de la opinión de algunos de los firmantes, generando una gran incomodidad. La ONU no tiene costumbre de atribuir atentados a grupo alguno, ni siquiera lo hicieron en la condena del 11-S. Rusia y Alemania se resistieron y el embajador alemán sólo cedió ante la llamada de su ministro de Exteriores, llamada que le causó una gran irritación, que manifestó en público «en parte dirigida a nuestra delegación». «Marca España.»

También tuvo gracia esta exministra al querellarse contra Luis Bárcenas porque aparecía en sus papeles como receptora de una cantidad de dinero, en un momento en el que tanto Bárcenas como el PP negaban la autenticidad de dichos documentos, que luego se mostraron verídicos.

Volviendo al *Prestige*, en la cima del respeto por los ciudadanos indignados ante tamaña incompetencia y estulticia, se situó el presidente del gobierno, don José María Aznar, que dando muestras de su talante democrático se refirió a los manifestantes que salían a la calle por toda España como: «Perros que ladran su rencor por las esquinas.» «Marca España.»

No se crean que en todos los países democráticos un presidente de gobierno puede llamar perros a sus ciudadanos y continuar tan pancho en el cargo. Hay sitios donde lo de la democracia y el respeto a las instituciones se lo toman en serio. Esta dialéctica fascistoide podría ser producto de los nervios, del estrés, de la tensión a la que se ven sometidos estos señores (una mala tarde la tiene cualquiera). Por desgracia no era así, se trataba, como el tiempo demostró, de toda una declaración de principios. En 2012, promocionando su libro de memorias por la radio, tuvo la ocasión de disculparse, o por lo menos de matizar un poco las palabras dándoles tono jocoso, con ese gracejo natural que posee, cuando le recordaron aquella desafortunada frase, pero no quiso dios. Aprovechó la ocasión para ratificarse en el exabrupto: «Algunos lo siguen haciendo.» Yo, desde luego, soy uno.

Esta espectacular antología del disparate se saldó con el ascenso de todos los implicados. Todos los que intervinieron en esta chapuza salieron revitalizados. Cuando llegó el juicio, ninguno de los responsables políticos se vio implicado y quedó al descubierto, ¡qué sorpresa!, la ocultación de pruebas e informes periciales fundamentales para el esclarecimiento de los hechos. Otra muestra de esa transparencia de la que hacen gala, compatible con la ocultación de pruebas y falta de colaboración con la justicia. Unos genios.

A las crisis provocadas por la entrada en la guerra de Irak y el desastre ecológico del *Prestige*, se sumó la estrategia electoral de incluir el mayor atentado de la historia como parte de la campaña, en una maniobra que, como he dicho antes, no voy a comentar porque mi cerebro no aguanta una revisión exhaustiva de aquellos días y quiero llegar a viejo.

Bien, pues con todos estos desaguisados encima de la mesa, el PP sólo perdió medio millón de votos. Sacaron más votos que cuando accedieron al gobierno en 1996. Fue la indignación popular que hizo salir de las madrigueras a muchos «perros rencorosos» la que dio la victoria a Zapatero con la mayor cantidad de votos de toda la historia de su partido, que aun se vio incrementada en las siguientes elecciones. Muchos que no habían votado nunca salieron de sus casas para ejercer por primera vez ese derecho, se creó una auténtica marea de ciudadanos que se acercaron a las urnas para echar al PP del gobierno, sabiendo que sus votantes no lo harían. La participación con respecto a las anteriores elecciones se incrementó en más de diez puntos.

El PSOE, por ejemplo, se hundió en las elecciones de 2011, perdió 4,3 millones de votos. Podríamos decir que los votantes del PSOE ponen y quitan del gobierno a ese partido y también al PP. Es decir, el votante de centro izquierda es muy crítico con la gestión de su voto mientras que el de derecha, centro y extremo centro siempre vota lo mismo. Claro que, al margen de las autonomías donde existe un partido nacionalista fuerte, el PP se configura como alternativa única para la derecha, aglutinando en su seno distintas sensibilidades. Algunas, como hemos visto, claramente antidemocráticas. Aunque ahora, parece que UPyD se va configurando como una alternativa para el votante de derecha descontento.

El hecho de tener el voto garantizado ha creado cierto estado de impunidad en el PP. Si a las focas les das sardinas todo el rato, no quieren pasar por el aro.

Esta indiferencia y falta de contestación de los militantes y diputados del partido ante el lamentable espectáculo al que estamos asistiendo, con fechorías constantes en las portadas de los diarios, vienen dadas porque a la realidad numérica de los votos se ha sumado que la cúpula, ministros, secretarios de Estado, consejeros de comunidades, en fin, altos cargos de la Administración y del partido, se han visto involucrados en casos de corrupción, dando un ejemplo nefasto tanto a los cargos medios como a la base. Sin duda ven que la única solución posible sería descabezar completamente al partido, empezando por su secretario general, lo que implicaría una larga travesía por el desierto. Para ellos y sus incipientes carreras políticas, sería peor el remedio que la enfermedad. Lo malo es que esa basura nos la comemos los demás.

Por otra parte, la cúpula había optado por una estrategia de legitimación de estas repugnantes acciones al pedir unidad y solidaridad con los que trincan. Lejos de apartarlos de sus responsabilidades ante las más que evidentes pruebas de mangoneo, cierran filas en torno a los «presuntos» y exigen fidelidad y compromiso a la militancia.

Esa bajada del listón moral ha generado una política de «todos a una» donde parece que, como dice el tango Cambalache: «El que no llora no mama y el que no afana es un gil.»

Como las desgracias nunca viene solas, para rematar la faena apareció «la crisis», que, como aquel meteorito que acabó con los dinosaurios, nos cayó encima sentando las bases de desmontaje del sistema en el que estábamos asentados: el Estado de bienestar.

Al principio se hizo responsable exclusivo del deterioro económico al gobierno vigente, en una maniobra bien orquestada en la que, al margen de la incapacidad para gestionarla, se restaba importancia a la realidad internacional, extendiendo la opinión de que el hundimiento de nuestra economía era un fenómeno exclusivo, consecuencia de la necedad y la incompetencia de los miembros del gobierno de Zapatero. El hundimiento del PSOE, como hemos comentado, fue espectacular.

El PP llegó al poder con un récord histórico de votos en 2011, pero también con las alforjas cargadas de casos de corrupción, alguno, como el llamado caso Gürtel, convertido en una auténtica bomba de relojería que habría de explotar tarde o temprano con consecuencias catastróficas para la imagen del partido, pero que ya era conocido por la opinión pública antes de las elecciones. El hecho de ser conscientes de que les habían votado a pesar de su baja condición ética, les dotó de tranquilidad escénica, les dio impulso para ir a degüello contra el Estado de bienestar. El pueblo había firmado un cheque en blanco en un momento en el que por culpa del derrumbe económico y el alto índice de desempleo se encontraba desarmado.

Una estafa necesaria

El programa con el que se presentaban a las elecciones era desconocido, no hacían gala de él ni se entretenían en la exposición de detalles, pero se concretaba en presentar al PP como un soldador capaz de cerrar la vía de agua del *Titanic*. Resumían su milagro en un acto de fe: recuperaremos la confianza de los inversores.

Ellos traerían el agua que necesitaba este toro que agonizaba de sed. Su sola presencia haría recuperar la confianza de «los mercados».

De hecho, de tanto insistir en la confianza que generarían, abrieron los ojos a mucha gente que vio en ello una estrategia política siniestra que podría controlar los diferentes gobiernos desde el exterior, poniendo y quitando presidentes, al abrir o cerrar el grifo de la inversión. El pueblo estaba dispuesto a aceptar ese chantaje si cesaba la sangría de despidos y la economía comenzaba la recuperación.

Para obtener la tranquilidad del votante receloso repitieron hasta la saciedad, y la más insistente fue Dolores de Cospedal, que nunca traspasarían las líneas rojas tras las que se encontraban la sanidad, la educación y las pensiones. Esa trinidad del Estado de bienestar se salvaría de la quema, se respetaría, por supuesto: palabra de neoliberal. Otras cuestiones consecuentes con su política como la bajada de impuestos y las ayudas a la pequeña y mediana empresa se contaban de pasada, se daban por supuestas.

La garantía de recuperación económica vendría dada con su llegada al poder, ya que los que gobiernan de verdad en el mundo y deciden cómo, cuándo y quiénes van a ser los agraciados con la felicidad, el equilibrio y el desarrollo eran de los suyos; en tanto miembros del mismo club, harían pandilla y, ante la promesa de no faltar a su palabra de vender España al mejor postor, «los mercados» se volcarían en la inversión con la seguridad de que gobernando los neoliberales no iban a tener problemas para obtener una gran rentabilidad garantizada.

España se hundía irremisiblemente, y como decía el actual ministro de Economía, Cristóbal Montoro, estaban dispuestos a colaborar en ese hundimiento, si fuera necesario, para llegar al poder. Ya la rescatarían con tranquilidad desde el gobierno.

El pánico había cundido y el pueblo español apostó por estos superhéroes de la gestión que prometían traer pasta a los españoles. Bueno, finalmente, la entraron para reparar la vergonzosa gestión de los bancos que estaban en manos de aquellos cargos que hicieron el «milagro económico». Por cierto, primero dijeron que ni un solo euro iría a parar a los bancos, que eso era cosa de Zapatero. Después, que se trataba de un préstamo. Más tarde nos enteramos de que no iban a devolver ni un céntimo. Y ahora no sabemos nada. En las circunstancias actuales, ¿tenemos los españoles que dar dinero a los bancos?

Tras la llegada al poder se entregaron a un trabajo de desmantelamiento contra reloj. Fueron, en primer lugar, a por aquello que habían jurado y perjurado no tocar: educación, sanidad y pensiones. De rondón metieron la justicia con la creación de unas tasas que apartan al ciudadano, más de lo que estaba, del derecho a recurrir a esta institución. Esta celeridad en cargarse los servicios elementales demuestra una estrategia preconcebida. Es evidente que lo tenían previsto y que habían estado mintiendo a los ciudadanos. Estas medidas, que causan un gran desgaste político, se suelen tomar al principio de la legislatura, en un intento de distanciarlas lo máximo posible de las siguientes elecciones generales.

Un pequeño apunte sobre lo perra que es la política y lo nefasta que resulta para estos menesteres la hemeroteca. Sólo unos meses antes de su llegada al poder, Rajoy y Esperanza Aguirre iniciaron una rebelión cívica contra la subida del IVA del gobierno de Zapatero. Esa subida fue de dos puntos con respecto al valor vigente, que era del 16 por ciento. Con respecto a ese dato, Rajoy lo subió no dos, sino cinco puntos, llegando al 21 por ciento. Hasta el último momento sostuvo que no lo subiría y criticó esa medida dando a entender que lo bajaría. Unos días antes de las elecciones, en el debate de los candidatos, Rajoy le dijo a Zapatero: «Yo no soy como usted [...]. Le subió el IVA a la gente y no lo llevaba en su programa [...]. Yo lo que no llevo en mi programa, no lo hago.» ¿Cómo lo ven? Los medios de comunicación lo llaman «contradicciones». En mi barrio, mentiras.

En aquella recogida de firmas que incitaba a la insumisión del pago, acto de dudosa legalidad, Esperanza Aguirre se lució de lo lindo colocando mesas por doquier. Se imprimió medio millón de panfletos explicando a los ciudadanos la verdadera razón de esta subida del IVA. Ese dinero no iría destinado, decían, a la sanidad, a la educación o a los servicios sociales. Ahí va la verdadera razón, Aguirre *dixit*: «¿Sabes por qué Zapatero nos sube dos puntos el IVA? Porque él no quiere apretarse el cinturón, prefiere que te lo aprietes tú, prefiere pagar subsidios a crear empleo porque necesita más dinero para mantener ministerios inútiles.» Ahora podríamos dar la vuelta al final de la frase que hablaría de inútiles en los ministerios.

Descubre el ciudadano, con tristeza y hastío, que no contento con obviar o dar de lado algunos puntos de su programa, se permite el señor presidente hacer lo contrario de lo que promete nada más llegar al poder. ¿Cómo se compensa a esos ciudadanos que todavía creen en la palabra dada y votaron convencidos de que el gobierno haría algo parecido a lo prometido? Aparte de los fieles, muchos ciudadanos fueron llevados a las urnas mediante el engaño. Además, el presidente ponía al «altísimo» por medio, insistía en hacer las cosas «como dios manda». Claro que, si es dios el que manda, el pobrecito no es responsable de sus actos. A lo mejor, nuestro señor le está probando como a Abraham y le ha pedido que sacrifique a su pueblo para demostrar su fe. Eso explicaría lo que está ocurriendo. Ahora sólo falta esperar que venga rápido el ángel y detenga esta jodienda con el cartelito de «prueba superada», porque nos están achicharrando.

Lo que ha ocurrido en este breve lapso se puede considerar un timo. Cualquiera puede quedarse en el intento de resolver las cosas, o comprobar que las medidas paliativas propuestas no tienen el efecto deseado, pero de ahí a tomar el camino opuesto hay un abismo que convierte al negligente en estafador. Es la buena o mala voluntad la que cambia el perfil del actor. La buena o mala fe. Esa fe que el señor presidente pedía a su pueblo era de la mala.

Falta a la verdad el señor Rajoy cuando, ante tamaño despropósito, sale a justificarse alegando que quería hacer las cosas de otra manera, pero las circunstancias no se lo han permitido. Las circunstancias eran las mismas que cuando se presentó a las elecciones. No puede alegar desconocimiento, puesto que basaron la estrategia de oposición de sus últimos meses, precisamente, en alertar de la gravedad de la situación y de la falta de iniciativa y energía para afrontarla del gobierno de Zapatero.

Especial gravedad tiene en su caso esta falta de compromiso con la palabra dada, porque además es registrador de la propiedad, lo que equivale a decir, en los términos que a él le gustan, que su palabra «va a misa». Se hubiera agradecido un compromiso notarial de obligado cumplimiento de ese contrato que el candidato suscribe con sus votantes a través de las urnas, pero no ha querido el señor registrador hacer uso de su prestigio. Aprovechando que el Pisuerga pasa por Valladolid, comentaremos que en fechas en las que se acaban de aprobar las nuevas medidas de transparencia que, supuestamente, acabarán con los desmanes de la corrupción y que, paradójicamente, coinciden con la destrucción de los discos duros de los ordenadores de Bárcenas y la desaparición de sus agendas, cuya custodia por orden judicial corría a cargo del Partido Popular; coincidiendo con esa aprobación de medidas de transparencia, decíamos, el señor Rajoy se niega a aclarar cuánto ha cobrado desde que se dedica al desempeño de la función pública como político, función que afirma costarle dinero, por esa plaza de registrador de la propiedad de Santa Pola que ganó por oposición y a la que no ha acudido un solo día. No sabe, no contesta. Con lo sencillo que sería decir «nada», si es que tal fuera el caso. Al esconderse y negarse a responder genera esa razonable duda que luego dicen que «ofende». El que calla, don Mariano, otorga. Y es que, por el hecho de ser presidente o ministro de una nación hay que estar todo el día dando explicaciones de los ingresos recibidos. Definitivamente, esto de la democracia es un coñazo. Y eso que aquí, don Mariano, la democracia es muy poco exigente, en otros países a los que mienten los ponen en la calle, figúrese, no le habría dado tiempo ni a llegar al balcón de Génova la noche de las elecciones. Si es que el mundo está lleno de talibanes...

Lo que decíamos, el mercado no ha cumplido con su parte. Llegar al poder los liberales y empeorar las cosas fue todo uno. Es cierto que no se endereza una tendencia de la noche a la mañana, pero era lo que vendían.

Los señores que han traído hasta aquí a los países del sur de Europa, esos especuladores que no dudan en hundir a una nación si eso les supone un beneficio por mínimo que sea, son de los suyos. Neoliberales, como ellos. Piensan que la mejor política imaginable es la de «toma el dinero y corre». Lo llaman «libre mercado», que suena mejor.

La gran contradicción de estos líderes neoliberales que hoy nos gobiernan es que están del lado de esos «mercados» que luchan, precisamente, contra el Estado al que representan y al que quieren eliminar del terreno de juego económico. El enemigo de estos mercados son las normas de protección, las barreras que ponen los Estados para que sus respectivos países no queden arrasados por la voracidad mercantil de los especuladores. A esta muralla de protección la llaman «intervencionismo» y lo asocian al totalitarismo.

La misión de los liberales del siglo XXI es suavizar o suprimir las normas que nos protegen. Son los encargados de abrir la puerta trasera de la muralla, como ocurrió en el sitio de Constantinopla y que permitió su conquista. La abolición de la regulación de los «mercados» que tanto preconizaba el señor Bush deja al pueblo soberano en el desamparo, al pairo, expuesto a ser abordado por el primer pirata que pase. Para levantar el estado de sitio reflejado en la prima de riesgo, imponen unas condiciones que se sintetizan en las llamadas «reformas estructurales profundas».

Esta imposición supone, de hecho, la abolición de la «soberanía nacional». El sistema que los ciudadanos nos hemos dado con la legislación que sale del Congreso de los Diputados queda suspendido cuando las normas fundamentales que regulan nuestra convivencia y nuestro futuro son dictadas por los que tienen las llaves de la caja del crédito y, además, ponen las notas de confianza de cara al inversor y califican la calidad de nuestro sistema financiero, de nuestros bancos.

Resulta que eso que llaman «mercado libre» no es tal. Podemos hablar de un solo inversor. Si el mercado fuera libre, habría muchas opciones, pero se comporta como un solo hombre. Nos dejan el dinero, pero a cambio nos obligan a rehacer nuestra organización social con sus medidas para tener la garantía de que lo van a recuperar con un alto interés en el menor tiempo, aunque estas medidas generen quebranto en la población y un espectacular detrimento en su calidad de vida.

Esta situación es absurda. Es como si para acceder a un crédito hipotecario el banco nos exigiera reformas en nuestras vidas, hacernos de determinada religión, pertenecer a una secta, o dejar de practicar determinados hábitos con el argumento de que una vida recta, austera y moral garantiza la formalidad del adjudicatario e inspira tranquilidad al prestamista.

El libre mercado ha demostrado que sólo lo es para él: con el pueblo que lo sufre se comporta como un tirano.

Para remate, la aceptación de las condiciones no ha traído los resultados prometidos.

¿Qué ha fallado en esta estrategia de la generación de confianza de los mercados?

Como hemos dicho, los Estados son rehenes de los mercados, que deciden si hunden a un país o no, ahora que, prácticamente, se han eliminado las regulaciones que podrían evitar quebrantos innecesarios a la población. Incluso se atreven a quitar y poner presidentes de gobierno sin pasar por las urnas, como ha ocurrido en Italia y Grecia, con la excusa de que el prestamista tiene derecho a dirigir la economía de un país de la forma que le sea más rentable para que su inversión no se vea amenazada. El de Italia, Mario Monti, es consejero de Goldman Sachs. Este banco estadounidense dijo en su día que la prima de riesgo se reduciría de 570 a 350 puntos sólo si «el nuevo ejecutivo está liderado por una personalidad externa y capaz». Un chantaje digno de don Vito Corleone. Cuando tuvo que enfrentarse a las urnas obtuvo un 10 por ciento de los votos.

El de Grecia, Lucas Papademos, era gobernador del Banco Nacional de Grecia cuando este país entró en el euro con unas cuentas falseadas, de las que él era responsable. Luego se reconoció que esa entrada fue prematura. Vaya tela.

A esos presidentes impuestos los llaman tecnócratas y dicen que no tienen ideología. Nos quieren hacer creer que han vivido en un plasma de hibernación, suspendidos en líquido amniótico, hasta que les liberan para salvar países. Para que la pesadilla cobre intensidad y la desesperación del personal alcance máximos que inhiban su capacidad de reacción, resulta que estos tecnócratas, en muchos casos, han trabajado antes en esas empresas fraudulentas que han provocado el hundimiento de los mercados con productos contaminados que, sin que nos hayan explicado cómo, han generado una reacción en cadena que nos ha llevado a la ruina. A nosotros, que no teníamos nada que ver.

Pues bien, estos mercados que, en principio, saludarían la victoria del PP con una inmensa confianza que se traduciría en una gran inyección de dinero a través de inversiones de todo tipo, ya que contarían con un Estado colaborador trabajando a favor de sus intereses, han hecho dejación de sus funciones. No nos sacan de la ruina. No olvidan que primero se deben a sí mismos y, claro está, su obligación es la de continuar profundizando en este hundimiento del que decía Montoro que nos iba a rescatar, para, puestos a comprar, comprar a «precio puta», por utilizar la jerga económica.

La famosa prima de riesgo que ha cobrado tanto protagonismo con la crisis se ha convertido en el parámetro de la calidad de la economía de un país. Eso que Rajoy llamaba confianza. Durante muchos años estuvo, prácticamente, a cero, llegó a ser negativa, pero traspasó la barrera de los 50 puntos con la caída de Lehman Brothers y en sólo cuatro meses se duplicó y alcanzó los 100. En dos años llegó a los 300. En esas cifras se hizo Rajoy con el poder, bajó un poquito, para situarse en los 296 puntos en diciembre de 2011, y luego empezó a subir para alcanzar con el agujero de Bankia los 639 puntos. Esta situación obligó a Rajoy a pedir un rescate parcial. Zapatero ya no tenía nada que ver. ¿Qué estaba pasando? Lo que tenía que pasar: los mercados no se casan con nadie. Van a por la pasta, también, por supuesto, cuando mandan los suyos. Es la historia de la rana que ayuda al escorpión a cruzar el río. Al llegar a la otra orilla, el escorpión le clava el aguijón. Ante la mirada de incomprensión del batracio, el arácnido responde: «Lo siento, está en mi naturaleza.»

Un pequeño y sospechoso apunte. Cuando esta prima se convirtió, tanto para la oposición como para los diferentes analistas económicos, en argumento suficiente para cambiar un gobierno, y se convenció de ello al pueblo soberano, subió desde los 192 puntos en los que estaba en el mes de agosto de 2011 hasta los 467 puntos unos días antes de las elecciones. Es evidente que la economía no pega esos vaivenes, la prima de riesgo es un parámetro subjetivo que mide el nivel de confianza, pero tuvo una influencia decisiva en la campaña electoral.

Los tiempos en los que un gobierno perdía toda credibilidad y casi legitimidad en función de ese parámetro ya pasaron. Soraya Sáenz de Santamaría afirmaba: «La prima de riesgo se llama José Luis Rodríguez Zapatero. España necesita un gobierno que genere confianza fuera y dentro.» Por su parte González Pons, con razón, decía: «La prima de riesgo de un país es inversamente proporcional a la confianza que genera. Si supera los 400 puntos estamos instalados en la desconfianza.» Tal aseveración es irreprochable. Pero se olvidaron de abrir la boca cuando esa prima superó los 600 puntos estando ellos en el poder. Siguiendo sus tesis, tal situación significaba que el gobierno de Rajoy generaba mucha más desconfianza que el de Zapatero.

En el verano de 2013, cuando la dichosa prima bajó hasta el «insostenible nivel» de los tiempos de Zapatero, lo vendieron a la opinión pública como un signo objetivo de recuperación. El mismo dato con el que demostraban el fracaso de sus rivales se convertía dos años más tarde en el signo del éxito y la buena gestión.

Lo peor fue lo que ocurrió mientras tanto.

En las circunstancias actuales debemos medir la valía de un gobierno por su resistencia ante el chantaje económico. La razón por la que esta Europa de neoliberales prefería un gobierno de derechas en España no tenía sólo una base ideológica. Siempre se ha dicho que la derecha no tiene manual, tiene intereses. Es cierto. En Europa sabían que el gobierno de Rajoy llegaría de rodillas, con el cuaderno en la mano para tomar nota de los deberes. Así lo desveló Durão Barroso con motivo de aquel apresurado comentario de nuestro presidente en junio de 2012, la mañana que le dio por comparecer para aclarar lo del rescate parcial a la banca porque tenía prisa, le estaba esperando el avión para llevarle al fútbol (atrás quedaron los tiempos en que estas cosas eran un escándalo). Muchos recordarán que Rajoy dijo un tanto ufano: «Nadie me ha presionado, he presionado yo, que quería una línea de crédito.» El señor Barroso contestó al día siguiente que no sólo no había recibido presiones de nuestro presidente, sino que le había sorprendido lo bien y rápido que había aceptado las condiciones que le impusieron para acceder al crédito.

¿Y Europa? ¿Dónde está? ¿Por qué una madre abandona a sus cachorros?

En este club de países al que pertenecemos y del que se supone que somos socios, algo va mal cuando la ruina de uno significa la riqueza del vecino. En las sociedades normales, los socios caminan juntos, ganan o pierden a la vez.

Mientras la prima de riesgo indicaba que la desconfianza en nuestro país era total y por su culpa vendíamos deuda al 7 por ciento de interés, la seguridad total se encontraba en Alemania, que daba por lo mismo el cero por ciento e incluso tiene con frecuencia interés negativo, lo que significa que te cobran dinero si se lo prestas, pero a cambio quedas a salvo de la amenaza del «corralito», te garantizan que tu dinero no va a desaparecer. ¡Cómo rinde el pánico! El capital huyó de nuestro país en busca de inversión extranjera. Dicho de otro modo, nuestro dinero se iba a Alemania, donde no pagaban nada, y con él compraban deuda española que rendía al 7 por ciento. La idea es buena, pero no es de socio, ni de amigo, ni de colaborador: es de buitre. Es evidente que con este sistema cada vez seremos más pobres y ellos más ricos. Estos socios nos llaman los PIGS (cerdos: Portugal, Irlanda, Grecia, Spain), son unos cachondos.

La pregunta que más se han hecho los ciudadanos es: ¿por qué el Banco Central Europeo no nos presta dinero a un interés más bajo? Porque no le da la gana. Está al servicio de los que se forran con esta situación. La respuesta que da el señor Almunia es que ese banco no está para eso. Sin embargo, presta dinero a la banca privada a un interés muy bajo, para que nos lo haga llegar a los ciudadanos al interés que les dé la gana, si es que lo sueltan, porque lo más normal es que lo dediquen a tapar sus agujeros o a negociar en beneficio propio en los mercados. El Banco Central Europeo no está para echarnos una mano, pero sí para que se forren otros. Vale.

Nadie quiere poner el cascabel al gato. Aquí la cuestión es que estamos gobernados por el Banco Central Europeo, el Fondo Monetario Internacional y la Comisión Europea. Estamos en manos de los banqueros. Estos señores han sido y serán enemigos de los ciudadanos. Todas las medidas que imponen van a favor de sus intereses, exclusivamente, con el beneplácito de la Unión Europea, que contempla impávida el espectáculo del hundimiento de los países del sur de Europa, sus aliados, sus socios, sus amigos, con la calculadora en la mano. Mientras, los economistas que no pertenecen a ese círculo de muñidores de la trama advierten de que todas las medidas que imponen no hacen más que agravar la recesión y provocar desempleo.

Las maniobras de ajuste basadas en medidas drásticas de austeridad para reducir el déficit, la reducción de salarios y la implantación de una salvaje reforma laboral no han hecho otra cosa que acentuar la crisis al hundir el consumo y disparar las cifras de desempleo hasta convertir el despido, en muchos casos, en un gran negocio. No hay que ser muy listo para entender que hundiendo el poder adquisitivo de los ciudadanos es muy difícil que crezca la economía.

Periódicamente, estos tres elementos (BCE, FMI, CE) reconocen que estas medidas nos están perjudicando más que ayudando, pero, en un ejercicio de cinismo espectacular, siguen exigiendo a los gobiernos que profundicen en ellas.

Como el poli bueno y el poli malo, hablan de austeridad y, al mismo tiempo, de que es contraproducente si no va acompañada de medidas que incentiven la contratación y la recuperación económica. También dan un caponcillo a los bancos para que suelten algo de crédito.

Su prioridad está clara: mientras imponen las medidas de austeridad a aplicar de una forma precisa como una condición imprescindible para evitar el colapso, controlando de cerca su implantación y recomendando, a pesar de los efectos catastróficos, ahondar en ellas; lo de las medidas de incentivos lo dejan caer así como un consejillo, y lo de los bancos, pues eso, también, una recomendación sin más. Recientemente, el FMI ha recomendado que se sigan bajando los salarios. No saben lo que ganan los obreros españoles. Ellos piden, piden, piden. Piden siempre lo mismo, sin mesura. Exigen la resolución del déficit y si para ello los gobiernos tienen que desmontar el Estado de bienestar, pues muy bien. Les importamos un carajo. Ésa, y no otra, es la verdad. Lo primero es cobrar esos intereses abusivos que se han sacado de la manga. El bienestar de los ciudadanos no está en la mesa de negociaciones, en lugar de ser la prioridad, es un favor colateral, una propina que se otorga si hay margen para ello.

Así, entramos en una espiral de decadencia. Vuelven a decir que las medidas no están funcionando y piden perdón por haber errado en sus cálculos. A la mañana siguiente insisten en la misma vía.

¿Por qué no detienen este deterioro? Porque no son «intervencionistas», son neoliberales. ¿Y el señor Almunia, vicepresidente y comisario europeo de Competencia, que es socialista? También. Y lo peor es que con su defensa del discurso oficial parece reducir las opciones, cerrar la puerta a toda alternativa. Elevan sus tesis a la categoría de ciencia, cuando son producto de la misma ideología conservadora de siempre. De hecho, esto que nos implantan aquí ya lo hizo el FMI en Latinoamérica, llevando a aquellos países a la ruina. Ahí nos están metiendo.

El paradigma de esta desvergüenza lo representa doña Angela Merkel, dueña y señora de Europa, cuando aplaude las medidas de recortes de Rajoy en educación, animándole a profundizar en esa medida, a reducir todavía más ese presupuesto, mientras ella aumentaba esa partida casi en un 10 por ciento. De todos es sabido que nuestro sistema educativo dista de tener la calidad del alemán, por no hablar de sus infraestructuras, medios, etc. Deberíamos intentar llegar a él. ¿Cuál es el mensaje que nos transmite con estos consejos? ¿Son consejos o son órdenes? «Ustedes, queridos españoles, encárguense de las sombrillas y las hamacas de las playas, dejen lo demás en nuestras manos.» La consecuencia que se deriva de esta política es evidente. El abismo que nos separa de Alemania será cada vez mayor. En lugar de intentar igualar los servicios y prestaciones de los países socios, se está trabajando de forma exhaustiva, con una agresividad incomprensible, en ahondar las diferencias. Nos están sumiendo en un pozo de pobreza y de destrucción de nuestros servicios del que nos va a costar salir y, cuando lo hagamos, como en la película *El día después,* no nos va a gustar nada lo que nos vamos a encontrar.

Todavía no hemos llegado a entender el precio que vamos a pagar por desmontar la investigación en nuestro país. Hemos condenado al destierro a nuestros científicos, hemos apagado el motor que propulsaba nuestra civilización, hemos inhibido nuestro cerebro, nos hemos metido en un camino de regresión que nos lleva a las antípodas del desarrollo, del mundo del pensamiento. Nos están sumiendo en la barbarie de la ignorancia y la incultura de la que un día creíamos huir.

Cuando era pequeño, siempre me llamaban la atención los dibujos que venían en los libros de historia de los bárbaros que invadían Europa desde el norte y desde el este. Tenían buena pinta, pero saqueaban, quemaban y hacían barbaridades, de donde les venía el nombre. Ahora, a esta edad provecta, les he visto la cara, he comprendido la verdadera dimensión, la definición del bárbaro: «Es el que destruye la educación.» Nos han condenado al oscurantismo.

De la corrupción, estos señores de Europa no dicen nada. Permiten que el señor Rajoy se siente a su mesa porque es dócil. Les está haciendo el trabajo sucio con una gran efectividad. Como diría Durão Barroso, con gran amabilidad. Mientras siga siendo la correa de transmisión de sus espurias intenciones, le admitirán en su seno. Sabiendo lo que saben acerca de la basura que esconde debajo de la alfombra, y conociendo lo estrictos que son con estas cuestiones, cabe suponer que le desprecian olímpicamente. También a Berlusconi le consentían un hueco porque les era útil. Reían con él en las fotos. Todo les vale. La moral, esa cuestión a la que se recurre cuando se quieren recortar libertades, no tiene cabida aquí, en el campo de la economía.

La vida es sueño, la pasta también

¿Por qué, de repente, somos inútiles? ¿Por qué cuando pisábamos más fuerte y creíamos formar parte del «Primer Mundo» se empeñan en meternos en el tercero? ¿Quién pone las notas?

La prueba de selectividad está en manos de unos expertos que conceden el privilegio o expulsan de la sala VIP a quien no obtiene la AAA.[114] Se asocian en las llamadas agencias de calificación.

Nos hacen creer que esas agencias (Standard & Poor's, Moody's, Fitch), que deciden la calidad de un sistema financiero al calificar el riesgo de impago del emisor de una inversión, bien sea una empresa o un Estado, son organismos oficiales, árbitros imparciales. Pues no, no son sistemas de control de las administraciones, son un negocio privado. En muchos casos estas agencias califican los negocios de sus propios jefes, califican compañías de las que son socias, de las que dependen. Funcionan por suscripción de las empresas a las que ponen las notas. Es como si te hiciera el examen un profesor particular. Ahí entramos en conflictos de intereses porque unas empresas o naciones son competencia de otras. Cuando una pierde, la otra gana. Según el profesor García Montalvo, de la Universidad

---

114. También se llama así la Asociación Argentina de Árbitros, pero no tiene nada que ver.

Pompeu Fabra: «Si la agencia pone una calificación a tus activos que no te convence, puedes no pagar, así que les interesa poner AAA, porque si no el cliente podría irse.» Es decir, son empresas privadas que pertenecen a corporaciones, cuyas ramificaciones se extienden y conectan con las sociedades de inversión causantes de este embrollo. Forman parte del negocio y son los jueces. Así de burdo y manipulable es el mundo en que vivimos. Estas agencias americanas, según dicen los que saben, favorecen al dólar y la libra esterlina frente al euro.

De nuestra ruina depende su riqueza. Estamos listos.

Su prestigio ha decaído por los estrepitosos fracasos de sus cálculos, que si no la han provocado en parte, desde luego están en la raíz de esta crisis. Días antes de las dos quiebras más famosas de la historia reciente, Enron y Lehman Borthers, ambas empresas habían obtenido la AAA. Aunque hay muchas más agencias, estas tres (Standard & Poor's, Moody's y Fitch) copan el 90 por ciento del mercado y, a pesar de que se les ha visto el plumero, como decíamos, continúan siendo las encargadas de decidir quién se forra y quién se arruina, sin la menor objeción.

Ante la evidencia de este dislate, tanto Angela Merkel como la organización ATTAC están pidiendo la creación de una agencia de calificación pública europea. La mayoría de la gente piensa que ya está funcionando, que una cuestión tan importante está en manos «oficiales». ¡Que no, que no es así!

Ahora, con la crisis, nos bombardean con términos económicos. Salen a relucir dos conceptos que dependen uno de otro: la economía real y la economía financiera.

La economía real es la que hemos conocido de siempre, basada en las fábricas, la agricultura, el comercio, las exportaciones. Es la que crea la gente «que hace cosas».

La economía financiera está basada en las «finanzas», en las acciones, los títulos comerciales, los bonos, fondos, es meramente especulativa. Una acción puede valer 1 euro un día y 20 a la mañana siguiente, pudiendo perder totalmente su valor en una semana.

Un caso típico de sobrevaloración se produce cuando una empresa sale «a bolsa», entra en este mercado. Al regirse por la ley de la oferta y la demanda, el hecho de que el personal comience a comprar en masa hace que el precio suba. Como los inversores saben que va a subir, porque siempre ocurre, compran y compran, cuanto más compran más sube de valor, con lo que se genera un círculo vicioso que hace que una empresa pueda multiplicar hasta veinte veces su valor real en una sola jornada. Es ridículo, todos saben que no lo vale, pero juegan a que sí y es de esa ficción de donde sacan el beneficio. Es dinero que está en el aire, como las perdices, sólo hay que saber hacerlo bajar para meterlo en la saca.

La economía financiera se rige por criterios subjetivos, un simple rumor puede provocar un desastre. También una prima de riesgo. Esta economía genera beneficios a «partir de las cosas», no «hace las cosas». Se presenta como una forma fácil de ganar grandes cantidades de dinero, aunque, lógicamente, entraña riesgos, pero el hecho de que los márgenes que pueden obtenerse en breves períodos sean espectaculares ha hecho que la mayor parte de la inversión se dirija a ella. Algunos cálculos afirman que actualmente hay unas cincuenta veces más dinero en esta economía que en la «real». Así nos va.

Esta crisis que sufrimos es financiera, pero se lleva por delante a la real, puesto que están interconectadas, la una necesita a la otra para poder operar.

La crisis actual es el resultado la eliminación de todas las barreras, de todos los controles de la especulación que han llevado a cabo estos «neoliberales antiintervencionistas», lo que provoca, por un lado, la especulación sin límites, incluso con maniobras torticeras que pueden poner en riesgo la economía de un país, y, por otro, que cuando se detecta un fraude ya sea demasiado tarde. A diferencia de lo que indica la salud pública, aquí se ha eliminado la prevención. No hay profilaxis.

Así, se han generado multitud de estrategias y operaciones que bordean la ley y permiten maniobras muy lucrativas que pasan por la destrucción de empresas, destrucción que acarrea ruina y pobreza en su onda expansiva. Hay productos muy complejos; algunos, por ejemplo, permiten ganar dinero si el precio de la acción baja, si una empresa se hunde, por lo que se puede llegar a la perversión de que se haga realidad el principio «cuanto peor, mejor».

En fin, en este mercado financiero los títulos multiplican muchas veces su valor hasta que se descubre que nada es real, todo es producto de una gran especulación, un espejismo. Y surgen las crisis.

Pero esto no es un juego de mesa, no es un juego de ordenador donde al apagar la pantalla todo se desvanece. Estos juegos pueden llevarse por delante países enteros, la felicidad de millones de personas. De ahí la necesidad de la intervención de los Estados. Si la primera obligación de un Estado no es procurar el bienestar de los ciudadanos, hay que abolirlo. Si un Estado no defiende los intereses de los ciudadanos, ¿qué defiende? ¿Para qué está? ¿Para quién trabaja?

Ellos, los especuladores, van a sus intereses, nosotros debemos ir al nuestro.

Los mismos gobernantes que dejan al pueblo a la intemperie en medio de la estampida, frente al *tsunami* que arrasa con la pasta de forma selectiva, esos que dan la espalda al ciudadano son los más firmes defensores de «la familia». Nunca he entendido esta contradicción. En cualquier caso voy a formular un sentencia que marcará un antes y un después en la historia del pensamiento universal.

Señores liberales: «Las familias las componen personas.»[115]

La bola de nieve va creciendo

¿Cómo hemos aceptado este estado de cosas?

Una vez más hemos puesto a los zorros a cuidar las gallinas. Tal vez influidos por el sentimiento de culpa de nuestra educación judeocristiana, aceptamos el castigo con un masoquismo enfermizo.

Comenzaron hablando de piratas financieros que habían provocado el hundimiento de grandes corporaciones con sus fechorías. Hablaban del hundimiento de grandes sociedades

115. Si las personas son humanas, mejor.

de inversión estadounidenses que habían llevado a la ruina a sus clientes con maniobras truculentas en las que habían hecho desaparecer inmensas cantidades de dinero. Aparecieron nombres de famosos que habían sido estafados. Parecía que todo este embrollo sólo iba a afectar a señores muy ricos. También se especulaba con la quiebra de algún banco y se alertaba de posibles caídas de la bolsa. Además, todo esto sucedía en Estados Unidos y allí sabían cómo tratar a los delincuentes, llamaban a la tranquilidad intentando evitar que cundiera el pánico.

De pronto aparecieron unas hipotecas que se llamaban *subprime*, que se encontraban englobadas dentro de un paquete de fondos de inversión a los que contaminaban. Esas hipotecas se habían concedido a personas de bajo poder adquisitivo, con pocas posibilidades de devolver estos préstamos. O sea, dinero que no se iba a recuperar. Se envolvieron en papel de regalo mezclándolas con otros fondos buenos, en una clara maniobra de camuflaje. Lo llamaban «activos tóxicos». Los que tenían esa basura entre las manos la vendieron a terceros. Hablando en plata, cambiaron dinero falso por bueno en «los mercados» y de pronto nos enteramos que esos «activos tóxicos» circulaban por todo el mundo. El problema de las hipotecas chungas americanas ya era universal. Pasaron el filtro de los sistemas de control de los mercados financieros, de esas agencias de calificación que nos ponen las notas. Nadie ha pagado ni ha sido señalado como responsable por esta estafa universal.

Para tranquilizar los ánimos, en un principio los mandatarios se pusieron del lado del pueblo soberano lanzando mensajes de indignación, renegando de este sistema de permisividad que facilitaba la especulación extrema y las maniobras delictivas.

Hasta las cabezas visibles del neoliberalismo se pronunciaron contra este estado de cosas. Claro que sólo se trataba de recibir al toro a portagayola, nieve de primavera. Había que detener la marea de indignación. Recuerdo a Sarkozy hablando de refundar el capitalismo para humanizarlo. Algo, aunque contradictorio en sus propios términos, entrañable. Planteaba reunir a los líderes mundiales para reconstruir el sistema financiero internacional partiendo de cero. «La autorregulación para resolver todos los problemas se acabó. Hay que refundar el capitalismo sobre bases éticas, las del esfuerzo y el trabajo, las de la responsabilidad, porque hemos pasado a dos dedos de la catástrofe.» A dos dedos, decía. Estábamos en el ojo del huracán.

La refundación se produjo, pero no en la dirección que apuntaban. El capitalismo se tornó en su forma más salvaje.

De pronto las empresas empezaron a cerrar, el desempleo comenzó a crecer como la espuma y los sismógrafos europeos alertaban del terremoto que amenazaba al sur de Europa, a los países del Mediterráneo. La crisis había llegado. Como ocurre en los sistemas complejos, el aleteo de una mariposa en Nueva York había provocado una tormenta aquí.

Había que tomar medidas drásticas y traumáticas. El sistema en el que nos habíamos estado moviendo en los últimos sesenta años había dejado de valer. No servía.

Sosegada la bestia de la indignación con las bonitas soflamas que llamaban a la confianza en los grandes gestores de los destinos patrios, se decidió domesticarla para darle un uso doméstico.

Padre, he pecado. El pueblo abusa del sistema

¿Qué había pasado? ¿Quién era el culpable del caos?

De la noche a la mañana el dedo acusador pegó un viraje de ciento ochenta grados y convirtió en responsable de la debacle al que se estaba «llevando las hostias»: el pueblo soberano.

¿Cómo se come esto? Nos lo contaron de una forma sencilla. Del mismo modo que no se debe dejar a un niño de tres años jugar con la carroza de la Cenicienta de Lladró, ni se le debe dar a un mono una cuchilla de afeitar, el pueblo no supo hacer uso del Estado de bienestar y abusó del sistema financiero. Había dilapidado su patrimonio al hacer uso de la picaresca con un bien tan sagrado, había abusado de las prestaciones por desempleo, había prestado el carnet de la Seguridad Social a personas que no tenían derecho a nada, había cogido bajas falsas para quedarse en casa a jugar a las cartas, había guardado el dedo gordo del abuelo en el congelador para cobrar su pensión, en resumidas cuentas: el pueblo era chorizo y, además, había vivido por encima de sus posibilidades. Eso nos contaron. ¿Sí? Sí. ¿Todos? Todos creyeron que sí. ¿Somos gilipollas? A eso no me atrevo a contestar. Lo cierto es que de la noche a la mañana todo el mundo repetía las denuncias y consignas de los que habían escurrido el bulto y que hasta hacía poco se ponían colorados porque no sabían hacia dónde mirar. Del fracaso del capitalismo, denunciado por los liberales, pasamos a la teoría del «pueblo irresponsable».

El personal comenzó a repetir las argucias de los que estaban preparando el desmantelamiento del sistema. Se estaba metiendo por su propio pie en el matadero. En lugar de exigir responsabilidades a quien compitiera, se compró un cilicio y un flagelo y comenzó a trabajarse la espalda.

De pronto, «todo el mundo conocía a alguien que había pedido una hipoteca para comprarse un casa que había sido sobrevalorada por el tasador para tener acceso a una cantidad mayor de pasta que le permitió comprarse un BMW de puta madre y marcharse de vacaciones por ahí al Caribe o más allá y además amueblarlo todo y alicatar los baños». Así, sin comas ni nada. Sin tomar aire.

Habíamos vivido por encima de nuestras posibilidades. Habíamos vivido por encima de nuestras posibilidades. Habíamos vivido por encima de nuestras posibilidades Me lo escriben cien veces hasta que se lo aprendan. ¿Y los que no habían pedido hipoteca? También.

Los datos indican lo contrario, pero para qué se necesitan datos cuando se sabe la verdad. De nuevo, la realidad no tiene el menor derecho a chafar una excusa tan bien traída. Y tan tonta.

Sin embargo, aunque no sirva de nada, convendría citar los datos oficiales, por curiosidad. Pues bien, revelan que el índice de morosidad antes de la crisis era más o menos el de la media europea. Es decir, el personal, cuando tenía trabajo, pagaba sus obligaciones. El español no era, en eso, más chorizo que el resto. No vivía por encima de sus posibilidades. La gente, al parecer, no pedía créditos por encima de sus ingresos, entre otras cosas porque el propio sistema financiero no se lo permitía, y cuando tenía que apretarse el cinturón, se lo apretaba. Muchas cinturas de avispa que se veían por las calles no se debían a la tendencia de la metrosexualidad, sino a la asfixia por llegar a fin de mes.

Esta teoría de la gran vida a costa de los bancos no se sostiene. La premisa es falsa. Para empezar, nadie decide ni decidía sus posibilidades. Las deciden y decidían por ti. Tú sólo puedes soñar. Tener ambiciones. Escribe las veces que quieras el cuento de la lechera, pero tus «posibilidades» en términos de «cantidad de pasta a la que tienes acceso» las decide el banco por ti a través de un proceso al que llaman «bastanteo». Puede que lo que voy a contar resulte obvio, pero hay que recordarlo porque la gente lo olvida cuando repite las letanías de los que mandan y, de paso, se traga siete chumberas y un saco de erizos sin rechistar.

Voy a exponer el proceso como si se lo estuviera explicando a un señor de Bután que acaba de llegar en Auto-Res.

Cuando uno va a pedir dinero a un banco le exigen documentos que acrediten que está en disposición de devolverlo. Lo más normal es que uno se presente con la nómina, y si tiene otros bienes le van a reclamar la relación. Si ya es talludito, le harán un seguro de vida que garantice la compensación en caso de fallecimiento. Resumiendo, la cantidad de pasta a la que uno accede en función de las garantías que ofrece la decide el banco. Nunca, repito, nunca un banco te va a dar más dinero del que tú puedas llegar a pagar en las circunstancias que alegas cuando solicitas el préstamo. El banco se lo piensa y, al cabo de un tiempo, si decide adjudicarte el préstamo, te llama y te dice: te damos tanto, y a este interés. Si es a treinta años, lo normal es que acabes pagando el doble o más. Tus posibilidades las deciden por ti. Punto. Entonces, ¿qué? Que de dónde sale eso de que hemos vivido por encima de nuestras posibilidades. Pues habría que preguntárselo al que lo dice. Es cierto que algunas administraciones han dilapidado la pasta de los contribuyentes y deberían dar explicaciones al ciudadano y, llegado el caso, a la justicia, pero, paradójicamente, es desde ahí desde donde se nos señala con el dedo de la culpabilidad.

Una vez localizado al culpable, el pueblo soberano, una vez que se ha metido debajo de la alfombra el *tsunami* provocado por el sistema financiero y que todos los facinerosos que se forran con estas maniobras han quedado a cubierto, llega la hora de impartir penitencia. Se decide que el pueblo derrochador y prepotente merece un castigo y se dicta sentencia: «Por listos, y por no saber hacer el uso debido del sistema, os quedáis sin él. Lo vamos a desmontar y vamos a vender sus escombros al mejor postor. Queda pues probado que sois unos delincuentes potenciales y unos irresponsables porque estáis a punto de cargaros todo el sistema bancario con vuestra manía de no saldar las deudas. Contra esta sentencia no se admite recurso.» Curiosamente, los que dictan esa sentencia son los responsables de un déficit de proporciones astronómicas.

Ha sido cuando nos han echado encima esta crisis, cuando el personal ha perdido su trabajo, cuando han aparecido los morosos. El ciudadano no pagaba porque no tenía con qué.

Los otros factores, según los datos oficiales, que si el vecino que trincaba medicinas, que si el listo que fingía la cojera, etc., no eran decisivos en el hundimiento del sistema. En cualquier caso, esas ñapas se venían practicando desde siempre. La pregunta es: ¿por qué deja de ser viable un sistema que ha estado funcionando durante décadas? Sólo la mala gestión o la mala voluntad pueden ser responsables.

Es verdad que los bancos se metieron en jardines otorgando un gran número de hipotecas, pero fue debido a que presentaron una gran oferta, que provocó la demanda. Ocurrió algo parecido a la «fiebre del oro» en aquel «ladrillazo» que desvió toda la pasta a la construcción en un proceso que bautizaremos como:

La pirámide de ladrillo

Todo empezó con la llegada de los liberales al poder en el año 1996. De todos es sabido que la derecha no tiene manual, sólo intereses. En ese intento por demostrar que lo blanco es negro, que el mercado es libre y que las leyes del mercado siempre se cumplen, liberalizaron el suelo. Los constructores se pusieron muy contentos.

La excusa era que los españoles deberían tener acceso fácil a la vivienda, pero había un problema, el elevado precio del suelo encarecía mucho el metro cuadrado construido. Bueno, decían algunos entendidos, las administraciones tienen mucho terreno, pónganlo a disposición de los ciudadanos. Los liberales, sin embargo, tenían una idea mejor que darle el suelo a la gente así, por la cara: sacaron una nueva ley del suelo.

Cambiaron la consideración del suelo urbanizable, que a partir de la nueva ley sería todo aquel que no entrara dentro de los parámetros del suelo urbano, o del no urbanizable. Es decir, que todo el suelo era urbanizable mientras no se especificara lo contrario. Gracias a la ley de la oferta y la demanda, al haber mucho terreno disponible, caería el precio del metro cuadrado y, como consecuencia, se abaratarían las viviendas. Ya saben, la atávica preocupación de la derecha española por que se respete el derecho a la vivienda haciéndola más asequible y apartándola de las garras de los especuladores.

Los ayuntamientos comenzaron a subastar suelo que compraron las grandes promotoras, lo que provocó la casi desaparición de la vivienda de protección oficial (VPO). El mercado libre era mucho más atractivo, rendía más beneficios al no estar sujeto a controles ni fijarse un precio máximo. El suelo público cayó en manos de los especuladores. En 1996, el 40 por ciento de las viviendas construidas eran de protección oficial, en sólo unos años cayó hasta el 5 por ciento.

Veamos qué pasó con la ley de oferta y demanda que sirvió de excusa para liberalizar el suelo. Nota: esta ley también se esgrime a la hora de privatizar las grandes empresas públicas que así entrarían en el mercado de libre competencia, que, en teoría, supone que los precios van bajando hasta alcanzar el mínimo viable porque el consumidor va buscando siempre la mejor oferta. Teoría que hace aguas cuando vemos cómo las grandes compañías se ponen de acuerdo para subir y bajar los precios a la vez, aunque esté prohibido por ley.

¿Qué pasó con el suelo? ¿Se abarató el precio?

Una pena que la realidad destroce los dogmas de las leyes del mercado que, dicen, autorregulan las cosas, y por tanto no hacen necesaria «intervención» alguna. La verdadera cuestión no debería ser si el mercado se autorregula o no, y si tiene armas suficientes para la supervivencia. La principal tarea de la Administración tendría que ser protegernos del mercado, de su voracidad y de sus abusos.

Pues bien, contradiciendo, una vez más, los dogmas de la libre competencia, el precio del suelo se disparó. En diez años su valor se multiplicó por 7,5, lo que encareció notablemente la vivienda, cuyo valor hasta 2007, según un informe del BBVA, aumentó hasta un 288 por ciento, crecimiento del que el 84 por ciento fue responsabilidad del suelo y el 16 por ciento de los costes de edificación. Es decir, que la razón por la que nos quedamos sin suelo público, con lo bien que nos vendría ahora, la de bajar el precio de la vivienda, fue la causa del mayor incremento de su precio de nuestra historia. En el año 1998, cuando se liberalizó el suelo, había que dedicar el salario de cinco años para comprar una vivienda de 90 metros. En 2007 había que dedicar el salario de doce años.

Estos datos nos llevan a concluir que la liberalización del suelo no fue una medida para favorecer al ciudadano, sino una coartada engañosa para poner el suelo en manos de los especuladores. Ante este atraco a los ciudadanos para que las grandes promotoras se forraran, la actitud de los responsables del gobierno no fue de disculpa por la ruina que generaron a la sociedad en su conjunto, sino de arrogancia, de prepotencia, calificando la gestión de «milagro económico» por la cantidad de puestos de trabajo que creó aquel «*boom* inmobiliario» y la gran cantidad de dinero que se puso en circulación. Estábamos ante la alegría que siente aquel al que le ofrecen un trabajo y silba sin saber que la zanja que está cavando es, en realidad, su propia tumba. Ante esta presunta estafa contra el pueblo español que se había quedado sin parte de su patrimonio, y que ahora tendría que pagar mucho más dinero por una vivienda construida en un terreno que era suyo, la respuesta de los culpables estuvo a la altura de la maniobra. El señor Álvarez Cascos decía: «Si se hicieran viviendas muy caras, y no hubiera demanda o poder adquisitivo, no se venderían.» Caso resuelto.

Debido a los altos beneficios que se obtenían con el negocio de la construcción, se desató la furia inmobiliaria. Durante un tiempo nos sentíamos orgullosos de que en España se construyeran más viviendas que entre Francia, Alemania e Inglaterra juntas. Eran idiotas y no se había dado cuenta del chollo que escondía el ladrillo. El hecho de que con la «construcción» se obtuvieran unos beneficios muy superiores a los del resto de la industria actuó como un sumidero, un agujero negro que absorbió gran parte del capital de los inversores. Esta derivación masiva hacia «el ladrillo» tendría unas consecuencias nefastas. Se construyeron muchas más viviendas de las que demandaba el mercado. De pronto, aparecieron cerca de dos millones de viviendas terminadas que nadie quería comprar.

Del peligro de esta situación estuvieron avisando los técnicos durante mucho tiempo, al detectar que se estaba creando lo que calificaban de «burbuja inmobiliaria», y nos prevenían de los efectos devastadores que tendría cuando explotara. Así fue. Durante ese período de bonanza económica no se creó tejido industrial, el capital no se diversificó y cuando se detuvo la actividad en este sector no existía repuesto para la cantidad de puestos de trabajo que se perdían en toda la pirámide de servicios que acarrea esta actividad (puertas, suelos, carpinteros, fontanería, materiales de construcción). Nadie tuvo el valor de detener aquella vorágine porque no había colchón para detener el golpe.

Como los hámsteres en espacios donde se reproducen más de lo que el entorno puede asumir para su subsistencia, y corren en masa a suicidarse arrojándose por acantilados, así caminaba nuestra economía.

Este secreto a voces fue denunciado por los inspectores del Banco de España en 2006, en un escrito enviado al entonces ministro Pedro Solbes, en el que se desmarcaban de la línea que mantenía en su discurso el gobernador de la entidad, Jaime Caruana, que tendía a atenuar la gravedad de la situación y reivindicaba la solvencia de nuestro sistema financiero, que estaba asumiendo un riesgo muy alto en la financiación de este «*boom* inmobiliario».

Los bancos, que se volcaron en financiar esta gigantesca operación inmobiliaria, tendrían que recuperar su dinero, y se encargaron de buscar los clientes que compraran las viviendas facilitando el acceso a los créditos. Los escaparates de las entidades se llenaron de carteles anunciando la disposición al crédito hipotecario y términos como «euribor», «comisión de cancelación», «comisión de apertura» o «interés variable» entraron a formar parte del vocabulario normal del personal a la hora de las cañas. El argumento que se utilizaba para convencer al cliente de la necesidad de comprar una vivienda era coherente. El precio del dinero era muy bajo y, por un poco más de lo que se pagaba por un alquiler, se podría comprar un piso. Además de no gastar el dinero mensual de la renta, puesto que se estaría invirtiendo en la compra, estaba el factor de la plusvalía, el piso se iría revalorizando, con lo que se obtendría un buen beneficio en caso de tener la necesidad de venderlo.

A los clientes se les sentaba a la mesa del director de la sucursal y salían de allí felices, con su hipoteca en el bolsillo, siendo propietarios de un piso en el módico plazo de treinta años. A esto es a lo que han llamado «vivir por encima de sus posibilidades».

La construcción alcanzó techo. Se agotó el número de compradores de casas y el mercado se hundió. Las empresas quebraron, comenzaron a producirse despidos en masa, arrastrando a los demás sectores subsidiarios, así como a la pequeña y mediana empresa.

Disminuyó el poder adquisitivo al tiempo que se creó una gran incertidumbre sobre el futuro, que se sumó a los nubarrones de crisis que oscurecían el horizonte. El consumo descendió y la economía se fue desplomando. En el sector financiero crecía la morosidad, y en este círculo vicioso nos vimos arrastrados pendiente abajo.

Apareció la prima de riesgo para terminar de sembrar la desesperanza y en ese estado de *shock* los neoliberales anunciaron un proyecto de salvación de España, con un equipo capaz de llevarlo adelante. Unos héroes se ofrecían a rescatar la patria, a sacarnos del pozo. Vendían ser los artífices del milagro económico anterior, e ignorando la situación de crisis internacional que estaba barriendo Europa como un ciclón, hacían responsable del desastre que ya se vaticinaba al equipo de gobierno de Zapatero, al que calificaban de inútil total para la gestión y acusaban de sembrar la desconfianza del inversor.

En realidad tenían otro plan. Como Long John Silver cuando se embarcó en *La Hispaniola*, se alistaron en la tripulación, no para guiar la nave, sino con la intención de tomarla y acceder al mapa de los restos del tesoro que todavía quedaba enterrado en forma de servicios públicos. Había una gran oportunidad de negocio que no se podía dejar escapar. Lejos de achicar el agua que entraba por el deteriorado casco del barco, se emplearon en la venta de las lanchas y los chalecos salvavidas. Ahora, precisamente, cuando más falta hacían. Cuando el Estado de bienestar podría mostrar toda su fuerza y efectividad. En esta penuria, en esta crisis.

LA TORMENTA PERFECTA

—

El 20 de noviembre de 2011, el PP ganó las elecciones con una holgada mayoría absoluta, consiguiendo el mayor número de votos de toda su historia: 10.866.566. El PSOE perdió más de cuatro millones de votos, fiel reflejo de la desconfianza, la desilusión y el temor que asolaba al pueblo español ante la catástrofe que se avecinaba. Nadie sabía precisar cuánto iba a durar esta crisis. Hablaron de meses, luego de un año que se convirtió en dos o tres. Más tarde, algunos expertos comenzaron a apuntar la posibilidad de que la cosa se prolongara por espacio de una década o más y, de pronto, hubo un consenso entre los analistas económicos y tertulianos radiofónicos en el sentido de que, durara lo que durara esta crisis, sería muy difícil que alguna vez volviéramos a la situación de bienestar previa. El pánico estaba servido. El desencanto y la indignación, también.

La opinión más extendida sentenciaba que el sistema en el que vivíamos no era «económicamente» viable. Los datos de crecimiento económico negativo, sumados al incremento en la esperanza de vida y al lastre de las enormes cifras de desempleo hacían que las cuentas no cuadrasen. Siempre positivos y cooperantes, nuestros vecinos europeos presionaban para que el gobierno redujera el déficit exigiendo medidas de austeridad que garantizaran el cobro de sus inversiones. Para colmo, en eso que ya hemos comentado de la confianza, gracias a esa pariente chunga que nos había salido llamada «prima de riesgo», tendríamos que pagar los intereses más altos de nuestra historia reciente por la emisión de deuda pública. Este acoso parecía no preocupar, en absoluto, a nuestros socios y amigos de la Unión Europea. Asistían con indiferencia a la sangría que nos infligían los especuladores y sólo intervenían para exigir «reformas estructurales profundas». No hay problema, venían a decir, haced correctamente los deberes y todo irá bien. Cuando vieron cómo nuestro empobrecido país se encontraba rodeado por una banda de matones que le pegaban una tremenda paliza, en lugar de acudir al rescate para poner paz, se sumaron al grupo de asaltantes.

Nos anunciaban que no volveríamos a disponer de los servicios que ellos disfrutaban. Debíamos asumirlo con deportividad. Nos iban a sacar las muelas y sólo aparecían para ordenarnos que ahorráramos en anestesia.

Por alguna razón desconocida, nosotros, la alegría de Europa, los palmeros del «mercado común», los regentes del geriátrico alemán, nos habíamos convertido en parias, volvíamos a ser aquella casta innombrable que vivía con la permanente amenaza del desahucio. Ellos, subidos en la atalaya desde la que vigilaban nuestros movimientos, repetían por la megafonía su implacable letanía: «Reformas estructurales profundas, reformas estructurales profundas...» Ya decimos que no se conformaban con reformas, tendrían que ser estructurales y profundas, que es tanto como decir «irreversibles». La crisis ya no era una cuestión coyuntural, había venido para quedarse. Aquella idea de una Europa fuerte, amable, democrática, donde los ciudadanos podrían vivir seguros, al amparo del Estado de derecho que garantizaba su libertad, y del Estado de bienestar que garantizaba su futuro, se desvaneció. Se esfumó esa tranquilidad escénica, única, que liberaba a los europeos de la neurosis de renta: nos habían expulsado del Paraíso.

Las nuevas generaciones no habían conocido el hambre. La pobreza de solemnidad estaba descartada de nuestro horizonte. De pronto, el suelo se movía bajo sus pies. A los jóvenes les habían cerrado las puertas del mercado laboral y con ello vetado la posibilidad de hacerse «un proyecto de vida». Estructurales y profundas. Lo que en lenguaje infantil se traduce como: «No te ajunto.» Nos habían mudado de barrio. Nos sacaron de la zona residencial para trasladarnos a un suburbio desde el que se divisaban las chabolas. La indigencia estaba ahí, a la vuelta de la esquina.

¿Reformas estructurales profundas? ¿Qué exigencia era ésa? ¿Dónde quedaba la soberanía nacional? ¿Dónde estaban aquellos patriotas que enarbolaban la bandera ante situaciones menos graves?

Los patriotas estaban allí, en el epicentro, en la sala de máquinas, pero trabajando para el otro bando, para el lado oscuro de la fuerza. Se aliaban con aquel extranjero irredento que, según nos enseñaron, nos miraba con recelo por la secular envidia que nos profesaba. Descubrimos entonces que el amor a la patria era una cuestión elástica, revisable y, como la energía, transformable. Parece ser que había quedado, exclusivamente, para defender la unidad territorial del Estado y reivindicar Gibraltar.

También supimos que los neoliberales se habían constituido en etnia, como las tribus africanas. Del mismo modo que un masai de Tanzania afirma sentirse más próximo a otro masai de cualquier país que a un mangati que vive a su lado, el neoliberal ya no tiene como prioridad España y sus valores eternos, se ha internacionalizado, ahora está a partir un piñón con sus correligionarios de todo el mundo y trabaja con ellos por un interés común que no tiene por qué coincidir con el de su reverenciada patria. Cuando hablan de sacarnos del rincón de la historia, se refieren a que en esa nave iríamos de remeros.

Por eso no había contradicción en que estos ultranacionalistas españoles, amantes y defensores de la patria, no dudaran en apoyar la venta de una de las principales empresas energéticas de nuestro país, Endesa, a una compañía extranjera a pesar de las presiones y maniobras del gobierno de entonces para que se quedara en España. Se intentó retener la compañía apelando a una ley que permitía al gobierno intervenir cuando se trataba de la compraventa de una compañía con capital público. También se apeló al derecho de los Estados a evitar operaciones que fueran contra el «interés general». El que luego fuera número dos en las listas de Madrid por el PP, Manuel Pizarro, a la sazón presidente de la compañía, removió Roma con Bruselas hasta que consiguió un dictamen favorable a la venta a los extranjeros y un capón al gobierno español de parte de las autoridades europeas por «intervencionista». Según el señor Jonathan Todd, responsable de Competencia de la Comisión Europea, tal ley de intervención del Estado en tanto socio era ilegal por ser contraria a la libre circulación de capitales y, por otra, lo del «interés general», decía, no estaba suficientemente razonado. En Alemania, este tipo de operación que puede afectar a la seguridad nacional por ser de un interés estratégico importante, no se hubiera autorizado. En cualquier caso, resulta paradójico que sean precisamente los que están todo el día con la patria en la boca los primeros en ponerla a la venta. También ponen en el mismo escaparate de las liquidaciones nuestra sanidad, que no dudan en vender a empresas dedicadas al «turismo sanitario», que vaya usted a saber qué es eso, cuyo accionariado está siendo investigado en otros países por haber cometido operaciones de dudosa legalidad. Demuestran muy poco amor y ningún respeto por su pueblo. Ahora resulta que la patria no es nuestra madre, sino «la madre que les parió» y les ha dejado de exclusivos herederos. Era todo mentira, nosotros no éramos hijos de la patria, estábamos en régimen de acogida. Volvemos a citar a su referente, el hijo de dios: «Por sus obras los conoceréis.»

Atrás quedaban los tiempos en los que el nacionalismo español se manifestaba por los hechos y no por las soflamas. Ahora el grito ya no es «todo por la patria», sino «toda la patria, al mejor postor».

Estos patriotas neoliberales son los que, una vez ganadas las elecciones, nunca antes, nos quieren convencer de que el sistema que tienen que administrar y que iban a rescatar de las garras de los ineptos no es viable.

«Las matemáticas no engañan», dicen. «Os habéis ganado la expulsión del Paraíso por despilfarradores», nos cuentan. Aquellos que viven muy por encima de las posibilidades de todos los demás cuestionaban el nivel de vida de los que apenas llegan a fin de mes. Se llama «ley del embudo». No es nueva.

Nos encontrábamos ante una terrible encrucijada: ¿qué camino tomar?

Lo público en manos de sus enemigos

Una vez más, surgieron dos opiniones contrapuestas, otra vez las dos Españas. Por un lado estaban los neoliberales, que, haciendo responsable de la situación al gobierno anterior, anunciaban medidas duras, traumáticas, pero necesarias para la supervivencia del país. Por otro lado, la oposición negaba la mayor y decía que otra solución era posible: redistribuir el presupuesto dando prioridad a los servicios públicos.

Vuelta a empezar. De todos modos, para el gobierno la cosa parece estar bastante clara. Según sus cálculos esto ha tocado fondo, ha llegado a su fin. La teta ya no daba más de sí. Han hecho cosas que no querían porque había que salvar los muebles. Saltaron las líneas rojas para revisar lo que había en el otro lado, a saber: sanidad, educación y pensiones. ¡Ojo, revisar no es tocar!, que no cunda la alarma. ¡Analizar no es destruir! Pondrían estos servicios bajo el microscopio de comités de expertos nombrados por ellos mismos y con intereses en empresas que se forrarían si se eliminaba de una vez esta competencia desleal de los servicios públicos (otra vez los tecnócratas sin ideología).

Así, la sanidad no se privatizaría, simplemente se traspasaría su gestión a manos de empresas que abaratarían los costes y mejorarían la calidad. Cuando se preguntaba de dónde iban a sacar el beneficio estas empresas con esas premisas, repetían despacito, como si hablaran para tontos, que era una cuestión de mejorar la gestión. Gestión que se encontraba en sus manos. Es decir, que cualquiera que se presentara a la subasta lo haría mejor que ese «Equipo A» con el que acudieron a las elecciones, ese dinámico e ilusionado equipo de emprendedores que todo lo iba a arreglar y para el que pidieron el voto de los españoles. No había pasado un año desde la victoria en las urnas y estos superhéroes ya se vendían de cara a la galería como unos perfectos inútiles.

La educación supondría, gracias a unos ligeros recortes, un gran ahorro para la nación. Simplemente había que quitar de en medio a los docentes que sobraban y hacer que el resto de los profesores, caracterizados por ser un hatajo de vagos que no estaban dispuestos a arrimar el hombro y solidarizarse con sus conciudadanos, echaran unas horitas más en el cole; no muchas, bastaría con que hicieran sólo un pequeño esfuerzo: «Sabemos que les estamos pidiendo un esfuerzo especial pero veinte horas son, en general, menos de las que trabajan el resto de los madrileños.» Así lo relató Esperanza Aguirre, la regeneradora de la democracia, siempre dispuesta a suceder a Rajoy si el pueblo se lo pide. Más tarde se disculpó porque esas horas eran, aproximadamente, la mitad de lo que trabajaban los profesores de media, pero la reforma siguió adelante. En fin, se trataría de unos pequeños retoques, que tampoco implicarían un descenso de la calidad en la enseñanza y que se han saldado con unos 25.000 alumnos que pierden sus becas, 20.000 profesores menos, y unos 80.000 alumnos más. Así, por lo sencillo, como quien no quiere la cosa.

Las pensiones sí que no. Eso ni tocarlo, simplemente dejarán de actualizarse con el IPC, que es el único mecanismo que garantiza a los pensionistas que no perderán poder adquisitivo. Ahora todo se calculará según una fórmula en la que entran en juego muchos factores, todos dependientes de que las cosas vayan mejor, cuestión que presentan como imposible, y del número de pensionistas, que también se va a incrementar. Dicen que no van a bajar, que no se van a tocar las pensiones y, a continuación, que esta revisión es necesaria para evitar la quiebra del sistema. ¿En qué quedamos? La única forma de evitar la quiebra es ahorrando, o sea, reduciendo el gasto. Por ponerlo en boca de la CEOE, que son prácticamente la misma cosa que los que gobiernan: «Negar la revisión del sistema es ir contra él.»

Vamos, que si sumamos A + B + C, las tres cajas que se esconden tras la línea roja que el gobierno prometió no traspasar, y escuchamos con atención las cosas que nos cuentan de cómo se van a tocar sin tocar, rebajar sin rebajar y ponerlas en manos privadas sin privatizar, concluimos: «Nos han perdido el respeto completamente.» Tamañas sandeces no se pueden decir sin pensar que el interlocutor, en este caso el pueblo español, es idiota.

No hay forma de entender el afán por hacerse con las riendas de la gestión pública por parte de aquellos que abominan de ella, de los que creen que lo público debería desaparecer. Insisten en que «lo público» carece de sentido en la sociedad del libre mercado, está mal gestionado por definición y choca frontalmente con la idea de la libre competencia.

Vamos a traducirlo al lenguaje neoliberal, porque no entienden la indignación del ciudadano, su resistencia a que hagan negocio con estas cosas: si el derecho a la propiedad es sagrado, «lo público» es «la propiedad» del pueblo, su «capital», su patrimonio; tiene dueño, no está tirado en la calle para que se lo lleve el primero que pase.

Este acto de humildad, de modestia en el reconocimiento de que no están a la altura de lo que tienen que gestionar y por eso lo ponen en manos privadas, más apañadas, bajo la dirección de mentes más lúcidas, tiene su truquito, su parte chunga o, como les gusta decir a los medios de comunicación, su lado contradictorio.

Resulta que gracias a eso que denominan «puerta giratoria», estos señores que se empeñan en venderlo todo al mejor postor para que mejore el rendimiento de los servicios públicos,[116] poniendo en cuestión su propia capacidad para hacer las cosas «como dios manda», aparecen luego como consejeros de empresas privatizadas, así como de bancos y cajas de ahorros donde les pagan un pastón. Claro que uno se pregunta: pero ¿no vendían que lo público cuando caía en sus manos era ingobernable, deficitario y un lastre para la economía de un país? ¿Cómo es que alguien está dispuesto a pagar grandes cantidades de dinero para escuchar el consejo de estos señores que se proclaman inútiles y han hundido proyectos y empresas que han funcionado muy bien durante décadas, según la opinión de los ciudadanos, proyectos a los que ni siquiera se les exige que rindan beneficios? Algo no cuadra. Ese algo que no cuadra somos nosotros, los ciudadanos, que

---

116. Nos referimos a los servicios que presta el Estado a los ciudadanos, no a los lavabos situados en espacios públicos donde acuden algunos señores mayores a dar conversación a adolescentes incautos.

estamos todo el día buscando tres pies al gato cuando vemos que nos levantan el patrimonio.

Un acaso ilustrativo de este asalto a las arcas de los ciudadanos es el de Telemadrid. Además de que nombran a destacados miembros de su partido al frente de la televisión para que ejerzan de comisarios políticos de los contenidos que se emiten, saltándose las normas de la UE en cuanto a evitar poner en cargos de responsabilidad a «personas próximas al partido que gobierna», recibiendo amonestaciones por manipuladores, como ya hemos comentado antes, hunden una televisión que tenía un prestigio, una audiencia y una calidad reconocidos antes de que la superguay gestión liberal desembarcara en esa casa.

Los neoliberales se quejaban desde la oposición del despilfarro que se llevaba adelante con los anteriores gestores. Veamos los datos que reflejan su obra. En 2002, la deuda de la cadena ascendía a 76 millones de euros. Estos magos de las finanzas, del ahorro y de la austeridad elevaron esa deuda hasta los 278 millones en el año 2011. Se podría pensar que fue gracias a hacer una televisión de calidad más costosa. En absoluto.

La audiencia, que llegó a estar en un 17,1 en el año 2003, bajó hasta un 4,7 en 2012. Estos datos, deuda disparada al tiempo que se hunde la audiencia, serían suficientes para ordenar un estudio exhaustivo de lo que ha ocurrido, con exigencia de las oportunas responsabilidades, porque sugiere, o bien la inutilidad manifiesta de sus cargos directivos, o que se han producido irregularidades en las cuentas, que alguien está siendo demasiado «liberal» con el presupuesto de la casa. Con respecto a la capacitación de esos cargos directivos, denuncia el comité de empresa que en muchos casos son ajenos al medio, su cometido laboral se desconoce, cobran un pastón y su cualificación no es otra que ser familiares y amiguetes de los directivos, asesores reciclados que se han quedado en la calle con la pérdida de elecciones. Esta situación ha sido denunciada en numerosas ocasiones por los trabajadores de la cadena sin que nadie haya tomado cartas en el asunto.

En el colmo del descaro, aparece el responsable máximo de este esperpento, el presidente de la Comunidad de Madrid, don Ignacio González, quejándose de su propia obra, sumándose a la denuncia de la mala gestión de la cadena donde aprecia: «Un gran desfase entre los gastos y los ingresos, lo que generaba un déficit cada vez mayor, que no podíamos sostener.» No le falta razón. Cuando el descontrol se apodera de un ente que maneja un presupuesto tan grande, que no rinde cuentas a nadie, que se niega a dar explicaciones sobre el déficit que genera, es fácil que ocurran cosas raras y las cuentas no cuadren. A río revuelto, los pescadores se tiran de cabeza en la almadraba. También es lógico que haya un desfase entre los ingresos y los gastos si, como decimos, esa televisión se convierte en un órgano de propaganda de su dueña y señora, y los ciudadanos le dan la espalda llegando a índices de audiencia ridículos. Otro factor que influye en ese desajuste entre gastos e ingresos es, como decimos, el de las altas retribuciones que cobran esa colección de personajes a los que hemos aludido antes y cuya trayectoria está ligada a la fidelidad política, no profesional, con múltiples anécdotas en el funcionamiento cotidiano de cómo se elabora la información, características de una dictadura, que incluyen denuncias de acoso sexual.

El señor González, en línea con su carácter neoliberal, decidió poner en la calle a la mayor parte de los trabajadores. Y cuando digo trabajadores me refiero a los que trabajaban allí, no a los contratados. De esa caterva de directivos que suponen el 10 por ciento de la plantilla y más del 30 por ciento del gasto, no ha echado ni a uno. Como diría su colega el dicharachero Trillo: «Manda huevos.»

Se da la circunstancia de que la justicia ha dado la razón a los trabajadores y ha pedido su readmisión, momento en el que el señor González ha amenazado con cerrar la televisión. Hombre, faltaría más, a él nadie se le pone chulo. Él sólo respeta las resoluciones judiciales de los suyos, que, por cierto, son mayoría aplastante.

Nos hemos acostumbrado a que este tipo de situaciones se den en el ámbito de lo público. Este caso es paradigmático, pero no único. En otras comunidades ocurre lo mismo. El caso de la televisión valenciana es otro ejemplo de supresión de la libertad informativa y de manipulación chusquera impropio de un país democrático e impensable en el resto de los países de la UE. En internet se pueden ver ejemplos de soflamas panfletarias que causan vergüenza, en programas informativos en los que se arremete contra los partidos rivales o los artistas de este país por practicar el sano ejercicio de la crítica, en un estilo neofascista duro y puro, llegando incluso a editar mítines de campaña electoral de la oposición, emitiendo discursos que expresan lo contrario de lo que se ha dicho. Este tipo de maniobras pertenecen al libro de estilo de los que piensan que el gasto que soportamos los españoles por estos servicios públicos es para su uso exclusivo, convirtiendo una televisión que debería ir dirigida a los ciudadanos en un órgano de propaganda y un cortijo de contratación de los colegas.

La conclusión siempre es la misma: despilfarro, ruina y despido de los trabajadores. También en este caso de Canal 9 la autoridad competente amenazó con el cierre si la justicia no le daba la razón en los despidos colectivos.

Es la misma maniobra repetida una y otra vez y denunciada ahora por los profesionales de la medicina. Consiste en hundir las empresas públicas para demostrar su inviabilidad como paso previo a su cierre o privatización, y venta a los colegas.

Y lo más gracioso, no se sabe bien si es un acto de recochineo o de cinismo: se quejan de la mala gestión. Como si estas empresas estuvieran en manos de extraterrestres procedentes de Orión. Es de su mala gestión de la que deberían rendir cuentas a la opinión pública.

Insistimos en esa cuestión paradójica que se convierte en ley: cuanto mayor es el desastre que un neoliberal crea en la gestión pública, más cobra como consejero en la empresa privada.

No llega a entender el ciudadano medio cómo generar desastres por doquier puede sumar en el currículum tantos puntos. Ese mismo ciudadano, que tiende a la maledicencia, podría concluir que los cargos que obtienen estos políticos caracterizados por haber llevado adelante una gestión desastrosa no son sino pagos de esas empresas por los favores recibidos desde la Administración cuando estos señores ejercían sus respectivas responsabilidades. O sea, yo te hago favores desde el gobierno y tú me los pagas luego, cuando sea legal.

Recientemente hemos sido testigos de cómo don Rodrigo Rato, que está encausado por el desastre de Bankia, es fichado con un sueldo importante, no para entrenar a un equipo de fútbol, sino como consejero de un banco. El único consejo que puede darles es: haced lo contrario de lo que yo hice.

También me viene a la memoria la modificación que hizo el gobierno en abril de 2013 en el reglamento de la banca, que introduce el concepto «honorabilidad» en lugar de ausencia de «antecedentes penales» para ser consejero de una entidad bancaria. Esta modificación, que parecía surrealista y que no se entendía bien, así, en principio, puesto que no se percibía el interés que podrían tener los bancos en abrir la puerta a convictos en sus consejos de administración, cobra ahora otro sentido cuando estamos viendo la cantidad de personal que está pasando por los tribunales procedente de los distintos consejos de administración de cajas y bancos. Ya hay varios casos que han permanecido en el cargo después de una condena gracias a esta reforma. Son reformas hechas a medida de los amigos. No, si tontos no son.

Por cierto, no deja de sorprender que los jueces admitan, una y otra vez, a estos consejeros de bancos y cajas que pasan por el banquillo su declaración de que no tenían ni idea de lo que firmaban ni de lo que allí se trataba. Era precisamente por esos conceptos, enterarse de lo que se hablaba y controlar que no se produjeran desmanes, por lo que recibían altísimas retribuciones, así como indemnizaciones millonarias cuando abandonaban el puesto. Si aceptan la ignorancia para librarlos de la condena, esos mismos jueces deberían exigir la devolución de esas cantidades cobradas por una cualificación inexistente. Estaríamos ante un fraude, ante un caso de intrusismo. Ahora dicen que estaban allí por la cara. Pues ya que de cara se habla alguien debería darla, concretamente el que los haya nombrado, y explicar qué hacían allí estos señores, y si su misión era, simplemente, ser convidados de piedra tal y como afirman delante del juez, para evitar que su silla la ocupara alguien que, tal vez, hubiera hecho el trabajo por el que cobraban estos parásitos. Trabajo que, entre otras cosas, consistía en prevenir y evitar las fechorías que se han cometido en esos consejos de administración, al parecer, de forma sistemática. Cuando alguien abría la boca para preguntar o le surgía alguna duda, se la llenaban con un fajo de billetes y arreglado.

Así, también como de pasada, me viene a la cabeza el caso de Caja Madrid, entidad que fue ejemplar, según dicen, y que se ha hundido durante la presidencia de don Miguel Blesa, que entre otras cosas concedió un crédito de 26 millones euros al señor Díaz Ferrán, sin las garantías suficientes. Dicen los expertos que este señor no tenía la cualificación ni la experiencia necesarias para presidir esa entidad. Sus méritos consisten en haber sido amigo y compañero de oposición del señor Aznar durante su juventud. Ni más, ni menos. «Marca España.»

Estos señores son los que dicen que hemos vivido por encima de nuestras posibilidades. Concretamente, el receptor del crédito mencionado, el señor Díaz Ferrán, que se ha declarado insolvente para evitar el embargo de sus bienes, posee un patrimonio inmobiliario, según las investigaciones policiales, de más de 80 millones de euros. Su receta para salir de la crisis era que los españoles trabajaran más y cobraran menos. Todo un ejemplo de honradez, austeridad y sacrificio que le llevó a la presidencia de la CEOE, para la que fue elegido y reelegido por abrumadora mayoría cuando era más que presunto. En esas manos estamos. Estos señores junto con la Conferencia Episcopal, y el gobierno neoliberal forman el triunvirato que decide lo que va a ser de nuestras vidas. Malos tiempos para la lírica.

Y mientras había este descontrol en las cajas de ahorros, ¿dónde estaban los mecanismos de control? ¿Qué hacía el gobernador del Banco de España? Salía al ruedo y hablaba de política, nunca de los bancos. Dieron por buenas unas cuentas que presentaban beneficios cuando, en realidad, acumulaban pérdidas de miles de millones. El gobierno ha vetado la comparecencia del último gobernador del Banco de España para que dé explicaciones en el Congreso. ¿Por qué? ¿Qué es lo que no quiere que oigamos? El señor Rajoy ya no se limita a callar y hacer dejación de su obligación de dar explicaciones a los ciudadanos; en una actitud absolutamente antidemocrática, también evita que las den los demás. Debe de pensar que el silencio de muchos hace el consuelo de los tontos, o sea nosotros. Bendita ignorancia que nos mantiene en los cerros de Úbeda, encaramados a un guindo desde el que se divisan las manadas de unicornios rosas que corretean por prados de azúcar.

El gobierno ha tenido que salir al rescate. En el debate de los candidatos a la presidencia de 2011 —que no admite revisión porque incita al llanto al ver la cara dura de quien nos gobierna—, el señor Rajoy, al ser preguntado por esta cuestión, afirma tajante: «No pienso dar un solo euro de dinero público [a los bancos] a diferencia de lo que han hecho ustedes.» Los miles de millones que nos ha prestado Europa han ido en su totalidad a los bancos mientras se ha recortado en todas las demás partidas, incluidas las ayudas a la dependencia que han dejado a tantas personas en el desamparo.

Además, han vuelto a mentir. Dijeron que era un préstamo y ahora sabemos que no lo van a devolver. Es de una crueldad perversa. En estos tiempos de recortes y penuria, los ciudadanos tendrán que pagar con sus salarios las indemnizaciones de millones de euros que se han llevado los gestores de las múltiples cajas de ahorros, que han quebrado gracias a operaciones que hundían la entidad en beneficio de sus colegas. No hay que olvidarlo: hemos vivido «por encima de nuestras posibilidades».

Hemos asimilado lo impresentable. Damos por bueno lo inadmisible. Hemos caído en el conformismo. Legitimamos con la pasividad el latrocinio, la prevaricación y el uso de lo público con fines espurios.

En el Parlamento británico, con frecuencia, uno de sus miembros se levanta del escaño y se dirige al líder de su «propia formación», al jefe de su partido, para montarle un pollo en nombre de sus electores porque está haciendo algo que no les gusta. En España se puede robar, se puede malversar, poseer bienes sin justificar, que siempre se contará con la presunción de inocencia por parte del jefe y los compañeros de partido, pero como un solo día alguien se aparte de la línea marcada por la dirección o haga unas declaraciones en contra de lo propuesto por la cúpula, es expulsado en el acto. No digamos si se atreve a denunciar un caso de corrupción: que se prepare para perder su puesto de trabajo y recibir amenazas, descalificaciones y persecuciones de todo tipo. «Con ese hijo puta no tengo nada de que hablar», dice que escuchó José Luis Peñas, referido a su persona, siendo concejal del PP por Majadahonda, de boca de Esperanza Aguirre, cuando quiso entrevistarse con ella para denunciar la corrupción que se vivía en su ayuntamiento, trama que más tarde sería conocida como «caso Gürtel». Así las gastan con los que rompen la ley del silencio. La *omertá* se ha impuesto en Génova. Suena a película de serie negra, como si el nombre de la calle donde está ubicada la sede del PP estuviera predeterminado.

Cuando en la Comunidad de Madrid se destapó el caso Gürtel por denuncias de concejales del PP de Majadahonda y Boadilla, como el que hemos citado antes, el juez Garzón ya investigaba el caso. Así le fue. Aliados dentro del sistema judicial no les faltaron.

Hay que recordar que el caso Bárcenas y demás follones están en los juzgados por denuncias de Izquierda Unida. La Fiscalía no intervino cuando la prensa había sacado toda la basura. Si fuera una canción, se titularía *Llovía y yo pasaba por allí*. Todavía no se ha ordenado ni un solo registro, ni en la sede del PP, en cuya puerta se ubicó una furgoneta de una empresa especializada en la destrucción de documentos[117] («marca España») y donde, como sabemos, desaparecen papeles, discos duros y agendas; ni en la casa de Bárcenas, que insiste en que se llevó de la sede diez cajas de documentos comprometedores. ¡Venga, anímese, señoría! Igual que hacen con los chorizos normales. En la televisión estamos acostumbrados a ver registros en casas de traficantes o de bandas de delincuentes y buscan la mar de bien, tiran tabiques y encuentran zulos donde está escondida la pasta. Esta vez es más fácil: son diez cajas con papeles.

117. Que digo yo que podrían haberla aparcado a la vuelta, con un poco de disimulo; pero no, como dicen los castizos, «se la suda».

Una vez más los lobos estaban al cuidado de los corderos. Los que abominan de lo público, los detractores de la gestión pública se sitúan al frente de nuestro patrimonio con un resultado nefasto, siempre en beneficio de empresas privadas en las que, como decimos, acaban recalando cuando dejan la función pública. Se llama el truco del almendruco y es muy viejo. Ya lo hacían los piratas del Caribe. Se aborda el barco, se vacía la bodega y se traspasa la mercancía al barco asaltante, dejando el barco asaltado a la deriva. Así de sencillo, así de nefasto, así de impúdico y con el apoyo decidido de una parte del pueblo español que les encumbra y legitima con su voto y, lo que es más vergonzoso, un enfático coro mediático que todo lo aplaude y justifica.

Son enemigos de lo público, enemigos de lo nuestro. Nuestros enemigos.

Ahora o nunca: Los Soprano

No esperaban en el PP que el caso de lo que llaman financiación ilegal de su partido llegara tan lejos. Bueno, en realidad, pensaban que no llegaría a ninguna parte, pero hete aquí que el juez Garzón le estaba hincando el diente. El juez prevaricador, como le llamaba el portavoz de Justicia del PP, Federico Trillo, mucho antes de que su sueño se hiciera realidad y le expulsaran en tromba, como una jauría, todos a una, de la carrera judicial. Expulsión celebrada por muchos diputados como si tuvieran que ver con ello.

Hay que hacer especial mención al juez Varela, que juzgaba a Garzón, por su singular labor de acercar la justicia al ciudadano al asesorar a la acusación que llevaba a cabo «Manos Limpias», una acción insólita. La acusación presentó un escrito que correspondía a un auto del propio juez con el que, lógicamente, debería estar de acuerdo: era el autor. Ese escrito de acusación era, como digo, una copia de un auto del juez, al punto de que reproducía las erratas que éste cometió el día que lo escribió. El juez llamó a la acusación para asesorarle de las páginas que debía quitar de modo que todo llegara a buen puerto. Parece cachondeo, pero es verdad. Reproduzco una información publicada por *El País* con fecha 25 de abril de 2010: «El magistrado del Supremo detallaba las páginas exactas que la acusación debía eliminar para que su escrito fuera aceptado. En caso de que el colectivo de funcionarios (Manos Limpias) no lo hubiera hecho, la causa se habría quedado sin acusación por lo que el Supremo se habría visto obligado a archivar el caso.» De este modo tan divertido, el juez pasó a formar parte de la acusación y fue el artífice de la misma. Pocas posibilidades le quedaban al «juez juzgado». Pero es un bello ejemplo, dicho con todo el cinismo del mundo, de un funcionario al servicio de un pueblo que, a veces, por carecer de los conocimientos suficientes, no puede ejercer su derecho a recurrir a la justicia.

La cuestión es que al final fue otro de los procedimientos que tenía abiertos el que llevó al huerto a Garzón. De pronto, al juez estrella le empezaron a llover casos del cielo y todos nos pudimos enterar de que era un presunto delincuente por partida múltiple; así, de golpe. Qué sorpresa. Había superado con creces su paso por la Audiencia Nacional luchando contra el terrorismo, y contra la peligrosísima mafia del narcotráfico, pero chocó contra un muro inquebrantable cuando quiso colarse con su toga voladora en la sede de la calle Génova. Como dice un personaje con aspecto de gánster en una película de Woody Allen al ser preguntado por su oficio: «Mi negocio se llama no metas las narices en los asuntos de los demás si no quieres que te las rompan.» Ahora, el juez Garzón tiene que vivir de su prestigio internacional, en España lo ha perdido, ya no puede ejercer.

Eliminado el primer escollo, queda mucha tela por cortar.

Pensarían que muerto el perro se acabaría la rabia, pero el caso cayó en otras manos, ha seguido adelante y nos estamos enterando de muchas cuestiones vergonzosas acerca de cómo funcionaba este partido que nos gobierna, y de las grandes sumas de dinero que circulaban por los despachos gracias a donaciones anónimas millonarias por parte de empresas. Eran sociedades sin ánimo de lucro, «la duda ofende», pero la casualidad hace que se pueda establecer una relación directa entre esas entregas de pasta altruistas y adjudicaciones de obras por parte del gobierno. Esa casualidad hace que estos honrados servidores públicos queden en mal lugar, porque estas donaciones anónimas de empresas muy conocidas parecen sobornos o comisiones, pero, por lo visto, no lo son. Se trata de «presuntas» comisiones o sobornos, que no es lo mismo. Y como quiera que una parte de esas comisiones va a parar al bolsillo de los altos cargos de la Administración y del partido, tampoco estaríamos hablando de «financiación ilegal», sino de «Los Soprano».

La financiación ilegal implica que las comisiones y derivación de fondos públicos se dediquen a financiar campañas electorales, actos públicos, o a mejorar infraestructuras de la sede de un partido. Cuando van a parar a los bolsillos concretos de determinados miembros de ese partido, la cuestión es otra. En este caso se trataría de cobro de comisiones a empresas en beneficio propio, método que ya se inventó en Sicilia hace muchos años, si es que no lo exportamos nosotros allí cuando formaba parte del Reino de Aragón.

No hay constancia de que los creadores de esa popular serie estadounidense que mencionamos se hayan querellado contra el partido que nos gobierna, pero hay ciertas similitudes en el funcionamiento de ambas estructuras.

Los Soprano son una familia que encabeza una trama de cobro de comisiones a empresas a cambio de operar en los territorios bajo su control. La base del negocio está en la unidad. Todos los miembros forman una piña. Nadie se va de la lengua. Cuando pillan a uno se hace causa común con él y allí nadie sabe nada, nadie ha visto nada y nadie ha oído nada. Si alguien denuncia o se va de la lengua se le persigue. Su relación con la prensa es escurridiza o nula y, por supuesto, lo más importante para todos ellos es la familia.

Visto así por encima, supera con creces el número de coincidencias para que los creadores de «Los Soprano» formulen una acusación por plagio.

Para colmo de similitudes, hay un puesto por el que todos se pelean, el de recaudador, el de cajero. El que lleva la contabilidad tiene una bicoca. En la serie, claro está, es Tony Soprano. El jefe es el que tiene la llave de la caja, así evita la creación de una contabilidad «C» que extraiga fondos de la contabilidad «B» en beneficio del cajero. ¿Y la contabilidad «A»? Muy bien, gracias. Cuando quiera se la enseño.

Con la que está cayendo, a los miembros del gobierno todavía les queda espacio para el humor. En sus ratos libres elaboran chistes. Así, cuando les preguntan por la contabilidad «B» responden: «Haré pública mi declaración de la renta.» Ante esta respuesta tan sorprendente caben varias posibilidades: A) No entienden la pregunta; B) son tontos; C) son unos cachondos; D) A y B son correctas; E) B y C son correctas; F) A, B y C son correctas. Lo más probable es que la correcta sea la C. Ya han cogido la costumbre de responder cualquier cosa para hacer risas. Por eso son muchos los que afirman que en la célebre rueda de prensa de Ana Botella en la presentación de la candidatura de los Juegos Olímpicos, cuando respondió que ya estaban muy avanzadas las infraestructuras al ser preguntada por las cifras del paro, no lo hizo por desconocimiento del idioma, sino por esa costumbre que tienen de llenarlo todo de alegría y buen humor. «¿Dónde está la pasta?»: «Manzanas traigo.»

La cuestión es que la justicia les viene pisando los talones en un momento en el que el ciudadano está mohíno, sometido a la penuria de una crisis cuyas consecuencias desconoce. Ya ha visto tantas barbas del vecino pelar que no puede estar seguro de su trabajo, de su futuro. Así, en pleno hundimiento, la tripulación ha ido corriendo a la caja de seguridad del barco para trincar contrarreloj el contenido de los cajetines.

Con el Consejo del Poder Judicial de mayoría conservadora; con el Tribunal Constitucional de mayoría también conservadora y presidido por un militante de su partido, ahora en excedencia de militancia por el escándalo formado cuando se supo, pero al que le parece estupendo eso de ser militante aun cuando los estatutos dicen claramente que tiene que suscribir las directrices que marca el partido; con mayoría absoluta en el Congreso de los Diputados; con todo el poder económico también de su lado; y con una reforma laboral que ha convertido el despido en un negocio, dejando a los trabajadores a la intemperie, acojonados; con todo ello, decíamos, tienen una ocasión única y, desde luego, irrepetible para hacerse con las pocas joyas de la corona que dejaron de su anterior paso por el gobierno. En apropiarse de ellas se afanan y valga la redundancia.

¿Y si este estado de cosas acaba destruyendo la fe en el sistema? ¿Y si una vez desprestigiadas las instituciones el pueblo da la espalda al sistema democrático?

Pues tan contentos. ¿Quién mandaría aquí si no hubiera democracia? Si alguien tiene dudas al respecto, le recomiendo que se lea otra vez el libro desde el principio y verá cómo encuentra pistas claras, rotundas.

Entregado a las directrices de Alemania, que es tanto como decir la UE, para que no se metan en las cuestiones internas, nuestros mandatarios se han aplicado a carcomer los cimientos del poco edificio que queda en pie, defendiendo lo indefendible y presentando como lógico lo impresentable. Por cierto, de cara a las elecciones generales en su país, la señora Merkel, máxima defensora de la austeridad fuera de sus fronteras, ha prometido incrementar los presupuestos de educación, sanidad y servicios públicos, todo lo que exige que sea recortado en nuestro país y que nos condena al subdesarrollo. Y ésta es de las que hace lo que promete. Es lógico, ella quiere que los alemanes vivan mejor. Por lo visto, Rajoy también quiere que los alemanes vivan mejor. De hecho, al día siguiente de la victoria se apresuró a felicitar a la canciller alemana: «El pueblo alemán ha demostrado albergar la firme convicción de que no hay alternativa posible al proceso de reforma estructural a nivel tanto europeo como nacional.» Concluyendo, por si la señora Merkel tuviera dudas de su sumisión: «Puede dar por seguro que encontrará en el gobierno español un firme aliado para la consecución de este propósito.» Por poner una pega, me da la impresión de que el propósito alemán no es el nuestro.

Esta actitud me recuerda a cuando los niños del dueño de la finca jugaban con el de los guardeses. Lo retoños de los propietarios solían acabar pegando una tunda al del empleado, que miraba a su padre pidiendo ayuda y lo único que obtenía era un: «Juega, hijo, no estés todo el rato quejándote como una nena.» Luego, el padre aleccionaba al niño advirtiéndole que no se le ocurriera defenderse. A nosotros nos dicen que con las huelgas y manifestaciones damos mala imagen. Es lo mismo.

En Alemania, como digo, se sube la partida de los servicios elementales y, además, el que roba va a la calle. La mano derecha de la señora Merkel, colaboradora y amiga de tiempos inmemoriales, fue apartada de su cargo cuando se supo que había copiado algunos párrafos en la elaboración de la tesis doctoral cuando estudiaba en la universidad, muchos años antes.

Como decía, a los neoliberales que nos gobiernan no creo que les preocupe lo que pase después de esta hecatombe. Lógicamente, les gustaría volver a ganar las elecciones con holgada mayoría, pero si eso no ocurriera tampoco pasaría nada. Se han labrado un futuro más que esperanzador. Han colocado los huevos en muchas cestas y no habrá más que ir recogiéndolos cuando llegue el momento.

Ahora que venden una y otra vez su lucha contra la corrupción y la elaboración de medidas de transparencia (mientras destruyen pruebas, los cachondos), podrían aprovechar para hacer un estudio sobre esa pérdida que dicen que supone para su patrimonio su paso por la política y, de paso, elaborar un informe de dónde estaban antes y dónde están después los exministros y demás cargos, y en función de qué obtienen esos jugosos contratos, de dónde sacan la cualificación que les permite estar en los consejos de administración de las grandes empresas.

Pagos de favores. Reservas de plaza desde el despacho.

Un ejemplo de esto que asevero, que no es muy significativo en lo económico, pero sí esperpéntico y característico de nuestra «marca España», es la donación que el gobierno español hizo en el año 2001 al firmar un «acuerdo de cooperación» de 1,2 millones de euros con la universidad católica de los jesuitas de Georgetown, ubicada en Washington, D.C. Les dimos esa pasta. ¿Cooperación con quién? Misterio.

En aquel momento nadie podía comprender qué hacía el gobierno español subvencionando una universidad privada estadounidense. No creo que estén tan apurados como para necesitar de nuestros fondos, que, dicho sea de paso, vendrían muy bien a nuestra depauperada universidad. Tampoco fue como pensaría un ser normal, ahora convertido en idiota, para facilitar el acceso a los estudios de mentes privilegiadas de nuestro país que necesitaran una ayudita para terminar su formación en Estados Unidos. No fueron los ciudadanos normales los que pisaron aquel campus. Otra vez la casualidad juega una mala pasada a la reputación de los neoliberales. Cuando el señor Aznar dejó la presidencia, fue contratado por esa universidad para dar cursos. Era un «contrato de cooperación» con el presidente. Daba una clase magistral al trimestre. Y en inglés, a pesar de que todo parece indicar que es el profesor particular de su señora. No es que sospeche que dejó allí un dinero en depósito para darse un garbeo de vez a cuando a pillar parte del botín, pero que yo no lo piense no quiere decir que no lo pueda llegar a pensar nadie. También se pasó por allí a dar una charla algún otro alto cargo, como el señor Rato.

Por cierto, da la impresión de que el señor Aznar iba a dar ánimo y alegría a las aulas, porque la visión de sus conferencias en internet resulta hilarante. En una de ellas explicaba a aquellos estudiantes que el atentado del 11-M era cosa de Al Qaeda, se olvidaba de citar a ETA haciendo caso omiso de las instrucciones que imparte a los demás,[118] pero que no tenía relación alguna con nuestra intervención en la guerra de Irak, sino que era una venganza por la Reconquista. ¿Es o no es un cachondo? ¿Cómo leyó la mente del «autor intelectual» del atentado? Se debe de haber enterado por los teléfonos de madrugada de las televisiones digitales, llamando a los adivinos.

Si se observan los destinos de los altos cargos cuando dejan la política, reciclados en las empresas privadas, será fácil entender las decisiones que tomaban cuando ejercían las labores

118. En los días posteriores al atentado, siempre intervenía detrás de alguien que hacía responsable a ETA, pero él hablaba del «grupo terrorista» sin citar su nombre. Luego sostenía que jamás nombró a ETA como autora de la matanza. Es decir, tenía una estrategia labrada desde el primer momento. Qué huevos.

de gobierno. Especial relevancia cobran los asientos en las compañías eléctricas. También en Telefónica, empresa plagada de cargos que ellos mismos pusieron a dedo y donde, en buena lógica, siempre habrá un puesto para estos servidores de la patria, mientras a nosotros nos crujen con las facturas.

Recientemente hemos visto decisiones propias de la sumisión que se exigía al vasallo en la Edad Media, al penalizar el autoconsumo de las energías renovables, dando una nueva vuelta de tuerca a la persecución de este sistema, recomendado por todo el mundo, y en el que éramos pioneros y líderes, en beneficio de las grandes compañías eléctricas. Nos penalizan por usar el sol. Algún neoliberal ha debido de privatizarlo sin que nos enteráramos.

Es un paso más en la misma dirección; primero se eliminaron las ayudas al sector de las energías renovables arruinando a miles de empresarios que habían apostado por este sistema de energía, ahora sacan esta medida que además de estúpida es aberrante y clarificadora. ¿Entienden ahora por qué guardan un puesto de consejero en las grandes compañías eléctricas para los ministros? Pues eso.

En fin, lo dicho. Con todos los poderes en la mano, un gran apoyo mediático y una reforma laboral que mantiene al pueblo acojonado, el *tsunami* no podía esperar. Se dispusieron a desmontar el Estado de bienestar. Muchos pensarán que es un acto de crueldad innecesario o una cuestión de ideología. Nada de eso, queridos amigos. Detrás de este desmantelamiento está uno de los mayores negocios imaginables y hay que ser muy tonto para no pensar que la casualidad sentará, de nuevo, en el consejo de administración de estas empresas adjudicatarias a los responsables de la privatización de esos servicios. De hecho, ya han aparecido. Ahí hemos visto al señor Güemes y al señor Lamela. No se han podido esperar. La verdad es que se lo ganan a pulso. Hay que ver con qué arrojo, entereza y desparpajo defiende el consejero de la Comunidad de Madrid, el ínclito señor Lasquetty, estas privatizaciones sin aportar argumento alguno, sin cifras, sin informes que justifiquen medidas tan importantes que van a causar un deterioro tan significativo en la calidad de vida de los ciudadanos, un gran quebranto a las familias, además de un importante perjuicio económico. También se enfrenta a los profesionales de la sanidad, su gran activo, que deberían ser motivo de orgullo, a los que descalifica tachándoles de vagos, egoístas que sólo miran por su propio interés. Supongo que cuando los vende a las empresas privadas hablará de ellos en otros términos. Por último, pero podríamos ponerlo en primer lugar, se enfrenta a sus ciudadanos, ellos sí están orgullosos de este servicio, lo defienden, así lo manifiestan en las encuestas del CIS, donde colocan siempre a la sanidad a la cabeza de las prestaciones que reciben, reconocimiento que nunca obtienen estos siniestros políticos interinos que utilizan la Administración como trampolín para dar el salto a la cúpula de las grandes empresas. Recordamos también el reciente episodio de jubilaciones forzosas firmado de la noche a la mañana, donde se quitaron de un plumazo a todos los doctores mayores de sesenta y cinco años, descabezando de golpe a muchos equipos y privando a la sanidad pública de algunos de sus mejores profesionales. Después de muchos años de dedicación a los ciudadanos, ése era el pago que recibían por parte de estos políticos que trabajan al servicio de empresas que sólo buscan enriquecerse con nuestra salud. Y lo más gracioso es que dicen hacerlo en nuestro nombre, legitimados por nuestros votos.

Así utilizan la democracia. Entrégame tu voto, que haré en tu nombre lo que a mí me dé la gana. No, definitivamente parece que estos señores no gobiernan buscando el bienestar de sus ciudadanos, se traen otras cosas entre manos. Y gordas, como hemos visto.

En medio de esta vorágine de saqueo, afloraron los brotes verdes consecuencia del abono acumulado debajo de la alfombra durante años.

Resulta que se cargaron a Garzón porque había descubierto unas cuentas en Suiza de millones de euros, relacionadas con el caso que instruía, que se seguían moviendo a pesar de que sus titulares estaban en prisión y en régimen de aislamiento. Los encarcelados sólo tenían contacto con el exterior a través de sus abogados. Garzón pidió autorización a otro juez para que le dejara intervenir las conversaciones entre los abogados y los reclusos y, en efecto, esas escuchas demostraron que los abogados actuaban de correos. Le procesaron por ello y le expulsaron de la carrera judicial, pero la instrucción ya estaba en marcha. Ni que decir tiene que tanto los procesados como el PP en bloque han intentado por todos los medios invalidar las investigaciones. Han echado mano de todas las triquiñuelas legales para que el proceso se detenga o se archive, pero el sumario, como una duna que va ganando terreno poco a poco, avanza sepultando al que pilla debajo.

Vienen a por nosotros

Franco, que además de ser frío, cruel y sanguinario, era un cínico, ya lo decían sus correligionarios y compañeros del golpe de Estado, tiene una anécdota muy conocida. A Sabino Alonso Fueyo, que fue director del diario falangista *Arriba*, cuando le comentó que recibía presiones de las diferentes familias que componían el Movimiento Nacional, le dio el siguiente consejo: «Usted haga como yo y no se meta en política.» En línea con esa retranca, surgió esta otra frase que también ha pasado a la posteridad y que le soltó a un ministro al que iba a cesar y pedía clemencia: «Desengáñese, Arburúa, vienen a por nosotros.»

Esta frase resume el espíritu que animó a Rajoy en la célebre foto en la que se presentó al frente de la plana mayor de su partido y que fulminó la esperanza del pueblo español en la regeneración del centro político y su aceptación, de una vez por todas, de las reglas del juego: «Vienen a por nosotros.» Claro que sí, señor Rajoy, ésa es la obligación de la justicia cuando detecta un delito. Entre sus cometidos está el de proteger al sistema y, por supuesto, a los ciudadanos de aquellos que se sitúan al margen de la ley.

Con el desarrollo de la investigación y la publicación de nuevas pruebas hemos descubierto que Rajoy estaba en el meollo. Con ese gesto de: «Vienen a por nosotros», que ya inició en aquel mitin de Valencia al subir a la tribuna con Camps proclamando que estaría delante, detrás o a su lado, pero junto a él, y más tarde en Génova con la plana mayor rodeándole, no llevaba a cabo un gesto de solidaridad con el perseguido de forma injusta, sino que estaba creando en torno a él una barrera de seguridad, se dotaba de escudos humanos. Ahora entendemos que el significado de aquel gesto era: «No hay justicia que se atreva con nosotros.» Éste es el desafío al que se enfrenta el sistema. ¿Tiene herramientas, fuerza e independencia suficientes para abordar un caso de esta envergadura?

Este gesto significó la generalización del delito, la extensión del pecado original, el todos somos fulano, y si fulano es corrupto, dicho queda. Esta actitud de defensa como el gato panza arriba, aunque la evidencia de los hechos exija una acción contundente de la justicia, hipotecó el futuro de nuestro país. Ahora estamos viendo las consecuencias. El presidente de la nación se ve obligado a mentir cada vez que comparece y ante la aparición de nuevos casos, nuevas pruebas que contradicen lo que ya se ha declarado, se limita a sus declaraciones anteriores. Lee lo que ya ha leído en claro desprecio al sistema que representa y al pueblo que lo mantiene.

La situación ha llegado a un punto insostenible. Cada día se descubre un nuevo dato que levanta una mentira asociada. La aparición de una nómina de mayo de 2012 del señor Bárcenas por un valor de 21.300 euros, así como el alta de la Seguridad Social como «personal de alta dirección con contrato indefinido y dedicación completa», acaba con todo su discurso de distanciamiento del personaje: le tenía contratado, le pagaba dinero sabiendo quién era, a qué se dedicaba y que era titular de las famosas cuentas de Suiza. Cuando el señor Rajoy dijo que Bárcenas ya no estaba en el partido mintió, y el finiquito no era tal, ni en diferido. Sueldo duro y puro.

Al señor Bárcenas todos los compañeros de partido, con el presidente a la cabeza, le tacharon de delincuente y de ladrón. En la cualificación de este señor estamos de acuerdo; ahora, la pregunta es: ¿qué hacía un delincuente de tamañas proporciones al frente de las cuentas del partido que gobierna España? ¿Por qué no fue despedido? La respuesta vino de la mano del presidente del gobierno con los mensajitos de teléfono que envió al propio Bárcenas, que se prolongaron hasta marzo de 2013, mientras afirmaba en público que no recordaba cuándo había sido la última vez que había hablado con él. En esos mensajes no decía «nos mentiste, me has traicionado», sino «Luis, lo entiendo, sé fuerte, mañana te llamaré; un abrazo». Luis estaba a sueldo y no había hecho otra cosa que cumplir con su trabajo. Si Luis tenía esas cuentas cuyos fondos habían salido del partido y Mariano no estaba enfadado con él, todo hace pensar que ese dinero no es suyo. Ahora les tiene cogidos. ¿Por dónde? Por la casa del conde.

Por eso no quiere hablar el señor Rajoy. Ya sólo le queda una opción: decir la verdad, pero eso supondría tener que marcharse a su casa y buscarse un buen abogado. «Marca España.»

La venda en los ojos de la justicia

Ahora que está tan orgulloso de participar de ese proyecto de reformas que marca Alemania, ¿se imagina Rajoy a Merkel metida en este tipo de fechorías?

La situación de este gobierno es insostenible, incompatible con el Estado de derecho e impresentable fuera de nuestras fronteras. Estas cosas trascienden, y cuando nos proponemos para organizar unos Juegos Olímpicos nos miran con lupa. Nos preguntan por las cifras del paro, por cómo aborda nuestra justicia los casos de dopaje, por nuestra situación económica..., bordean el tema de la corrupción sin entrar en él, pero estos señores del COI tienen en esta organización su gran negocio. Son muchos los millones que mueven estos juegos y ellos tienen la exclusiva sobre todo el dinero que generan: no se fían.

Con respecto a Europa, a su plan de reformas y el lugar que nos tienen asignado, les conviene un presidente débil. Ellos saben que mientras no le saquen el tema de la corrupción será obediente y dócil. Ese apoyo exterior le permite resistir, pero a nosotros nos deja vendidos. Se nos está escapando otra vez el tren que marcará la diferencia en un futuro.

Dentro de nuestras fronteras nos encontramos en una situación de desamparo con un gobierno deslegitimado y con portavoces que se van pasando el relevo de las milongas, haciendo el ridículo de uno en uno, por turno. La situación no tiene salida.

Han sido muchos los años de tolerancia con el delito, de encubrimiento de las fechorías, de negación de la evidencia, de persecución al denunciante. Al final, ni la bondad garantista de la justicia les ha servido. La porquería ha desbordado el recipiente y nos encontramos ante una tropa que inicia una huida hacia delante intentando ganar tiempo. Es el presidente, son ministros, exministros, presidentes de comunidades autónomas, consejeros de comunidades autónomas, alcaldes, concejales los que han puesto la mano o han tomado decisiones contrarias a los intereses de los ciudadanos con el fin de lucrarse.

Sólo el desprecio que sienten por el pueblo al que gobiernan les permite seguir en pie. Nadie en su sano juicio aguantaría la vergüenza que supone estar al frente de esto.

Han sido demasiados años de tolerancia en connivencia, hay que decirlo, con una justicia que no ha estado a la altura que demandaba la situación. Esa justicia jerarquizada con tics de otros tiempos y que ha sufrido una involución que no teníamos prevista. Tics que se manifiestan en gestos como la recusación del magistrado Pérez Tremps cuando se estudiaba la constitucionalidad del Estatuto de Cataluña porque una de las partes del proceso, en este caso el PP, podía «dudar de la falta de prevención y de la posición objetiva del magistrado», porque había realizado un informe sobre el tema; pero ahora no ve motivo de duda si el presidente del mismo tribunal, Pérez de los Cobos, que se tiene que pronunciar sobre la misma cuestión, es militante del PP, precisamente el partido que plantea en ese tribunal la inconstitucionalidad del Estatuto. Es decir, se puede apartar del tribunal a alguien que pueda levantar dudas sobre su posición ideológica, pero no a alguien que la manifiesta y paga mensualmente para que quede clara, a pesar de que el artículo 7 de los estatutos del PP obliga a los afiliados a «ajustar su actividad política a los fines del partido y difundir los principios ideológicos y el proyecto político de la formación»; mientras que en otra parte del articulado se establece como infracción muy grave «la desobediencia a las directrices que emanen de los órganos de gobierno y representación del partido». Por si algún magistrado del Constitucional no se había enterado. En el primer caso, las dudas que el magistrado pueda levantar le hacen poco apropiado para el puesto; en el segundo, el magistrado levanta muchas más dudas, pero no importa. Se acogen a la letra de la ley y dicen que no es incompatible.

Otro ejemplo que empañó la acción de la justicia hasta hacerla opaca como el granito fue su paso de puntillas en la compra de dos diputados de la Asamblea de Madrid para anular la decisión de las urnas. Estas acciones miden la calidad de la democracia y de sus instituciones. Crean opinión sobre ellas y las sitúan, en el caso de la justicia, en el último lugar de fiabilidad en las encuestas. El que fuera fiscal jefe de Madrid, Fernández Bermejo, dijo que el entonces fiscal general del Estado, Jesús Cardenal, siendo presidente Aznar, les prohibió investigar el caso. Esta trama relacionada con la llamada «mafia del ladrillo», que conculcó la voluntad popular y puso al frente de la presidencia a Esperanza Aguirre en una segunda vuelta, se extendió por toda la comunidad y dio paso a un sistema generalizado de sobornos, sobres circulantes, compra de voluntades, recalificaciones, mafias, despilfarro de fondos públicos que, finalmente, dieron al traste con las ya comentadas Telemadrid y Caja Madrid delante de las mismas narices de una justicia ciega. Mientras, los ciudadanos sufríamos una vergüenza mezclada con angustia sabiendo que nos jugábamos, como otras veces, el prestigio y la calidad de un sistema con el que pretendíamos huir de un pasado de totalitarismo impresentable. Con esta dejación de la justicia al seguir las órdenes de aquel gobierno, se creó el precedente de la anulación del resultado de las urnas a golpe de talón.

Hubo otro caso sonado que inauguró la etapa del todo vale en el año 1992. Fue el del proceso de privatización de la Funeraria de Madrid, aquella célebre venta, siendo alcalde el señor Álvarez del Manzano, por 100 pesetas, 0,60 euros, del 49 por ciento de los servicios funerarios del ayuntamiento a la empresa Funespaña, a cambio de asumir una deuda de 13,6 millones de euros, que más tarde el ayuntamiento perdonó. El proceso duró doce años. Una vez que había ralentizado el proceso hasta la irritación, el señor magistrado se retiró de la causa alegando una reconocida amistad con el principal encausado: la mayoría de los delitos habían prescrito. Fue sustituido por otro. Entre los acusados había tres concejales del ayuntamiento que en todo momento declararon: «Siempre actué de acuerdo con el resto de los concejales y el alcalde de Madrid, y siguiendo los consejos de los técnicos.» Maniobra en comandita que se llama «yo no me como este marrón». Se descubrió que las cuentas estaban falseadas, que se alteró el precio de las cosas, en fin, lo de siempre. En ese estado de falsa ruina, fue cuando se vendió por 0,60 euros a unos señores que en el primer año de explotación ya obtuvieron unos beneficios de millones de euros. A la salida de la última vista, el principal implicado, el concejal Luis María Huete, declaró muy sonriente: «Nunca he tenido problemas con la justicia.» Ése es «nuestro» problema, que este tipo de personas no ha tenido nunca problemas con la justicia. No pagan por el robo de nuestro patrimonio. Todos se fueron de rositas y aun sacaron pecho exigiendo el restablecimiento del honor. En 2008, dieciséis años después de perpetrado el «golpe», aquel concejal fue condenado a dos años de inhabilitación. Le importaba un pimiento, sonreía de oreja a oreja, llevaba muchos años jubilado. Todos los demás quedaron absueltos y disfrutando del botín. Es evidente que la justicia debe ser garantista y escrupulosa, pero también es evidente que no sirve. No está a la altura, se arruga. Nunca es estricta con aquellos que a través de fechorías de despacho se hacen con un inmenso patrimonio y generan un tremendo quebranto social. Esta actitud provoca un gran desprestigio del sistema y de la propia institución, que queda a los ojos de los ciudadanos como sumisa y servil. A cambio, se muestra muy eficaz para encerrar a los pobres que delinquen. Ahí, saca pecho.

El alcalde, Álvarez del Manzano, fue ascendido a la gloria del retiro al nombrarle presidente de IFEMA, una de las joyas de la corona de la capital del reino junto con Caja Madrid y Telemadrid, cuya suerte es de todos conocida.

Podríamos hablar de otros casos que han sembrado la desesperanza en los ciudadanos como el del Yak-42, donde después de procesos y más procesos, y archivos y vuelta a abrir el caso, nunca se quiso llegar al fondo de la cuestión y castigar a los responsables del chanchullo del dinero destinado a los contratos de los aviones para el transporte de los militares que se volatilizaba en el camino. Ésa era la cuestión. Del presupuesto salía un pastón y a la ventanilla de venta de billetes llegaban cuatro cuartos. Por este vuelo Defensa pagó 149.000 euros y la compañía cobró 45.000. De esto no se quería hablar: fue lo que provocó el accidente. Acababan volando en compañías impresentables que ponían en riesgo la vida de los pasajeros, con diecisiete denuncias documentadas sobre el mal estado de los aviones y el miedo que pasaban en los vuelos.

El gobierno noruego suspendió el contrato a la primera denuncia de un militar que se expresaba en estos términos: «Salía aceite de los motores, pasamos mucho miedo [...], no dábamos crédito a lo que vimos, había paneles sueltos, cables pelados...» Aseguró pasar más miedo en el viaje en el mismo Yak que posteriormente se estrellaría que desactivando minas en Kabul. José Antonio Fernández le dijo el mismo día del embarque a su mujer: «Reza por mí, que este avión es una mierda.» José Manuel Ripollés relató en un correo electrónico a un amigo, cuatro días antes del accidente: «Son aviones alquilados a un grupo de piratas aéreos, que trabajan en condiciones límite [...] la verdad es que sólo con ver las ruedas y la ropa tirada por la cabina te empieza a dar taquicardia.» Vicente Agulló dijo a su padre: «Quieren que volemos en una tartana.»

En aquel accidente, acaecido en Turquía, fallecieron setenta y cinco personas, entre ellas sesenta y dos militares cuyos cuerpos acabaron mezclados en bolsas por orden del entonces ministro Federico Trillo, para que la dilación del proceso no supusiera un desgaste político, ante la indignación de los forenses turcos, que no daban crédito al trato que recibían los restos de aquellos compañeros militares. Cuando se produjo la exhumación se comprobó que, en efecto, no coincidían los restos del interior de los féretros con los nombres adjudicados. Como muestra del desprecio y la falta de delicadeza con este episodio tan dramático, basta decir que ni siquiera las alianzas de boda encontradas en los féretros coincidían con los nombres: no se habían molestado en leerlas. A pesar de todo lo que se sabe ahora, no ha habido disculpas ni asunción de responsabilidades por parte de los responsables. Faltaría más, estamos en España. Lejos de ello, se sigue insistiendo en que todo se hizo de buena fe y de la mejor manera posible. Nada de esto se hubiera sabido si todo hubiera permanecido enterrado. Sólo gracias a la insistencia y la lucha de las familias se consiguió esclarecer parte de la verdad frente a los continuos archivos de la causa en la Audiencia Nacional.

Estos precedentes, sumados al uso político de la Fiscalía General del Estado, que alcanzó el cénit en la vergonzosa etapa del señor Cardenal, hacen que los corruptos se sientan impunes, invencibles, y que, como estamos viviendo, actúen en manada.

Es el mensaje que nos quiso transmitir don Mariano Rajoy con la famosa foto de grupo: «El Estado de derecho soy yo.»

CRECEN LOS ENANOS

—

Lo malo de los brotes verdes es que cuando brotan de verdad, no estos de la economía que no se ven por ninguna parte, sino los de la corrupción, lo hacen como las hierbas bordes, por todos lados. Por más que los arranques salen de nuevo. Ahora estamos en plena cosecha. El paisaje se cubre de fechorías.

Vamos a referirnos a un caso concreto por ser paradigmático de la situación: la carrera política de Jaume Matas, alguien que se va creciendo hasta que rebasa la valla de protección y, como al venado de muchas puntas, se le ven los cuernos aunque se esconda detrás de las jaras.

El dedo de Peter

Jaume Matas fue consejero de Economía y Hacienda en Baleares. Dos veces presidente de esa comunidad. Presidente del PP de Baleares y ministro de Medio Ambiente de España. No está mal. Muchos cargos, todos de gran importancia, y, sin duda, un líder considerado en su partido. Era un hombre importante en el organigrama de José María Aznar.

De su exconsejero de Comercio José Juan Cardona, que también fue el líder del PP en Ibiza, dijeron tanto el fiscal como la jefa del Grupo de Delincuencia Económica que era el «jefe de una banda criminal». A través de sociedades pantalla derivaba fondos públicos a sus propias cuentas. Era un entramado de corruptos. Él se declara inocente y la defensa intenta buscar resquicios por los que impugnar el proceso. En cualquier caso atribuye al señor Matas el control político en todos los nombramientos, en los distintos departamentos y empresas públicas.

No debemos generalizar en la cuestión de la corrupción, pero casos como éstos, en los que se trata de una organización que forma una red para delinquir y que salta de isla en isla, con distintos feudos, no sabe uno cómo calificarlos.

Volviendo al señor Matas, jefe del anterior, en la actualidad se encuentra procesado por doce delitos cometidos durante su presidencia del gobierno balear: prevaricación, cohecho, malversación de caudales, apropiación indebida, falsedad documental, tráfico de influencias, blanqueo de capitales, delito fiscal y delito electoral. Casi todos relacionados con el llamado caso «Palma Arena», en el que por la construcción de un velódromo presupuestado en 48 millones de euros, que ya está bien, se llegaron a pagar más de 90.

Al señor Matas le perdió la falta de contención. No se pudo sujetar, tampoco su señora. Deberían ir más al cine. En la película *Uno de los nuestros*, de Martin Scorsese, hay una secuencia en la que Robert de Niro coge los abrigos de piel de las novias de sus compinches y los tira en medio de la calle, abroncándoles por hacer ostentación de bienes. Habían roto la cuarentena impuesta por el jefe tras un golpe redondo. Esa orden les impedía hacer uso del botín durante un tiempo, hasta que la policía dejara de investigar, para evitar sospechas. Los torpes secuaces se quejaban de no poder vivir encima de un tesoro sin hacer uso de él.

El factor humano desbarató también en este caso de las Islas Baleares lo que podría ser un crimen perfecto, al romper una ley de oro: hay que esperar a entrar en la empresa privada para sacar la pasta a flote.

El matrimonio Matas compró un palacete en el centro de Palma valorado en unos 2,5 millones de euros, que fue reformado y decorado a todo lujo. También adquirieron otros inmuebles en Madrid y Mallorca. Especial relieve mediático cobró una escobilla del váter de 400 euros que apareció en el palacete de Palma. La señora de Matas, doña Maite Areal, lucía todo tipo de modelazos de marca (Dior, Chanel, Vuitton); un día se detuvo en una joyería y compró unos caprichos por valor de 70.000 euros, que pagó a tocateja. Soltaba billetazos por doquier. Como dice el cuplé: «¿Dónde se mete la chica del diecisiete?, / ¿de dónde saca pa tanto como destaca?, / pero ella dice al verlos en ese plan: / la que quiera comer peces que se moje el Ku-Klux-Klan.»

A pesar de ese ajetreo aún le quedaba tiempo a Maite para llevar a cabo trabajos de asesoría, bien de educación en la Comunidad de Madrid, cuando su marido estaba de ministro, o en el Centro de Cálculo Balear cuando su marido volvía de *president*, trabajos que alternaba con otros puestos en distintas sociedades.

Se calcula que en cinco años gastaron cerca de cuatro millones de euros a pesar de que sus ingresos en uno de esos años fueron sólo de 84.000 euros entre los dos, a los que hay que sumar otros 1.000 euros que les devolvió Hacienda. Durante ese período, el matrimonio sólo sacó 500 euros de su cuenta bancaria.

Ella se negó a declarar. El exministro se declaró inocente y se limitó a decir que confiaba plenamente en la justicia, y tiene motivos. El Tribunal Supremo ha rebajado su primera condena por tráfico de influencias de seis años a nueve meses, evitando que, de momento, vaya a la cárcel. Se le impuso una fianza de tres millones de euros, que de no ser satisfecha implicaba el embargo y la subasta de sus bienes. Tal subasta se paralizó porque llegó a un acuerdo con el Banco de Valencia en el último momento. Se da la circunstancia de que ese banco está intervenido, y aun así, le quedaban fuerzas para hacer este tipo de operaciones. Estando como afirma en la ruina, ¿qué garantías pudo ofrecer? Por último, se le retiró la fianza porque el juez decidió que ya no era oportuna. Tras la tempestad vino la calma. Así, después del ruido mediático y la sensación de que la justicia estaba actuando con contundencia, finalmente ha evitado la prisión y se le han levantado tanto la fianza como el embargo de los bienes. Hace bien en confiar en la justicia, pero ese ruido mediático que, decíamos, desató en su día la acción de la justicia deja ahora un fuerte regusto a impunidad.

Se llegó a hablar, incluso, de extralimitación judicial porque el juez en el auto utilizó términos poco frecuentes. Decía, refiriéndose a Matas, que «había venido aquí a burlarse de los simples mortales»; y manifestó su indignación porque ante la multitud de preguntas que le hacían, en demasiadas ocasiones se limitaba a encogerse de hombros. Una vez más, la ignorancia. Se venden como genios de la gestión y solución para los problemas de la patria en período electoral, y como idiotas cuando les sientan en el banquillo. Tampoco disimuló el juez su irritación por la pasividad del acusado a pesar de estar pendiente de una causa por malversación de 50 millones de euros. A lo mejor ignora el juez que, simplemente, se distrae pensando en sus cosas porque no se cree nada de lo que pasa en la sala y está convencido de que al final se sacudirá el polvo de la chaqueta y saldrá por la puerta grande a recuperar el tiempo perdido, y el patrimonio diseminado por esos paraísos fiscales de dios. Como Bárcenas, se sabe una pieza de un dominó puesto en pie. Sólo le pueden sacar, con su consentimiento, hacia arriba y con unas pinzas, pues si le da por tirarse hacia delante, caerán muchas fichas. Se puede ir todo a hacer puñetas. Sí, todo. Ya saben, lo de los hilos del poder: bancos, grandes empresas, altos cargos, presidentes y expresidentes, en fin, los que alternaban con él hasta hace dos días, como quien dice. En todo negocio hay dos partes. El que compra y el que vende, el que paga y el que recibe. Por eso Matas está como ausente.

Existe una leyenda en Holanda acerca de un niño llamado Peter que al volver de casa de un amigo vio que en un dique de contención se había hecho un agujero por el que entraba un pequeño chorro de agua del calibre de su dedo meñique. Peter descendió por el dique y taponó el agujero con su dedo. Allí se quedó toda la noche ante la preocupación de su madre, que salía a buscarlo y no lo veía. Al día siguiente lo encontró un campesino gimiendo en el suelo con el dedo todavía dentro del agujero. Corrió a pedir ayuda y enseguida acudieron paisanos con picos y palas que repararon el dique. Peter, con su dedo, había salvado al pueblo de la inundación y se convirtió en un héroe.

Ésa es la dualidad en la que se mueven estos presuntos delincuentes cuando se sientan en el banquillo. Como Peter, Matas permanece con el dedo metido en el agujero escuchando los improperios de sus compañeros. No los tiene en cuenta porque sabe que son parte de una puesta en escena. Mientras, les mira condescendiente: les está salvando el pellejo. Esa mirada ausente refleja cierta amenaza a través de un código cifrado que puede traducirse por: «Si no hay más remedio tendré que sacar el dedo del agujero.» Sus compañeros le envían vibraciones de resistencia y apoyo. Viven en un estado de desazón permanente. A veces llega un SMS que dice: «Aguanta, Luis.» Desconcertado, contesta: «Yo soy Jaume.» Recibe otro: «Es igual, Luis somos todos.»

A esta situación se llega por una forma especial de funcionar durante muchos años. A pesar de la importancia que entraña alguien de la trayectoria política de Jaume Matas, que ha sido un personaje fundamental en la cúpula del PP y ministro de España, nadie se siente en la obligación de salir a dar la cara y pedir perdón a los españoles por el error cometido al confiar en él. Somos nosotros los que pagamos estas supuestas equivocaciones. Nadie lo hizo, nadie lo hace, nadie lo hará. El señor Aznar, que lo puso ahí, sigue dando charlas por el extranjero y ocultando la tan cacareada fórmula que poseía para sacar al país de la crisis. Cuando estaba en la oposición se entendía que la escondiera, aunque el gesto no era de patriota, para no dar ventaja a su odiado Zapatero, al que no cesaba de poner a parir en el extranjero a la menor ocasión, actitud que hacía fruncir el ceño de sus entrevistadores, que veían en ella un gesto de resentimiento impropio de un expresidente. Pero ahora que gobierna quien él decidió, podría pasarle la hojita de Harry Potter donde guarda la solución milagrosa a nuestros problemas. Mariano se lo agradecería. La lengua de Aznar para exigir responsabilidades y acusar a los demás desaparece ante la cantidad de basura que produjo aquel equipo del «milagro económico» y que ahora sale a flote. Aquel *dream team* de la corrupción. No pidió perdón por sus mentiras de la guerra de Irak, no lo hará por las fechorías de los que puso al frente de nuestro patrimonio.

Una muestra del sentido de lo público que tienen y de la forma en que manejan los fondos estos neoliberales la desvela el propio Matas en una entrevista a Jordi Évole. En un momento dice: «En Baleares no ha pasado nada que no haya pasado en otras comunidades autónomas..., aquí se ha sufrido una fiscalización que no ha pasado en otros sitios.» No nos consuela nada, señor Matas, saber que lo que pasa en Baleares ocurre también en el resto de España. La diferencia, dice, es que a él le han investigado. Ahí es donde ve el problema, en la fiscalización de las cuentas. Si no se fiscalizara, aquí no pasaría nada.

En otro momento declara: «La verdad es que a Urdangarin le habría recibido a la hora que él hubiera querido y donde él hubiera querido, eso es así.» También afirma que en ese caso la adjudicación de fondos se hacía sin concurso alguno. El señor Matas apela a la lógica y al hecho incuestionable de que no todos somos iguales. Olvida un pequeño detalle, que es donde se ve la forma en que se ha venido actuando durante demasiado tiempo: el dinero que soltaba no era suyo. Eso que afirma estaría muy bien si hubiera sacado su propia cartera y, mostrando esa admiración que él ve incuestionable hacia la institución monárquica, hubiera vaciado los fondos de su cuenta corriente traspasándolos a la del instituto Nóos, pero era generoso con el patrimonio ajeno. Son los propietarios de ese dinero, los ciudadanos, los que se quejan, señor Matas, compréndalo.

Estos neoliberales funcionan como si el dinero fuera suyo. De ahí, aquel comentario del señor Fraga cuando explicó las razones que le llevaron a suspender una gala de actores españoles: «Yo no pago para que me insulten.» Ustedes, queridos señores neoliberales, no pagan nada. Somos nosotros los que pagamos todo, y es a nosotros a quienes tienen que rendir cuentas, no a los líderes de su partido, a los que también pagamos nosotros. Ya sabemos que ellos no les ponen pegas, operan de la misma manera. La vieja consigna de la izquierda «el campo para quien lo trabaja», los liberales la traducen como: «El dinero público para quien lo administra.» Entienden el resultado de las urnas como una acta notarial donde el administrador pasa a ser el propietario. «Aguanta, Luis.» «Marca España.»

El puto amo

En medio de este caos generalizado con una red de corrupción que, como diría Matas, se extiende por toda España y aflora a nada que se investigue, aparecen las cuentas de Bárcenas y se lía el taco.

En total van por diecisiete, con un montante de 47 millones de euros. El lío se complica porque resulta que es el cajero central. El que guarda la llave de los fondos del partido.

Al principio todos le defendían e incluso el partido le pagaba el abogado. Disponía de despacho, secretaria y coche oficial. Poco a poco, se fue convirtiendo en un personaje tóxico que contaminaba a los que se acercaban a él. Le fueron desposeyendo de prebendas a cambio de ayuda subterránea, «Luis, sé fuerte», y de que cerrara el pico. Él pedía cariño, el mismo que habían otorgado a Camps. Nadie duda de que si el partido hubiera dado la espalda al expresidente de la Comunidad Valenciana y le hubiera calificado de apestoso como a Bárcenas, la decisión de aquel glorioso jurado popular que lo absolvió hubiera sido muy diferente.

El famoso «caso de los trajes» también nos da un índice de la baja exigencia moral en la que viven los próceres de la patria, aquellos que deberían dar ejemplo a los subordinados. El escándalo surgió a raíz de la investigación de la trama Gürtel, en la que los cabecillas de la organización corrupta habrían hecho regalos a altos cargos de la Generalitat Valenciana en forma de trajes y otros complementos, por un valor total de 40.000 euros entre los cuatro imputados.

Los compañeros de Camps salieron en tromba en su defensa, también el presidente Rajoy. Los más osados aseguraban que todo era falso, insidias, a pesar de que de los cuatro acusados dos, Víctor Campos, exvicepresidente del gobierno valenciano, y Rafael Betoret, exjefe de gabinete de Turismo, se declarasen culpables y reconocieran los hechos. La negación de los mismos por parte del jurado y, más tarde, del Supremo, implica la inocencia de Camps y Ricardo Costa, y el masoquismo suicida patológico de los otros dos que se declararon culpables de unos hechos inexistentes.

Aquella absolución por parte del jurado popular fue polémica porque en el juicio se aportaron numerosas pruebas de los hechos, así como los testimonios de una decena de empleados que reconocieron los regalos y a las personas que se encargaban de pagarlos. El informático de la empresa declaró que fue obligado a borrar el nombre de Camps como cliente de la contabilidad y sustituirlo por el de Álvaro Pérez, conocido por El Bigotes, labor que tuvo que llevar a cabo personalmente porque los responsables de la tienda lo habían intentado sin éxito. Según declaró, la orden le había sido dada por correo electrónico. La contable que, «presuntamente», envió esos correos declaró que un *hacker* se había metido en su ordenador y había dado la orden.

Tuvimos que oír unas conversaciones entre los cabecillas de la trama y los altos cargos de la Generalitat en las que se agradecían los regalos y se hacían manifestaciones de íntima amistad. Dolían los oídos. Tras declarar que apenas le conocía, se oía a Camps decir al Bigotes: «Te quiero un huevo» y llamarle «amiguito del alma». Y en otro momento al segundo decir al primero: «Fíjate si te debo.»

Como finalmente tales hechos «no ocurrieron», y debemos ser respetuosos con las sentencias, nos quedamos sin saber qué le debía El Bigotes a Camps.

El Tribunal Supremo ratificó la absolución considerando que no veía el veredicto ni «arbitrario» ni «irrazonable» ni «ilógico». Tampoco tuvo en cuenta el Supremo la inculpación de los otros dos acusados cuando respaldó la absolución del jurado popular.

Valoraciones jurídicas aparte, este caso generó cientos de escritos de carácter surrealista en la prensa, donde se ve hasta dónde se puede rizar el rizo cuando se quiere defender lo indefendible. En el camino quedó eso que llaman la responsabilidad política: si no había condena, si la justicia no consideraba punible lo ocurrido, se podía continuar con la cabeza alta en la administración de lo público. Todo es cuestión de que no te pillen y, si te pillan, que tengas suerte con el juez. Como dijo Rajoy en defensa de Bárcenas y Galeote: «Nadie podrá probar que no son inocentes.» Ésa es la consigna: «Mientras nadie pueda probar nada, tú sigue adelante.» No es necesario ser honrado, basta con que nadie pueda probar que no lo eres. O sea: «Móntatelo bien, imbécil.» Una vez decretada la inexistencia de los hechos, se pasó —de nuevo aparece ese surrealismo tan español— a valorar la importancia de los mismos. Los neoliberales ponían el grito en el cielo por el revuelo armado. Total, por unos trajes.

Un claro exponente de esa baja condición ética a la que han llegado estos altos cargos son las palabras de Rita Barberá al hablar de los hechos inexistentes de los trajes. Barberá, en su lógica, decía que si estaba prohibido recibir regalos debería procesarse también a Zapatero porque «Revilla le obsequia, por agasajo o complacencia, con algunas cajas de anchoas, un producto buenísimo y caro». Se refería a Miguel Ángel Revilla, presidente de la Comunidad de Cantabria. Para ella era lo mismo recibir regalos de una trama corrupta que se caracteriza por conseguir adjudicaciones de «la cosa pública» a cambio de sobornos, que unas latas de anchoas de un presidente de una comunidad autónoma. No se entiende bien por qué les ponía a los dos en el mismo plano. A lo mejor era porque ella, tal y como revelaba El Bigotes en una conversación telefónica, también recibía un regalito todos los años, aunque en este caso, a diferencia de Camps, con poca productividad: «Llevamos cuatro años regalando una cosa a la alcaldesa y este año no voy a dejar de regalarle, ¿sabes? No nos da nada, no nos sirve de nada, pero tampoco me jode.» En efecto, no le jodía, de hecho le ponía a la altura de un presidente de comunidad autónoma, que no será ponerle por las nubes, pero oye...

Esta opinión de que el valor de lo regalado era insignificante estaba muy extendida y servía de argumento absolutorio. Quién fuera la persona que regalaba lo consideran intrascendente. Para ellos es lo mismo sentarse a la mesa con un presidente de comunidad autónoma, caso de Revilla, que con un delincuente. No sabemos si es que no dan importancia a estar rodeados de chorizos mientras «nadie pueda demostrar que no son inocentes», o que rebajan la condición moral de un presidente a la de cabecilla de trama corrupta.

Esta defensa encendida de Camps por parte de los suyos, que consiguió convertir al pulpo en animal de compañía, fue determinante para su suerte procesal. Así es la vida, por los mismos hechos puedes ser declarado culpable o inocente en función de tus padrinos. Fue esta orfandad la que acabó con la paciencia de Bárcenas. Volvemos con él.

La cuestión es que si el cajero de la casa tiene bajo control una suma tan importante, 47 millones de euros, hay que aclarar de dónde ha salido y a quién pertenece. Aquí es donde se monta el taco. Este señor no tiene acceso a más fondos que los del partido. No tiene cargos que dependan de él que puedan proporcionarle una comisioncilla. Sólo puede sacar la pasta de la caja que, supuestamente, está a cero, siempre es deficitaria, como la de todos los partidos.

Se descartó, por gilipollesco, el argumento de su espectacular éxito como marchante de arte. Supuestamente, vendía cuadros sin valor a precios asombrosos. Su principal clienta, una señora argentina, Isabel Mackinlay, declaró que no sabía nada del asunto cuando se enteró de la envergadura del proceso. Según confesó, sólo había cobrado 1.500 euros por haber simulado ser mediadora en compraventa de arte. Bárcenas pidió en el juicio que se le hiciera un examen psiquiátrico, lo que ofendió al abogado de la señora. Protestó alegando que su cliente no estaba loca y exigió que la mujer de Bárcenas aportara pruebas del escaso bagaje mental de doña Luisa. El abogado, de paso, afirma que recibió una llamada del presidente de la compañía a través de la cual Bárcenas se acogió a la amnistía fiscal. En esa llamada le anunciaba que tendría problemas. Sainete «marca España».

El caso es que de la actividad como especuladores de arte de Bárcenas y su mujer, Rosalía, no se ha vuelto a hablar.

También quedó en el olvido la otra fuente, y nunca mejor dicho porque la pasta fluía a chorros, de ingresos de don Luis, su ojo como lince de la bolsa. Decía que sabía colocar muy bien el dinero y que le producía tales beneficios que, partiendo de su sueldo, llegó a amasar los 47 millones de pavos.

Como el personal del partido se empezó a quitar de en medio y, además, algunos debieron de sentirse idiotas por haberse quedado fuera del tinglado, o agraviados con respecto a lo que recibían los demás, pues empezaron las salidas de tono y las disensiones. La señora Cospedal entra en juego, reparte estopa y a Bárcenas no le gusta. Se queja por SMS a Rajoy, éste le dice que no tema por ella, que no va a hacer daño. Pero Bárcenas esta cada día más mosca.

A través de su amigo, abogado y exdiputado Jorge Trías, que verifica su autenticidad, aparecen en el mercado los famosos «papeles de Bárcenas», primero unas notas guarrillas y más tarde una contabilidad en toda regla con los apuntes correspondientes de pagos y cobros. Son descalificados por tratarse de unas fotocopias. El señor Bárcenas niega la mayor y afirma que esos papeles no son suyos. Le hacen una prueba caligráfica, queda impugnada porque los peritos dicen que escribe mal aposta. Se comporta como un niño haciendo el tonto, escribe como si le hubiera dado una embolia. Es una forma de ganar tiempo. El PP niega la veracidad de los papeles, afirma que todo es un infundio del diario *El País* y anuncia querellas contra el periódico y el autor de los falsos papeles sin nombrarlo. En éstas llega la señora De Palacio, exministra de Exteriores, que nunca se ha caracterizado por ser muy espabilada, y aparece metiendo la gamba, se querella contra Bárcenas porque aparece mentada en los papeles como receptora de sobres. Así, sin querer, adjudica la autoría de los papeles al extesorero. La caga.

Bueno, al final se demuestra que la letra es suya y que apuntes de entrada de determinadas empresas —donantes altruistas, «la duda ofende»— que aparecen en los «papeles» coinciden con apuntes de salida por la misma cantidad de dinero en la contabilidad de esas empresas. Se va confirmando que no sólo los papeles son auténticos, sino también lo que contienen.

Al parecer, se recibían importantes cantidades de dinero, al tiempo que el señor Bárcenas habría estado pagando sobresueldos en sobres con dinero negro a distintos cargos del PP durante un par de décadas. Algunos, como el señor Matas, se habrán sentido ofendidos por aparecer como perceptores de un sobre con 2.000 euros. Se dirían, no me fastidies que me van a tocar las narices por esta gilipollez, con lo que yo tengo «trajinao».

Ésta de los sobres era una costumbre muy arraigada. Según diversas informaciones se vendría practicando desde la época de Fraga y se estandarizó en 1989 con la llegada de Álvarez Cascos a la secretaría general. Fue Dolores de Cospedal la que acabó con ella. Qué lista, como ella cobraba tres sueldos... uno como secretaria general del PP, otro del Senado y otro como presidenta de Castilla-La Mancha, y aún pillaba otro cachito de los trienios como abogada del Estado... Durante un tiempo, a pesar de cobrar más del doble que el presidente del gobierno, se erigió en la defensora de la austeridad. Les quitó el sueldo a los diputados de su comunidad. En un acto de demagogia espectacular, pretende hacer de la actividad política un asunto para *amateurs*. Es decir, para ociosos o rentistas, la vuelta a la aristocracia. No le va mal a la número dos del PP, que además goza de una buena economía familiar. Desde que accedió al cargo, su marido ha estado en la dirección de once empresas y aún estaría en más si no se encontrara en el punto de mira y pendiente de un proceso por cobrar 7.000 euros al mes de Liberbank por no hacer nada, según dice la denuncia. En este estado de cosas ha tenido que renunciar a unos emolumentos de 180.000 euros al año como consejero (cómo mola lo de consejero, yo quiero serlo de mayor, están todos los ex altos cargos ahí) de Red Eléctrica por las presiones de la oposición, «por no entorpecer la carrera política de su mujer», según sus propias palabras. Está metido en todos los saraos, si uno lo busca en internet, acaba loco.

Volviendo al caso del cajero, el PP se presenta en la causa como parte perjudicada. ¿Perjudicada por qué? ¿Reconocían que esa pasta era suya? En ese caso se meterían en un lío.

Bueno, supongamos que todo es cierto y que Bárcenas hizo su fortuna sustrayendo dinero en el partido sin que nadie se percatara. De nuevo surge la pregunta impertinente. ¿Cuánto dinero se maneja en esa sede para que alguien pueda sustraer 47 millones de euros y nadie se entere? ¿A cuánto ascienden las donaciones?

A los neoliberales les encanta siempre poner ejemplos de la empresa privada. Su modelo, su guía, su meta. Pues bien, ahí va uno. Si a una cajera de una gran superficie no le cuadra la cuenta, se queda ese día hasta que se arregla el desajuste: si no, lo tiene que poner de su bolsillo. No se permite el escaqueo ni de un euro. Estos señores que pueden permitirse el lujo de ignorar la desaparición de 47 millones de euros en sus propias narices pretenden estar capacitados para resolver los problemas económicos de los españoles. No cuela. Uno no puede ser tonto de cuatro a seis y de nueve a diez. El «síndrome de la oligofrenia puntual temporal y crónica» no existe en la literatura médica.

Como ya hiciera con el caso Gürtel, el PP se persona como acusación popular en la causa. Es evidente que después de negar todo, de no reconocer la verosimilitud de los papeles, ni la entrega de pagos en negro, poco tiene que aportar como acusación. No se creen nada, lo niegan todo, la pasta no salió de ahí. Entonces, ¿cuál es el problema? Todo apunta a que sólo pretendían tener acceso a la investigación para entorpecerla, dilatarla, torpedearla. Finalmente, el juez Ruz ha rechazado tal posibilidad.

El fiscal, para variar, se despista, se opone a la declaración de algunos testigos e incluso a que se investigue la destrucción de pruebas como los discos duros, las memorias de los ordenadores de Bárcenas, y la desaparición de las agendas de don Luis y de Álvaro Lapuerta, el anterior tesorero. Considera que esa investigación no es necesaria para el desarrollo de la causa, a pesar de que la destrucción de pruebas constituye un delito en sí. Sorprendentemente, también se niega a preguntar a los donantes altruistas, «la duda ofende», aunque la mayoría rechazan haber hecho donaciones y alguno se acoge al derecho a no declarar. Según los famosos «papeles», Villar Mir ha donado a la formación hasta 530.000 euros. Ha recibido 629 obras públicas por un valor de 7.758,21 millones de euros. Cuando llegan estos señores donantes altruistas, «la duda ofende», y el fiscal hace mutis, es el juez el que tiene que ejercer sus funciones. Es un poco raro que no le interese nada de esto, ¿no?

Todos mienten

Lo único que está claro, por ahora, es que todos los miembros del PP que han sido citados mienten. Según una versión, los discos destruidos estarían vacíos, no se perdió información, pero añade que los formatearon. Bueno, en general no se suele borrar un disco vacío, pero a nadie se le puede condenar por extravagante. Según otra, los ordenadores eran suyos y pueden hacer con ellos lo que les dé la gana. Obrarían en este caso de la forma habitual cuando alguien deja el puesto de trabajo: borran sus archivos para ceder espacio a los del nuevo. Una tercera versión, la más interesante, la del abogado de Dolores de Cospedal, afirma que fue el propio Bárcenas el que destruyó o borró los discos duros.

Definitivamente, alguien debería mirar los aires acondicionados de Génova. Ahí reside un virus que vuelve majara al personal. Uno sugiere que ya que no permiten una sola comisión de investigación en el Congreso amparándose en su mayoría absoluta; ¿no podrían aprovechar ese tiempo en la creación de un seminario para inventar una versión de los hechos única que todos sostuvieran delante del juez?, porque a este paso lo van a volver loco y, además, al fiscal, que, por más que intenta ayudar el hombre, como buenamente puede, lo dejan en mal lugar. Se está portando como un abogado defensor, y si en estos tiempos y con la que está cayendo, ésta es la forma de actuar de los que deberían perseguir la corrupción, estamos «apañaos».

Un abogado de la acusación popular, José María Benítez de Lugo, ha elaborado una clasificación de los diferentes tipos de personal que han ido pasando por la sala. La mayoría de los miembros del PP, según él, estarían en la categoría de «claramente» mentirosos. Otros serían «los destructores». Otros, los «desmemoriados selectivos», recuerdan con precisión unas cosas y olvidan otras. Los «ignorantes» no recuerdan nada. Los «cautos», como María Dolores de Cospedal, precisan mucho las cosas, se ve que vienen bien preparados, como hay que venir. O los «imaginativos», como el abogado de la misma, que es el autor de la versión en la que Bárcenas destruye las pruebas que le pueden salvar la vida.

Dentro de lo farragoso que está siendo todo y de la poca colaboración que prestan los testigos e imputados, hay que darse con un cantito en los dientes. Hubo un tiempo en que el señor Bárcenas estaba en manos del juez Antonio Pedreira, del Tribunal Superior de Justicia de Madrid, del que presumían en el PP que estaba a favor de obra. Este señor fue el que no veía relación entre las siglas de un pagador del PP llamado L. B., o también Luis *el Cabrón*, y un pagador que trabajaba en el PP y que se llamaba Luis Bárcenas. Desde luego, un lince, lo que se dice un lince, no es. O a lo mejor sí, y se hace el osito panda.

Afirmaba este juez que carecía de sentido que Bárcenas percibiera de las empresas de Correa 72.000 euros porque hacía tres años que no tenían relación (?). Y consideraba probado que, además, existía una mala relación entre ellos. Bueno, si esto de la mala relación le servía al juez para concluir que Correa no le daba dinero, también es cierto que le ponía en la pista de a quién se refería cuando mentaba a Luis *el Cabrón*. En cualquier caso, el juez Pedreira no vio nada de lo que ahora se sabe, teniéndolo encima de la mesa.

Salta al terreno de juego Jorge Trías Sagnier, exdiputado del PP de la época de Aznar y abogado. Este señor parece ser que se encargó de sacar a la luz los famosos «papeles de Bárcenas». En cuanto se publicaron dijo reconocerlos porque el propio Bárcenas se los habría enseñado un par de años antes. Trías se entrevistó con el juez en muchas ocasiones, haciendo de intermediario, según su versión, entre el propio juez y Rajoy, al que tendría al día del desarrollo de las investigaciones. A cambio, Pedreira, que se encontraba muy enfermo, pedía tranquilidad, que le dejaran trabajar en paz, «sin presiones». Gracias a esta relación que estableció con el juez, Trías se jactaba de haber evitado que empapelaran a la mujer de Bárcenas en la Gürtel. Esa exoneración de Rosalía indignó a las fiscales del caso, que manifestaron su rotunda oposición. Unos meses después también dictó sobreseimiento para Bárcenas.

Entonces apareció Trillo y dijo: «Esto demuestra que todo ha sido un montaje político de los socialistas encabezados por el exministro del Interior Alfredo Pérez Rubalcaba y obedecido por sus hombres.» Pidió responsabilidades: «Tras dos años y medio de acoso al tesorero nacional del PP y a través de él al PP, González y Olivera deben ser removidos de su cargo de manera fulminante.» Juan Antonio González era el director de la Comisaría General de la Policía Judicial, y José Luis Olivera, el máximo responsable de la Unidad Central de Delincuencia Económica y Fiscal. Así las gasta don Federico, que Londres lo tenga en su gloria.

También aprovechó Trillo la ocasión para echar las campanas al vuelo y pedir el archivo del caso Gürtel: «Se vio claro que el caso Gürtel fue un montaje y quedó demostrado con la cacería celebrada un día después de producirse las primeras detenciones de la trama —el 7 de febrero de 2009— a la que asistió el juez Baltasar Garzón, instructor de la causa, y el entonces ministro de Justicia Mariano Fernández Bermejo.» Esta cacería en la que coincidieron Garzón y el ministro fue organizada por un miembro del PP y el encuentro provocó la dimisión de Fernández Bermejo. O sea, la cacería la organiza un hombre de PP que se encarga de invitar a unos y a otros y luego piden la dimisión de los que acuden. Hombre, pues, puestos a ver conspiraciones, el señor Trillo podría pensar que la cacería fue una trampa. Desde luego más de uno se pegó un tiro en el pie.

Trías, según su versión, estuvo reunido con el juez Pedreira decenas de veces a instancias de Rajoy. ¿Estamos locos?, ¿qué pensaría Trillo? Si pidió y consiguió la dimisión del ministro de Justicia por coincidir con Garzón en una cacería, a éstos, por quedar a comer en pleno proceso cada vez que les venía en gana, y sin testigos, qué menos que un destierro de veinte años en Siberia. Pero no, ahí no había nada que objetar.

Trías se vio tantas veces con el juez que pasó una factura al PP de casi 50.000 euros. Por cierto, y rizando el rizo, Bárcenas dijo que entregó dinero a Trillo para pagar la defensa de militares del Yak-42. Y también un pastón, personalmente, cuando dejó la presidencia del Congreso, porque, según él, debían compensarle la pérdida de poder adquisitivo. Paradójicamente, Trillo siempre ha defendido el honor, la inocencia y la honradez de Bárcenas: no sé si seguirá pensando lo mismo. De momento, con lo que le gusta despacharse en los medios, se niega a responder a estas acusaciones de los dineros recibidos. Claro que estas opiniones acerca de la inocencia de Bárcenas no son desinteresadas: Federico Trillo cobró del PP 69.600 euros, IVA incluido, por coordinar las defensas de los altos cargos imputados en la trama Gürtel. El PP se hace cargo de las defensas de los acusados por delitos de corrupción. Si fuera una madre, se podría decir que malcría a sus retoños. Como es el partido que nos gobierna, es más apropiado decir que vamos de culo, por utilizar un término jurídico. Hay que recordar que mientras se hacía cargo de la defensa de los imputados, el PP se personaba en la causa como acusación particular. «Habemus morro.»

Al enterarse Trías de que había tela por medio, presentó a su vez una factura de casi 50.000 euros por las zampas y reuniones habidas con el juez Pedreira, que en el partido se negaron a pagar. Se cabreó y se volvió contra ellos. Se han buscado un enemigo chungo, les traía cuenta haber pagado. Total, por uno más...

Poco después, la Audiencia Nacional echó para atrás estas decisiones del juez Pedreira y el caso Bárcenas se reabrió, lo que nos ha traído hasta aquí.

La Fiscalía Anticorrupción asegura no ver relación entre la supuesta doble contabilidad de PP y las cuentas Bárcenas en Suiza. Al mismo tiempo, Rajoy asegura no haber recibido dinero negro del partido y, en un acto característico del Festival del Humor, anuncia que publicará sus declaraciones de la renta y patrimonio.

Hay que recordar al señor Rajoy que, en caso de recibir aportaciones de dinero negro, no las puede incluir en la declaración de la renta como un ingreso, ni siquiera extraordinario, porque no hay casilla para tal efecto; por tanto, la publicación de su declaración de la renta para aclarar las cosas no viene a cuento. Es como si le preguntan a un ladrón si ha robado una casa y para demostrar su inocencia enseña su declaración de patrimonio. Lo más probable es que se gane una galleta porque a la policía no le suele gustar este tipo de cachondeo en horas de trabajo. Otra posibilidad es pensar que lo dice en serio, que no está de guasa, en cuyo caso podemos caer en una depresión profunda al comprobar en manos de quién estamos.

Don Mariano debería rodearse de asesores que le orienten en este sentido. Cuando tire balones fuera debe hacerlo con arte. En los estadios de fútbol, cuando están junto a la línea de banda, los jugadores no despejan dando un patadón con todas sus fuerzas al balón contra la grada, porque pueden hacer daño a la gente y, aunque la pelota no toque a nadie, el personal se va a cabrear sobremanera. La afición exige respeto.

Puestos a sacar documentos exculpatorios, tampoco serviría para demostrar que no ha cobrado sobresueldos en negro la publicación de un libro de poemas, y dejamos aquí la lista de publicaciones que no vienen a cuento, porque su número se aproxima al infinito.

El 3 de febrero de 2013, el diario *El País* hace pública la segunda entrega de los papeles de Bárcenas y Alfredo Pérez Rubalcaba pide la dimisión de Mariano Rajoy. Al día siguiente, el presidente del gobierno, en rueda de prensa —en Alemania, claro—, con motivo de una visita a Merkel —aquí no se digna hablar con los medios, él es más de «transparencia»—, afirma que «todo es falso salvo alguna cosa». Le gusta hablar como si estuviera en la barra de un bar jugando a las adivinanzas. Ante la aparición de documentos tan comprometedores, se limita a lanzar un enigma al viento. También podría haber dicho: «Si es verdad o no, algún día se sabrá. Venga, me invito a una rondita.»

El juez Ruz revela que Bárcenas se acogió a la amnistía fiscal a través de una cuenta en Suiza; Hacienda insiste en que no pudo acogerse. No explican por qué.

Bárcenas denuncia al PP por despido improcedente, por el robo de sus ordenadores y por maltrato laboral. Al no llegar a un acuerdo tras un acto de conciliación, reclama a su antiguo partido 900.000 euros de indemnización.

El 27 de junio, el juez Ruz ordena el ingreso en prisión de Bárcenas por riesgo de fuga tras conocer que el extesorero ha estado llevando fondos de Suiza a Estados Unidos y Uruguay.

En julio aparece una hoja original arrancada, supuestamente, del cuaderno donde Bárcenas llevaba la contabilidad, que recoge pagos a Mariano Rajoy por valor de 15 millones de pesetas, así como otros a Rodrigo Rato, Jaime Mayor Oreja, Javier Arenas y Francisco Álvarez Cascos.

Mariano Rajoy compareció el 1 de agosto en el Congreso en un pleno extraordinario sobre el caso Bárcenas. En esa comparecencia, se despachó con multitud de frases cuya veracidad era puesta en duda porque ya se habían publicado los SMS en los que mandaba mensajes de ánimo al extesorero, después de saberse que tenía las cuentas en Suiza, lo que le impediría alegar que Bárcenas le engañaba. Aun así, siguió erre que erre. «Mi único papel fue el de creer a un falso inocente, no el de encubrir a un presunto culpable.» No sé qué entiende el señor Rajoy por encubrir, pero a través de sus mensajes telefónicos apoyaba al tesorero, no le pedía explicaciones por ese «presunto» engaño del que decía en el Congreso había sido objeto. «Me equivoqué en mantener la confianza en alguien que ahora sabemos que no la merecía», dijo, pero la siguió manteniendo cuando supo que «no la merecía». No se entienden las razones que llevaron a Rajoy a seguir junto a Bárcenas si le había traicionado. En ese caso, debería ponerse de parte de los que le acusan y perseguirlo con saña por el gran daño que le ha hecho. Recordamos que Bárcenas sigue afirmando que le entregó sumas de dinero negro. Al negarse a aclarar estas cuestiones, el presidente del gobierno queda en mala posición. La única razón por la que alguien mandaría mensajes de ese tipo a un recluso que le está haciendo daño es porque se trata de su cómplice.

En este sentido, es especialmente significativo el que envía Bárcenas a Rajoy con fecha 14 de marzo de 2013, en pleno tomate, cuando ya se sabe todo, cuando no caben excusas de desconocimiento de los hechos o dudas sobre la integridad del extesorero. En un trozo de ese mensaje podemos leer: «No sé a qué estáis jugando, pero quedo liberado de todo compromiso contigo y con el partido.» ¿A qué se había comprometido Bárcenas con Rajoy y con el partido hasta el 14 de marzo en que rompe su alianza? Un año antes, Rajoy le había escrito un mensaje que nos da una pista: «Luis, nada es fácil, pero hacemos lo que podemos. Ánimo.» A todas éstas, no hay voces discrepantes dentro del partido que pidan una aclaración de lo que está pasando, la *omertá* funciona. Antes conservar el puesto que exigir honradez.

Bárcenas seguía en contacto con el presidente del gobierno después del descubrimiento de las cuentas secretas de Suiza y de la publicación de los «papeles». La comparecencia en el Congreso quedaba por tanto plagada de mentiras y de medias verdades, como dirían los diarios británicos, de contradicciones, como dirían los medios de comunicación españoles. «La cosita está muy maaaal», como diría Chiquito.

El presidente del gobierno había mentido en sede parlamentaria y no en una cuestión política, algo a lo que él y sus compañeros ya nos tenían acostumbrados, sino en un tema de dinero, en un caso de delincuencia común, en una cuestión de pasta gansa, que dirían en mi barrio; de viruta, que dirían en el talego; de *jurdós*, que dirían los gitanos. Parafraseando al presidente podemos decir que es inocente de todo, salvo de «algunas cosas». Y deben de ser esas cosas las que le mantienen unido al recluso en un compromiso que no se explica ni a través de un plasma.

Aparece una nómina de Bárcenas de mayo de 2012. Otra vez petición de dimisión de Rajoy de toda la oposición. Además, que se hubiera ocultado esa nómina implica que todo el aparato está colaborando en la causa. La complicidad con Bárcenas ya no es cosa de los íntimos, atañe al partido. Todo parece orquestado, se comportan como una banda, y no precisamente de música.

En agosto de 2013, María Dolores de Cospedal, Javier Arenas y Francisco Álvarez Cascos declaran ante el juez Ruz que no tenían control alguno sobre las donaciones que se entregaban al partido, que eran competencia exclusiva del tesorero. Quitándose de encima toda responsabilidad terminan de enredar la madeja. Según esta versión, allí llegaban personas, dejaban un pastón encima de la mesa y nadie sabía qué pasaba con ese dinero salvo Bárcenas. El tesorero podía disponer a su antojo de la «cifra». Si Cospedal, Arenas y Álvarez Cascos no tenían ni idea de qué pasaba con ese dinero, ¿en qué se basan para afirmar que no se repartía, por qué siguen sosteniendo que nadie ha cobrado sobresueldos cuando ya hay miembros del partido que han reconocido públicamente haber aceptado esos sobres?

También sorprende que afirmen con rotundidad que las cuentas están claras y que no hay ninguna doble contabilidad. Hacen responsable exclusivo de todo el dinero que entra en la sede a Bárcenas, que lleva, según dicen, las cuentas de una forma impecable. ¿Es el mismo Bárcenas al que han calificado de ladrón, mentiroso, embaucador, delincuente y un largo etcétera de adjetivos, todos relacionados con la falta de honradez? Podrían decir: «Nos ha engañado, no nos extrañaría que las cuentas no se correspondieran con la realidad, que esté repartiendo sobres por ahí, o que llevara una doble contabilidad.» Esta versión sería más creíble, pero resulta que no, que Bárcenas mentía siempre, robaba dinero, pero sus cuentas son incuestionables. ¿Esto cómo se come? Lamentándolo mucho, después de escuchar la opinión que ellos mismos tienen de ese señor, resultan más creíbles sus famosos «papeles» que las cuentas oficiales, también del mismo autor.

Para colmo, sólo unos días después de que estos líderes del partido pasaran por la Audiencia, el exgerente del PP, Cristóbal Páez, afirmó ante el juez que recibió pagos en dinero negro por valor de 12.000 euros, que aparecen en los «papeles de Bárcenas», procedentes de donaciones que no se declaraban a Hacienda. El que decía esto era el gerente, uno de los encargados de llevar las cuentas. O sea, que los que no llevaban control del dinero le dicen al juez que no hay doble contabilidad, y los que llevan el control del dinero dicen que sí.

Más tarde, la prensa destacó que Páez podría haber cobrado hasta 350.000 euros del PP por haber custodiado «los papeles de Bárcenas». Esos que no existían y si existían eran falsos.

Para terminar de esclarecer las cosas, en su afán de ser líderes de transparencia, los ordenadores de Bárcenas que tenían «bajo custodia» fueron formateados. Desde el partido advirtieron, cuando les pidieron que los entregaran, que lo habían hecho siguiendo un protocolo acorde con la Ley de Protección de Datos, según el cual cuando un empleado que maneja información sensible deja su trabajo se procede a borrar la memoria de sus ordenadores. ¿Qué entendieron cuando se les ordenó la custodia de esos aparatos? Estos señores del PP debieron de creer que, en realidad, lo que el juez quería era que no se rompiera el cacharro porque vale dinero, y no están los tiempos para derrocharlo, pero que no tenía el menor interés en consultar la información que contenían esos ordenadores. Qué rabia les debió de dar, con lo que les gusta colaborar con la justicia, que el juez se quedara de piedra al comprobar que los discos duros estaban formateados. De haber sabido que lo que quería el juez era el contenido y no el continente, no habrían tenido inconveniente en conservar las memorias. «Marca España.»

Por otro lado, las secretarias de los señores Bárcenas y Lapuerta (que le precedió en el cargo), Estrella Domínguez y Rosa María López, declararon que habían destruido, por iniciativa propia, «sin que nadie se lo ordenara», las agendas de sus respectivos jefes porque creían que no servían para nada. Estas agendas contenían las anotaciones de las visitas de los empresarios que hacían las donaciones. Visitas que ellas no recordaban en absoluto y que las agendas podrían ayudar a aclarar. A pesar de que el caso copaba los medios de comunicación, ellas no estaban al tanto de lo que podían significar esas agendas para la causa y se limitaron a hacer lo que hace cualquier secretaria, tirar las agendas de sus jefes cuando les parece bien.

De nuevo estamos ante un caso en el que dos personas se vuelven tontas al ser interrogadas por el juez. No se entiende que, con esa mala memoria que les impide recordar visitas y la negligencia manifiesta al destruir documentación «sin que nadie se lo ordene», trabajaran en puestos tan cualificados.

Bromas aparte, dejémoslas para los testigos cuando son citados por el juez Ruz, estas señoras parecen comportarse de otra manera cuando no están declarando. En unos SMS que intercambió con la mujer de Bárcenas, cuando ésta pidió a la que fue secretaria de su marido sus agendas, Estrella Domínguez parecía comprender la importancia de esos documentos y confesaba no poder devolverlas porque estaban en el «partido». Vaya, ahora resulta que estaban en el partido, nada decía de que las hubiera destruido en un arranque de iniciativa «sin que nadie se lo ordenara», arranque que, recordemos, también tuvo la secretaria de Lapuerta, y que se configura como una plaga de espasmos destructores de pruebas que asola la sede de Génova. Tal vez habría que aislar y poner en cuarentena el edificio como en la película *Rec*, donde un extraño microbio vuelve a la gente muy rara.

Si no son partidarios de dejar huella de lo ocurrido hace dos días, como quien dice, de la «memoria histórica», mejor no hablamos. Corramos un tupido velo y pensemos que gracias a la aplicación de la Ley de Protección de datos, sumada a la acción de voraces secretarias que actúan como termitas, no ha quedado un solo documento sano en este país. Aunque también podemos correr un tupido velo sobre toda esta patraña, toda esta sarta de mentiras y exigir, de una vez, a la justicia que ponga las cosas en su sitio.

EL DÍA DESPUÉS
—

El pozo es mucho más profundo de lo que parece. Cuando la mentira, la abyección, el latrocinio, y la desvergüenza se convierten en norma, se hacen cotidianos, podemos creer que se ha tocado fondo pero, desgraciadamente, la capacidad de degeneración, de destrucción, tiende al infinito.

Al principio del libro hacía hincapié en que si no somos conscientes de nuestro pasado reciente, de dónde venimos, difícilmente podremos entender lo que ocurre. Aquella España que miraba hacia otro lado mientras la libertad era pisoteada, el pensamiento y la cultura perseguidos, generó un estado de apaciguamiento ciudadano que dio en llamarse «mayoría silenciosa», siempre reivindicada por la dictadura frente al «tonto útil», y hoy, de nuevo, ensalzada por el PP a la que dice dirigir su política. Vuelve aquella banda sonora.

Desde el bando de los vencedores

Yo me crié en el seno de una familia que había ganado la guerra. No había ningún pariente cercano del bando republicano. El más próximo, un hermano de mi padre, se fue a Argentina y no lo conocí hasta haber cumplido más de treinta años. No hablo desde el rencor inevitable de aquel al que han privado de lo esencial, del que le han arrebatado a sus seres queridos. Mi discurso sale de un sentido de la justicia elemental porque un día creí que otra España era posible y que alguna vez entraríamos en la normalidad democrática, en lo que para mí significaba el futuro. Creí firmemente que el español tenía derecho a la libertad, como los ingleses o los holandeses, sin ser masacrado. También creí que aquellos que ostentaron el poder durante la dictadura y los que los apoyaban se marcharían para siempre, descabalgando de sus monturas, o galopando en el sentido contrario al de la historia, al tiempo que desaparecían las estatuas ecuestres del dictador de nuestras plazas.

También he creído que aquella sociología que dejó el franquismo de millones de personas educadas en el vacío intelectual, en la persecución de la cultura, en la represión y la tortura, en la abolición de la libertad a la que se sacrifica por ser un capricho prescindible de mentes débiles y decadentes, está entre nosotros. Los que se educaron en aquella política y la hicieron propia, herederos de los que entendían España como una propiedad, y a los ciudadanos como peones al servicio de esa causa corrupta y totalitaria, forjaron su carrera durante la Transición y, después, la desarrollaron en la democracia. Es evidente que no usan los mismos modos, que no utilizan el mismo protocolo ni aquellas formas, algo sí de sus vacíos discursos retóricos, pero recogieron el testigo. Eran jóvenes en aquella España que despertaba a la libertad, sufrían con sus mayores al ver el desmantelamiento de un mundo que agonizaba sin remedio. De la noche a la mañana, y sin que nadie explicara por qué, la España «de toda la vida» se convirtió en algo vergonzante. De Franco no hablaba nadie. Parecía que hubiera muerto un siglo antes. Nadie sabía cómo iba a terminar aquello. Los franquistas se camuflaron en la masa hasta que escampara. Escuchaban perplejos a los rojos hablando en la barra de los bares con un descaro total: la apoteosis del libertinaje. Todo aquello que había sido inculcado durante años como motivo de orgullo —la marcialidad, la virilidad, la gallardía, la jactancia de ser español— perdía vigencia y pasaba a ser ridículo, detestable.

No es fácil renegar de la herencia ideológica de los padres, sobre todo cuando ha reportado unos privilegios notables, sustanciosos, irrenunciables. Siempre sostuve que si España era diferente en algo, esa diferencia venía marcada por ostentar el triste honor de ser el único país del mundo donde triunfó el fascismo y se quedó durante cuarenta años, hasta que murió su líder.

El gran partido de derecha española, Alianza Popular, fundado como coalición de pequeños partidos presididos por exministros de Franco, orgullosos de serlo, a los que se llamó en su día «los siete magníficos», se nutrió de jóvenes dispuestos, entusiastas, de sangre nueva. Los que hoy nos mandan. Ahí crecieron, respetando a sus ancestros de los que todo aprendieron, a los que veneraron, a los que nunca cuestionaron ni reprocharon su pasado, a los que nunca preguntaron «¿cómo fue?», a los que admiraron y admiran. Su resistencia actual a eliminar los vestigios de la dictadura y los monumentos erigidos a criminales de guerra que luchaban a sangre y fuego contra la democracia y la libertad, les define. Acabar con ese pasado es como borrar de la tierra los cimientos de su civilización. Hoy, de la mano de otra nueva generación, asistimos al resurgir de los homenajes, de las acciones, de los símbolos, de aquella España de la dictadura que muchos creían enterrada porque así lo deseaban, pero que estaba presente gracias a la llama que siempre mantuvieron encendida unos, y a la cobardía de otros que no hicieron nada por apagarla cuando gobernaron. Jamás se enseñó en las escuelas lo que ocurrió en aquella guerra. Quién era quién. De qué bando estaba la democracia y de cuál la abolición de la libertad durante cuarenta años. No se enseñó ni se enseña en las escuelas, como se enseña en el resto de Europa, nuestra guerra, ni la segunda guerra mundial. No se enseña qué fue la dictadura de 1939-1975. A contar la verdad, a estudiar nuestra historia, lo llaman adoctrinar. La razón para no revisar nuestro pasado es «evitar abrir las heridas». ¿Las heridas de quién? Para no herir la susceptibilidad de los torturadores, se humilla a las víctimas. Siguen anclados en aquello, en lo mismo.

No se ha llevado a cabo desde las instituciones democráticas un acto de reconocimiento oficial a las víctimas que lucharon por la libertad y la justicia en España. No se ha hecho una política de reparación a las familias que sufrieron en silencio durante tantos años el secuestro y asesinato de sus seres queridos. A aquellas madres que tuvieron que ocultar la verdad a sus hijos porque no querían revivir el horror, porque no querían inculcarles el espíritu de venganza. A aquellas mujeres que todas las noches al cerrar los ojos recordaban a sus maridos asesinados y tachados de criminales. A aquellas mujeres que vivieron en el terror y que soñaban con el olvido. Nadie les tendió la mano, nadie las consoló. Sólo homenajes civiles, desde iniciativas privadas, en alguno de los cuales he tenido el honor de participar y que lejos de contar con la colaboración de las autoridades competentes, se han celebrado en algún pueblo de extrarradio de la capital del Estado porque tanto el Ayuntamiento como la Comunidad se niegan a colaborar en actos de revisión del pasado: hipócritas.

España tiene una deuda con ellos, con todos los que yacen en las cunetas, junto a las tapias de los cementerios y en los olivares, en fosas comunes, por luchar por la libertad. Fueron asesinados a causa de sus ideas y constituyen el mayor testimonio de vergüenza de la humanidad, todavía, ochenta años después de aquel infame golpe de Estado que muchos cargos electos aún se niegan a condenar. Esta vergüenza se arrastra año tras año por la intransigencia y la crueldad de esos políticos y jueces que no quieren quitarse el barniz del fascismo que asoló nuestro país: la Transición no fue ruptura.

Quiero recordar aquí el informe que, con motivo del intento de extradición por parte del juez Garzón de Augusto Pinochet, realizó Eduardo Fungairiño cuando era fiscal jefe de la Audiencia Nacional porque representa el paradigma de la defensa del Estado totalitario desde instituciones cuya misión es perseguirlo: «[...] las Juntas Militares en Argentina y Chile no pretendían sino la sustitución temporal del orden constitucional establecido mientras se subsanaban las insuficiencias de ese orden constitucional para mantener la paz pública». «Las insuficiencias del orden constitucional» a las que hace referencia el fiscal jefe no eran otra cosa que la victoria del Frente Popular de Salvador Allende en las urnas. Gana el rival, se le mata, de paso a miles de sus seguidores a los que se va a buscar a sus casas, y se restablece el orden y la paz. Así definía Fungairiño el secuestro, el asesinato, la tortura, la mutilación y la desaparición de miles de ciudadanos en Argentina y Chile: «sustitución temporal del orden constitucional para mantener la paz». Lo que ocurra durante ese período de «sustitución» carece de importancia. La obligación de la justicia de perseguir el delito pasa a un segundo plano cuando la causa es justa, cuando el asesino es «de los nuestros», la ideología por encima de la ley.

Esta apología del fascismo y el terror no fue condenada y, mucho menos, castigada por el poder judicial. El Tribunal Supremo se limitó a comentar que era una resolución discutible o criticable pero no delictiva. La cuestión es que no se trataba de una opinión, sino de una resolución que legitimaba el terrorismo de Estado, el crimen y, por supuesto, el saqueo de las arcas públicas en beneficio de las familias golpistas, como siempre. Es esta connivencia de las instituciones con el fascismo la que nos ha traído hasta aquí, a este momento de complacencia en la corrupción que pone en jaque al sistema.

Recientemente, una comisión de la ONU se ha mostrado sorprendida por la situación en la que todavía se encuentran las víctimas de la dictadura, hecho que consideran insólito. En sus conclusiones afirman: «El Estado debe asumir un rol de liderazgo y comprometerse de manera más activa para atender la demanda de miles de familiares que buscan conocer la suerte o el paradero de sus seres queridos desaparecidos durante la guerra civil y la dictadura.» Ignoran que el Estado hace, precisamente, lo contrario. Pone todas las trabas posibles y, aunque en sus encuentros con esta comisión hablan de la Ley de la Memoria Histórica, les oculta que la han dejado sin presupuesto para que no pueda salir adelante, o que el juez Garzón fue acusado de prevaricación por intentar investigar los crímenes del franquismo. Con respecto a la exhumación de las fosas comunes, la comisión ha denunciado que: «El juez no se persona, por lo que el acto carece de reconocimiento judicial.» También ha pedido al Estado que «levante las recientes restricciones legales y vuelva a la aplicación de la jurisdicción universal».

Así es, seguimos siendo la excepción. Nos continúan pidiendo que levantemos las «restricciones legales» y nos incorporemos al mundo occidental, que apliquemos «la jurisdicción universal». Estamos fuera de ella.

Recordemos que fue el gobierno de Aznar el que con las trabas, dilaciones, y chanchullos pertinentes evitó el procesamiento de Pinochet cuando estuvo retenido por la justicia en Gran Bretaña a instancias de una denuncia cursada por el juez Garzón que antes mencionaba, y sobre la que vamos a volver.

Antes hablamos del fiscal jefe Eduardo Fungairiño, revisemos ahora los argumentos del fiscal de la Audiencia Nacional, Pedro Rovira, para justificar, bajo la apariencia de la aplicación de la justicia, la impunidad para los dictadores neofascistas. Afirma el fiscal que el antiguo código penal sólo contemplaba el delito de torturas cometido por «autoridad o funcionario público». En este punto manifiesta que «tiene dudas de que un jefe de Estado sea autoridad». Para este señor, Pinochet no torturaba, secuestraba y asesinaba basándose en su autoridad, sino, al parecer, porque las víctimas se lo reclamaban. Él no debía cursar órdenes, ejecutaba deseos. Además, asegura el fiscal, que según nuestra legislación las torturas sólo pueden perseguirse cuando se realizan «con el fin de obtener una confesión o testimonio». Según Rovira, las torturas cometidas por el régimen de Pinochet se cometían con «la finalidad, no de investigar hechos, sino para originar el terror en la ciudadanía chilena o para obtener informaciones de otras personas; pero tampoco estos casos están tipificados en nuestro ordenamiento jurídico como delito de torturas, al recogerse sólo y exclusivamente las torturas como fin de obtener una confesión o testimonio que afectaban a la persona torturada».

Ya lo ven, para el fiscal de Audiencia Nacional se puede perseguir la tortura si su finalidad es obtener una confesión, pero no si se lleva a cabo para conseguir información de otras personas o generar terror en la ciudadanía. Además, ¿en qué se basa para afirmar que las torturas no se hacían con la finalidad de investigar hechos? ¿Estaba presente en los interrogatorios? ¿No se hacían para obtener una confesión? Entonces ¿para qué?, ¿por placer? Todo un experto en tortura y sus matices. Algunos se preguntarán ¿de dónde salen estas personas de la alta judicatura? De allí.

Desde la Audiencia Nacional se atenúa la importancia del terrorismo, para cuya persecución fue creada, al no ver perseguible la tortura cuando su fin es generarlo. Vueltas y más vueltas, papeles y más papeles para evitar la acción de la justicia, para tapar el crimen, la tortura y el terrorismo de «los suyos», ese que no es perseguible. Toda esta maniobra que se orquestó desde la judicatura a instancias del gobierno de Aznar tenía una sola meta, una consigna: «A Pinochet no lo toquéis.» Un juez británico aseveró que Pinochet había tenido en el gobierno español a «su mejor abogado defensor».

Al despedirle, ante el avión que le llevaría de regreso a Chile, una emocionada Margaret Thatcher, que días antes se había personado de visita en la residencia del general y afirmado ante los medios que estaba muy agradecida a Pinochet por «haber devuelto la democracia a Chile», le regaló una bandeja de plata diseñada para la ocasión que conmemoraba la victoria de sir Francis Drake sobre la flota española en 1588, como signo de humillación hacia España, celebrando su regreso a Chile y que se hubiera evitado lo que llamó «intento de colonialismo judicial español», de la mano del juez Garzón, del que decía estar asesorado «por un grupo de marxistas», en una muestra inequívoca de respeto a la independencia judicial. Éste es otro ejemplo de la indecencia con la que se mueven estos dueños del mundo que operan en las democracias y se llaman a sí mismos neoliberales, aunque están plenamente identificados con los regímenes dictatoriales y fascistas a los que amparan y, como vemos, defienden hasta la extenuación. «A los míos no los toquéis.» Es esa máxima la que les mueve, por eso los «neoliberales» españoles celebraron en su día esa humillación a su adorada patria, había una razón de orden superior: «Thatcher era de los suyos.» Como decía, se han internacionalizado, la patria ha pasado a un segundo plano respecto a sus interés bastardos que enriquecen a los adictos al «nuevo régimen» y empobrecen a los pueblos.

Tenemos que huir de aquella España, dar la espalda al fascismo, señalarlo, denunciarlo.

Todo este rollo de nuestro origen y sus consecuencias, que vengo contando hace tiempo, hacía que en algunos coloquios se me acusara de exagerar por hablar de un mundo remoto, inexistente. El tiempo me ha dado la razón y, recientemente, hemos podido ver a diferentes cargos del PP —concejales, miembros de las Nuevas Generaciones— exhibiendo símbolos nazis o fascistas sin que se tomen medidas disciplinarias. El alcalde de un pueblo de Orense llamado Beade tiene su despacho convertido en un pequeño santuario dedicado al dictador. Afirma asombrado ante el ruido mediático que ha generado su ideología golpista: «Nadie del PP me ha recriminado nunca honrar al franquismo.» Claro, ¿por qué se lo iban a recriminar? Después de destaparse el caso, y a pesar del revuelo organizado, nada ha ocurrido, sigue en el cargo. Se proclama franquista y se siente cómodo en el PP. Es de suponer que ellos también con él.

Estos jóvenes del PP que hacen gala de símbolos fascistas no han conocido aquello, no lo han estudiado, sólo saben lo que han oído en casa. Ya son terceras generaciones.

La alcaldesa de Quijorna, Madrid, organiza un mercadillo donde se vende todo tipo de parafernalia franquista, falangista y nazi en un colegio público de su pueblo. De nuevo, ante el follón que se monta se ven obligados a salir a la palestra. Primero para negar cualquier vinculación en la organización del evento. Una pena que en todos los carteles que lo anuncian aparezcan como tales; además, la alcaldesa lo visitó. Aclarada la primera mentira, se desliza la segunda. Aseguró no ver nada anormal. Bueno, aquí tal vez no mienta y para ella ese entorno de cruces gamadas y banderas del águila imperial le parezca de lo más normal, y hasta bonito, quién sabe, pero en tal caso se estaría definiendo políticamente. Tras pedir disculpas y decir que ignoraba lo que representaban aquellos símbolos de cruces gamadas y demás, se olvidó de contar que al día siguiente organizó un acto de homenaje a los ciudadanos del pueblo que se sublevaron contra la Segunda República, ante unas personas que permanecían en formación ataviadas con el uniforme de Falange y otras procedentes de un tabor de Regulares de Ceuta, mientras los asistentes daban «vivas a los héroes». Probablemente, esta mujer que no sabe lo que es una cruz gamada tampoco era consciente de lo que allí sucedía ni entendió una sola palabra de la soflama que les soltó a los asistentes. Ustedes ya me entienden. Pidió disculpas por si alguien se pudo ofender. Ah, sí, es del PP, se me olvidaba. Se define como demócrata y de centro.

En las fiestas de Moraleja de Enmedio, Madrid, ondea la bandera preconstitucional en el balcón del ayuntamiento durante las fiestas mientras una de las peñas ayudada de amplificación entona el *Cara al sol,* que atruena en la plaza. El alcalde, Carlos Alberto Estrada —¿de un partido fascista?, no, del PP—, dice que no vio nada, que no se dio cuenta de nada. Aducen razones históricas. Resulta que Franco tenía una finca cerca, en Arroyomolinos, y pasaba con su coche y la escolta por allí. Que los gloriosos neumáticos del automóvil del Caudillo pisaran las calles del pueblo constituye razón suficiente para que se rinda culto eterno al invicto líder de la patria. De todos modos, y quitando importancia a la acción que no vio, el alcalde alega, de paso, esa razón esgrimida ya como un retintín por los cargos del PP cuando se ven obligados a dar explicaciones por estas cosas: «Algunos portan esa bandera como otros llevan la republicana.» Para ellos es lo mismo el símbolo de una democracia que el de una dictadura. El genio que inventó la respuesta ante estas situaciones incómodas no calibró bien lo que decía, pero si se estudiara esa historia en los colegios, muchos, a diferencia de estos alcaldes del PP, sabrían ver la diferencia.

Hasta aquí hemos llegado

El camino de la democracia después de algo más de treinta años nos ha traído hasta aquí. El panorama es desalentador. Con motivo de la crisis económica que han montado ahora aprovechando que no tienen contestación, han desarrollado esa «tormenta perfecta» que nos está llevando a un puerto al que nadie quería ir. Europa, por primera vez, se encuentra, casi en su totalidad, en manos de los neoliberales. El resultado, en contra de lo que anunciaba la propaganda, es devastador. Habría que remontarse muchos decenios para encontrar un estado de penuria semejante. En la Comunidad de Madrid, por poner un ejemplo, uno de cada cinco niños vive en la pobreza.

Ciñéndonos a España, la intransigencia y el abuso nos han traído al borde del abismo.

Revisemos la situación. Nos encontramos en el último trimestre de 2013.

1. La cabeza visible del sistema, el presidente del gobierno, miente a los representantes de la nación en el Congreso de los Diputados sin el menor recato, desvergüenza que se ve amplificada porque los medios de comunicación ya habían aportado pruebas de su relación con esa política delincuente encaminada a derivar dinero de las arcas públicas hacia paraísos fiscales. Su permanencia al frente del gobierno sólo se explica desde el desprecio profundo al sistema que representa. La democracia no admite presidentes que envían mensajitos telefónicos de aliento a personas que están en la cárcel por, entre otras cosas, tener cuentas de millones de euros a su nombre, cuya procedencia se desconoce. Presidente «marca España».

2. Además de Bárcenas, los que le antecedieron en el puesto —Álvaro Lapuerta y Ángel Sanchís— también están imputados. Este último ya estuvo encausado en el caso Naseiro sobre la financiación ilegal del PP. Un cuadro.

3. La falta de colaboración del partido del gobierno en los numerosos casos que tiene abiertos es inaceptable. Que se dediquen a la destrucción de pruebas, a mentir cuando son requeridos por el juez, siendo imposible que dos de ellos acierten a dar la misma versión, y que aparezcan documentos como nóminas, cuentas falsas, cuya existencia ha sido negada por los miembros de la cúpula del partido, hace que la acción se extienda como una mancha de aceite por todo el PP, que se comporta como una banda que encubre, ampara y defiende a sus miembros.

4. Su forma de luchar contra este estado de cosas, su manera de limpiar el partido de corruptos, pasa por perseguir y segregar a los denunciantes de los delitos en lugar de a los presuntos delincuentes. Ese aviso a navegantes deja inmovilizados a los que pretenden una ac-

ción regeneradora. No hay discrepancias. No hay disidencias.

5. Aprovechando la crisis, inician un desmantelamiento sistemático del Estado de bienestar que era el mayor logro conseguido en la historia de la humanidad al universalizar las prestaciones del Estado. La sanidad, la educación y las pensiones han sufrido un ataque del que no se sabe si se recuperarán. Nadie, ni los votantes de su partido, ha reclamado este cambio de sistema.

6. Este desmantelamiento, esta ola de privatizaciones, también afecta al resto de las compañías y los servicios públicos (Telefónica, Repsol, gestión de hospitales, limpieza, cuidado de jardines...), que pasan a ser explotados por empresas que encarecen los servicios y bajan la calidad de las prestaciones.

7. En el colmo del descaro, una vez que dejan los cargos públicos, aparecen al frente de esas empresas privatizadas, también en los puestos de dirección o de consejería.

8. En un claro intento de acceder a la impunidad, pretenden acabar con la separación de poderes copando con nombramientos de personas afines, leales, las altas instancias de la judicatura así como los altos tribunales de justicia. En el caso del Tribunal Constitucional, al decidir sobre la constitucionalidad de las leyes que salen del Congreso de los Diputados, teniendo poder para revocarlas, puede convertirse en un órgano que anule la voluntad popular, el poder que emana de las urnas.

9. La consecuencia de esa especie de internacionalismo neoliberal al que ahora se deben nuestros gobernantes se traduce en la eliminación de controles por parte del Estado que podrían evitar que la economía financiera, especulativa, arrase con la economía real, la que hace cosas. Ese dogma del «no intervencionismo» permite la piratería financiera, el trilerismo del dinero, aniquilando, incluso, a las clases medias, a la pequeña y mediana empresa, su tradicional base sociológica, su masa electoral, esa pequeña burguesía para la defensa de cuyos privilegios nació la derecha.

10. Desaparece el concepto de «soberanía nacional» para aceptarse la sumisión de los Estados a la Troika (Fondo Monetario Internacional, Banco Central Europeo y Comisión Europea), que se asume como supraestructura que dicta las decisiones que tienen que adoptar los diferentes Estados de la Comunidad Europea sin que nadie la haya invitado, y sin que nadie haya sido consultado. En el colmo de la sumisión, quita y pone presidentes en países, supuestamente, democráticos. Estamos en manos de la gran banca. El FMI, con la excusa de arbitrar el concierto económico internacional, a lo largo de su historia no ha hecho más que generar quebranto, pobreza y miseria a lo largo y ancho del mundo, sin piedad. Fue el encargado de hundir y someter Latinoamérica en beneficio de sus aliados del norte. Esos países no levantaron cabeza hasta que se desprendieron de su yugo. Su receta para España en este año: continuar con las políticas de austeridad, y ayudas para la economía financiera. Rebajar los salarios un 10 por ciento. Es decir, recortar en todo lo que se pueda y prestar dinero a la banca. Un chollo. Por cierto, aunque parezca recochineo, dice que hay que profundizar en la reforma laboral, le resulta insuficiente.

11. Aprovechando que el Pisuerga pasa por Valladolid, es decir, la crisis, que sirve para todo, se han sacado de la manga la abolición de los derechos de los trabajadores. También, progresivamente, la eliminación de los convenios colectivos. Los ciudadanos quedarán a los pies de los caballos sin ningún tipo de protección. Derechos que se consiguieron a costa de mucha lucha y mucha cárcel para aquellos que dieron la cara por sus compañeros. Han sido abolidos gracias a un decreto ley cumpliendo la fantasía de la CEOE, que venía reclamando esta reforma desde hacía muchos años. Es curioso que lo que pedían en tiempos de bonanza económica sea, exactamente, la misma fórmula inevitable, la única que pueda sacarnos de la crisis. La solución a tal enigma es sencilla. Es ahora, cuando el terror se ha

apoderado de la ciudadanía, cuando puede implantarse con total impunidad. En cualquier caso, y si, como dicen, es consecuencia de esta llamada crisis, deberían advertir que esta reforma es coyuntural y que dejará de aplicarse cuando la economía se recupere. No harán tal cosa, todas estas medidas de urgencia, traumáticas según ellos, han venido para quedarse. Por primera vez en la historia, estamos trabajando para crear un mundo peor que aquel de donde venimos. Por primera vez, la generación que nos siga vivirá peor que la nuestra.

12. Camufladas bajo las reformas cruentas que siembran el pánico entre la población, se introducen otras de calado ideológico que nada tienen que ver con la economía pero que, como las enfermedades oportunistas cuando un cuerpo está bajo de defensas, se cuelan sin debate, por decreto, configurando un nuevo perfil social donde el espectro de libertad se ve reducido. Se cuestiona el derecho a manifestación, fundamental en democracia, al que se hace responsable de la mala imagen de la «marca España», mientras asistimos a una absoluta falta de autocrítica por el estado de corrupción en el que vivimos, que nos convierte en el hazmerreír, en un ejemplo vergonzoso, en el mundo occidental. También se impone una moral religiosa que creímos superada en nuestro Estado aconfesional que, de nuevo, vuelve a rendir pleitesía, a seguir los pasos que marca la Conferencia Episcopal. Desaparece de nuestras escuelas la asignatura de «Educación para la ciudadanía» por «doctrinaria», según dicen, mientras nos inculcan, de nuevo, la asignatura de religión, que deben de considerar científica. ¿Qué necesidad había de reformar la ley del aborto? ¿En qué afecta a los que no quieren hacer uso de ese derecho? Son los mismos que están en contra de la investigación con células madre que salvará tantas vidas. Es la sinrazón de la reacción.

13. Se reforma la justicia con la creación de tasas que alejan a los ciudadanos del derecho a recurrir a ella, al tiempo que se cambian los sistemas de elección de jue-

ces para copar los cargos del Consejo General del Poder Judicial y del Tribunal Constitucional.

14. Se cambian los criterios para acceder al sistema de becas y ayudas a los estudios, retrocediendo en el derecho que consagra la Constitución de la «igualdad de oportunidades». Los hijos de los pobres deberán esforzarse más que los otros si quieren estudiar. Instauran un sistema de castas. La drástica disminución de los presupuestos de I+D y la investigación nos vuelve a dejar fuera de la órbita donde se crean las herramientas del futuro. La cultura también es penalizada con los impuestos al considerarla un objeto de ocio y no un bien necesario, imprescindible. Se produce un cambio en el rumbo poniendo la proa hacia la barbarie.

15. Esta reducción en los derechos de los ciudadanos viene acompañada de una deslegitimación de los disidentes, de aquellos que se oponen a este desastre de perversión del sistema democrático perpetrado desde el poder por aquellos que deberían tener como primera obligación preservarlo. La descalificación del que consideran enemigo es constante, recurren siempre a la provocación a través del insulto. Violentos, terroristas, antisistema, antidemocráticos, fascistas, nazis son algunos de los adjetivos que se usan habitualmente para descalificar a los asistentes a las movilizaciones de protesta contra las medidas que implanta el gobierno. Otras veces son pronunciados en esos debates televisivos con representantes de la extrema derecha, donde los miembros de la Administración parecen sentirse tan cómodos sin que jamás se les haya visto pedir respeto para los ciudadanos que ejercen el derecho a manifestación.

    Los miembros del gobierno y también sus delegados recurren a la provocación constante al convertir las manifestaciones pacíficas, en lugar de en un motivo de reflexión, en un ejercicio de crispación al ignorarlas, ningunearlas, y centrar su atención en los que no acuden. No escuchan a los ciudadanos sino a esa «mayoría silenciosa» para la que dicen gobernar. Aquella para la que Franco decía gobernar. Miden el éxito de las manifestaciones que ellos convocan por los asistentes y las de sus rivales por los que no asisten. Ejercicio peligroso puesto que legitiman todas sus medidas y estos cambios radicales a los que nos referimos por los votos obtenidos en las elecciones generales que suponen algo más del 30 por ciento del electorado. Si les aplicáramos su misma vara de medir, deberían gobernar para ese casi 70 por ciento de ciudadanos que no les votó. Pero su estrategia es otra, es la provocación, esa que persigue el ministro Wert cuando se refiere a las protestas de los ciudadanos como «fiestas de cumpleaños», haciendo un paralelismo entre el pacífico comportamiento de los asistentes a las manifestaciones y la bondad de sus medidas. Su forma de concluir que sus medidas son inocuas por la falta de contundencia de la respuesta ciudadana es una clara llamada a la violencia callejera. Es un provocador nato. Baste recordar su intervención en el Congreso de los Diputados el día en que por primera vez coincidían en la misma protesta los profesores en huelga, los padres y los alumnos, el conjunto de la comunidad educativa, convocatoria que fue seguida de forma masiva. El ministro aprovechó su intervención para definir la medida que había provocado esa protesta como la más consensuada, reclamada y aprobada por los ciudadanos. Parecen más contentos cuando arden los cajeros automáticos y los contenedores de basura. Ésos son los únicos debates en los que parecen sentirse a gusto, aquellos que les permiten llenarse la boca con las palabras «terrorismo» y «antisistema».

16. La suplantación de los símbolos, la apropiación de las consignas ha sido fundamental en la evolución de este proceso. Haciendo mal uso de las instituciones, apropiándose de los símbolos de los rivales, aboliendo el valor de la palabra, incumpliendo los compromisos electorales, eludiendo su obligación de dar las explicaciones que los ciudadanos exigen, eliminando las ruedas de prensa de su compromiso cotidiano, han conse-

guido desprestigiar el sistema democrático, instaurar en la sociedad el hastío y la desesperanza. Se pervierte el lenguaje cuando la expresidenta de la Comunidad de Madrid exige acciones contundentes para eliminar a los corruptos de su partido, evitando reconocer que fue bajo su mandato cuando la trama Gürtel se extendió a lo largo y ancho de la comunidad, y que tuvo la oportunidad de intervenir pero, no sólo hizo oídos sordos a las denuncias de sus militantes, sino que aquellos que tuvieron el valor de dar ese paso se vieron expulsados, perseguidos y amenazados. Han generalizado la consigna de: «Todos son iguales»; creado el nuevo escenario político: «No hay izquierda ni derecha.» En resumidas cuentas: «La democracia no sirve.» ¿Quién gobernará si le damos la espalda a la democracia? *The answer is blowing in the wind:* los de siempre.

17. Finalmente, a raíz de esta sensación de fuerza que proporciona la crisis, sumada a la impotencia en la que se ven sumidos los ciudadanos, rebasados por esta agresión a su forma de vida, con tantos frentes abiertos, surge de nuevo la reivindicación de aquel tiempo pasado. «En España empieza a amanecer.» Aparecen como las setas gestos, acciones y puestas en escena de símbolos preconstitucionales que siempre estuvieron guardados bajo el colchón. Es ahora que la democracia no sirve, ahora que está prostituida, cuando los causantes de esa degeneración parecen dispuestos a quitar el polvo a toda esa parafernalia para lucirla de nuevo. Los salvapatrias ya se acercan a los puestos de salida con su discurso demagógico bajo el brazo, a contarnos que aquí lo que hace falta es menos política y más ley, orden y trabajo. Su ley, la del embudo; su orden, la supresión temporal del orden constitucional, como lo llamaba el fiscal de la Audiencia Nacional; y su trabajo, en esas condiciones que tanto gustan a la CEOE. «Haga usted como yo: no se meta en política.»

EPÍLOGO
—

Hace unos meses fui a coger un avión. Los empleados del servicio de limpieza estaban haciendo huelga. Se acercó hacia mí un grupo de trabajadores que recorría el aeropuerto protestando por su situación. Me explicaron brevemente la cuestión para ver si podía sacar algo en el programa de televisión donde trabajo.

Me dirigí hacia un puesto de información donde una empleada de Aena me dijo que su compañía era un desastre y tenían muchos problemas: «Tú que trabajas en le tele a ver si dices algo».

Llegué a un mostrador de facturación donde una azafata del personal de tierra muy sonriente, mientras me hacía la tarjeta de embarque, me comentaba que la compañía se iba a la mierda y que no sabía si acogerse a la primera prejubilación que se presentara porque no tenía nada claro que la situación fuera a aguantar el tiempo suficiente como para llegar a tener una pensión en condiciones.

Me iba a tomar un refresco cuando dos operarios se acercaron: «Wyoming, nosotros somos los del equipaje, a ver si dices algo en el programa, nos tienen puteados.»

Cuando llegué a mi asiento, una azafata me saludó muy amable y confesó ser fan del programa. Me dijo que si durante el vuelo necesitaba cualquier cosa que no dudara en pedírselo y a renglón seguido me contó que la fusión con British Airways había sido un desastre, que se estaban quedando con todos los vuelos rentables de Iberia y que habían usurpado la función de puente con Sudamérica desde Europa que estaba desarrollando la compañía: «Hoy no volamos a La Habana. Nos acabamos de enterar, es la primera vez en mucho tiempo, esto va al desastre.»

Cuando iba a abandonar el avión, el comandante me saludó muy amable y aprovechó para manifestarme su malestar por el hundimiento de Iberia en el que, según él, British Airways tenía mucho que ver: «Se están quedando con los mejores vuelos y nos quieren dejar como una compañía *low cost*. De hecho, ahora han renovado su flota y a nosotros nos han dejado fuera, así no vamos a ninguna parte. Estaban en la ruina y ahora mira. Sólo hay que ver las cifras, ellos estaban hundidos y nosotros no; desde la fusión, ellos se han disparado y los que vamos en picado somos nosotros.»

En otros términos, que no están contentos.

Esto es un ejemplo de cómo transcurre mi vida. En este capítulo contaré mi percepción de la realidad. Hasta ahora no he hecho más que aportar datos científicos incuestionables, avalados por el filtro implacable de mi mente. Va siendo hora de que me explaye un poco.

Constantemente me dan papeles por la calle, direcciones de e-mail, o me piden el mío para mandarme informaciones de todo tipo. Funcionarios, profesores, médicos, enfermeras, servicios de limpieza, trabajadores pendientes de ERES... También me dan currículos. La mayoría son de estudiantes de periodismo para trabajar en el programa, pero también de cualquier otra cosa. A veces son propios, y otras de los hijos, lo que supone que los padres lo llevan encima para soltarlo a la primera oportunidad.

La sensación es que todo va mal, pero las cifras cantan otra cosa. Resulta que las principales empresas que cotizan en bolsa han aumentado sus beneficios en un 302 por ciento,[119] sobre todo gracias a la banca, que ha pasado de tener unas pérdidas de 3.609 millones a unos beneficios de 9.507. Banca que, por cierto, según estimaciones del Banco de España, ha recibido desde el año 2009 ayudas, agárrense a las sillas, por valor de 97.047 millones de euros. A esta banca es a la que dice el FMI que hay que seguir ayudando a la vez que recomienda conti-

---

119. Dato del 3 de octubre de 2013. Como este libro nace con vocación de clásico, el autor advierte de que esta cifra no será revisada con el paso de los siglos.

nuar bajando los salarios y recortar el gasto público. ¿Son o no son unos cachondos? Los expertos no paran de decir por la radio que estas fórmulas son imprescindibles para la recuperación económica: ¿De quién? ¡Coño! ¿De quién? Las principales empresas que cotizan ya han crecido un 302 por ciento, la media de las que cotizan en bolsa ha crecido por encima del 20 por ciento; qué más quieren. Uno de los factores que han propiciado esta subida han sido las reducciones de las plantillas, que se han recortado un 7,5 por ciento de media. No hay que ser muy listo. Se reducen las plantillas, los que se quedan hacen más horas y cobran menos. Aumentan los beneficios. Sí, es verdad.

Una de las cosas que destaca un informe de los «hombres de negro» de la Troika es que no fluye el crédito. Es decir, que ese beneficio que aparece en las cuentas no circula, se va a la saca. La economía tiene sus resortes para mejorar, y la Troika se va a emplear en ello, pero ¿quién va a mejorar la situación del ciudadano? Wyoming con su programa no, pero el FMI menos, está por la labor opuesta.

En medio de esta vorágine, aparece Rajoy en Japón en una rueda de prensa vendiendo las ventajas de invertir en España por los bajos sueldos que cobran hoy los trabajadores de nuestro país con respecto a los de los demás miembros de la Comunidad Europea gracias, se encarga de recalcar, a la reforma laboral llevada a cabo por el gobierno. Saca pecho ante el empobrecimiento de los españoles, lo ofrece como sacrificio-chollo en el ara de los inversores y aún tiene la desfachatez de apuntárselo como un logro, como un éxito personal.

Han descubierto una fórmula que les va bien. Los economistas más listos no dejan de clamar en el desierto que este camino conduce al suicidio. Les dan el premio Nobel y luego no les hacen ni puto caso. No paran de gritar que reduciendo el poder adquisitivo baja el consumo y la economía se hunde, nadie compra nada, la bicicleta se para y el ciclista se cae. Sí, pero estamos dejando el campo abonado para un futuro estupendo: un pueblo empobrecido y atemorizado a nuestra disposición, el paraíso del neoliberalismo, la libertad de mercado total, también del mercado de los hombres y mujeres. ¿Se desplazará la sede central de nuevo a Zanzíbar?: no. Ya no hay que ir a África a importar esclavos, nos hemos ahorrado el porte. Eso es productividad y lo demás son tonterías.

Lo están haciendo mal

«Lo están haciendo mal.» Ésta es una frase que me repiten constantemente cuando me paran por la calle. Normalmente, como decía, referida a cómo la gestión del gobierno empeora su situación personal. Suelen continuar con: «Donde yo trabajo, resulta que antes...» Marcan un antes y un después de la crisis y relatan en qué se están equivocando los que mandan. Los ciudadanos no han entendido bien la jugada, no lo están haciendo mal. Es eso, precisamente eso, lo que quieren hacer. No se equivocan simplemente, sus intereses no coinciden con los de los ciudadanos. Es una estrategia elaborada para la consecución de unos fines concretos. Con respecto a los logros obtenidos sólo cabe un comentario: lo están bordando. No lo hacen mal: «Lo están haciendo muy bien.»

Otros comentan: «¿No se dan cuenta de que por este camino van a perder las elecciones?» ¿Las elecciones? El poder tiene morbo, pero desgasta, y nadie está dispuesto a sacrificar su vida en esa sacrosanta misión de servicio, expuesto a diario ante la galería y los medios de comunicación, habiendo un mundo maravilloso ahí afuera. No paran de repetir, empezando por el presidente del gobierno, que esto de la política les resta poder adquisitivo. Es falso, como ya hemos comentado, tienen planificado el desembarco en el mundo de la empresa privada que les espera con los brazos abiertos por el magnífico trabajo que hacen despejando el terreno de todo obstáculo. ¿Las elecciones? Sí, estaría bien ganarlas para dejar todo mejor atado, que otros continuaran, supervisaran la obra comenzada, pero ésa no es la prioridad, lo primero es rematar la faena, crear una inercia que dure años, eso que llaman un ciclo.

Mientras, los científicos nos alertan: el planeta no da para más. Si seguimos por esta vía, los años están contados. Los polos se derriten, el nivel del mar sube, el hielo al fundirse libera metano que se suma al CO_2 acelerando las consecuencias del efecto del cambio climático. La población crece y crece y ya no queda un centímetro de superficie cultivable libre, hay que aumentar la deforestación del bosque tropical para incrementar los cultivos, lo que desequilibra todavía más el ecosistema... El desastre se avecina, dicen los científicos, y nadie está dispuesto a detener esta estampida destructora. No quería ser aguafiestas, pero hay que contarlo, los investigadores están alarmados, y para rematar la faena no faltan intelectuales de gran solvencia, como un expresidente que yo me sé, que por dinero, dan conferencias negando el cambio climático bajo el patrocinio de una petrolera, con argumentos tan sólidos como que no merece la pena preocuparse por un problema que «quizá sí, quizá no, tengan nuestros tataranietos». Eso es, quizá sí, quizá no, definitorio del bagaje moral del ponente: «Lleno todo de mierda y el que venga detrás que arree». Tal vez a usted no le preocupen sus tataranietos —de los míos, mejor no hablamos—, pero fíjese si seré estúpido que a mí me preocupan los míos y los suyos. Los míos porque me da la gana, y los suyos porque no les hago responsables de las fechorías cometidas en la cúpula de su árbol genealógico.

Menos mal que los neoliberales en estas cuestiones cambian en función de hacia dónde sopla el viento del dinero y sólo dos años después, el mismo Aznar abandonó el negacionismo para liderar la lucha contra el cambio climático. Sólo tuvieron que nombrarle presidente del consejo asesor del Global Adaptation Institute; atrás quedaban los tiempos en que decía que los rojos y los verdes querían mandarnos a la edad de piedra. Algunos pensarán que no parece el más adecuado para el cargo, pero si tenemos en cuenta que el instituto es de Adaptation, no deben de haber muchas personas con mayor capacidad de adaptación bajo el estímulo mutante de las cifras escritas en un talón bancario.

En fin, qué diría de todo esto el primo de Rajoy que le aconsejó que no hiciera ni caso a los catastrofistas, ya que si era difícil saber el tiempo que iba a hacer en un par de días, más, todavía, dentro de cien años, confundiendo la meteorología, que cambia en minutos, con el clima, que no cambia, que su evolución lleva siglos, salvo ahora, cuando al parecer la influencia del humano es tan grande que puede mandar todo a hacer puñetas en cuestión de años, quizá sí, quizá no, ante la pasividad de los líderes mundiales.

¿Cómo va a terminar todo esto y hasta dónde están dispuestos los ciudadanos a aguantar? De grandes crisis han surgido grandes cambios y nuevas formas de organización social. Ahí es donde deben saber calibrar los que están al mando de la nave hasta cuándo van a mantener este rumbo, antes de que la tripulación y el pasaje se enteren de que vamos derechos al iceberg y se produzca el motín. «El barco está asegurado —dice el capitán—, no hay problema.» Así está la cosa, ellos cobran el seguro, el personal se ahoga, pero piden comprensión: «Hay que salvar la economía.» Se impone un golpe de timón, cuanto antes.

«Hay que refundar el capitalismo», Sarkozy

Así de rotundo se mostraba el dirigente francés en el año 2008 cuando la crisis amenazaba con arrasar el mundo en el que vivíamos. El modelo de la eliminación de los controles al mercado financiero había fracasado. La Unión Europea se puso al frente de los ciudadanos y anunciaba para sí, no para los demás, «reformas estructurales profundas» que evitaran el caos y la ruina. Unos cambios que nos llevarían: «De una crisis financiera provocada por el libre mercado sin ataduras a un capitalismo domado por unas nuevas reglas de juego».

Si nada más y nada menos que Sarkozy, que estaba a punto de ocupar la presidencia de la Unión Europea, el neoliberal *number one*, estaba por la labor de un capitalismo humano que incluiría «el replanteamiento de las funciones y objetivos del Fondo Monetario Internacional (FMI)», así de claro, la cosa pintaba bien. Era tanto como reconocer que la avaricia de los *neocons* estadounidenses había tocado techo y nada se haría a partir de entonces sin tener en cuenta a la ciudadanía. Empezó a oler peor cuando el siguiente entusiasta fue Berlusconi.

El tiempo corrió y aquello de la refundación, que aplacó el primer rugido quedó en un auténtico festival taurino. Se dieron varios pases y, cuando la fiera ya estaba amansada, la nueva función del Fondo Monetario resulto ser la de *puto amo*. La refundación se transformó en recochineo.

Aquí no cambia nada si no lo haces cambiar

En estos años donde parecía que todo venía rodado, que la situación social estaba bajo control, se produjo un desmantelamiento de los movimientos sociales, de las asociaciones de vecinos y de la militancia en política que parecía un ejercicio prescindible. El ciudadano creía que si uno era honrado y trabajador, se podía hacer un proyecto de vida. Habíamos alcanzado un estatus que nos permitía, como al resto de los países ricos, encerrarnos en nuestra burbuja ajenos a los problemas de la periferia. Nuestros informativos podrían dedicar tiempo a la tristeza que sufría una estrella del mundo del espectáculo por haber extraviado a su perrito, en lugar de dar minutos a las grandes catástrofes y guerras que asolan el mundo y nos estresan a la vuelta de la jornada laboral.

En Europa, donde hacía muchos años que se había abolido el hambre, nadie parecía dispuesto a inaugurar el marcador de la desnutrición occidental. Todo iba bien y las disputas políticas parecían cosa de matices, disquisiciones ideológicas, derbis periódicos del bipartidismo, pero que no afectaban a lo esencial. Se estableció la conciencia del «Todos son iguales.» Se produjo un desclasamiento y de los gordos.

El ciudadano se acostumbró a estatalizar sus problemas. Los derechos se encontraban en nuestro ADN. Nadie imaginaba un mundo sin sanidad o educación, ni se preguntaba cómo se había llegado hasta allí. Aquellas soluciones, aquella forma de organización social no vino dada de arriba abajo. Antes que nosotros, hubo otros que lucharon para que viviéramos como los paisanos del norte. Pues bien, toca volver al tajo.

Del mismo modo que se produce la decadencia de familias adineradas, en las que en un par de generaciones se agota el patrimonio y, de repente, el gerente anuncia la ruina y, boquiabiertos, perplejos, aterrados, los familiares llegan a la conclusión de que van a tener que volver currar; hoy tocan las campanas a rebato y hay que ponerse las pilas. Hay que empezar a plantar cara a la ignominia, dejar de transigir con la mentira, plantarse ante la desvergüenza. Todos los días leemos noticias escandalosas, no se detienen ante nada. Por el juzgado de Nules que tiene que enjuiciar a Fabra han pasado nueve jueces y cuatro fiscales en diez años. Todos eran trasladados o pedían el traslado «voluntario» por motivos personales en condiciones anormales. El último juez, que ha cerrado el caso, ha pedido amparo al Consejo del Poder Judicial acusando a la Audiencia Provincial de Castellón de presionarle para que archive una de las causas: no le han hecho ni caso. El mismo juzgado que ha de sentarle en el banquillo, la Audiencia Provincial de Castellón, le pide al juez instructor que archive cosas. «Algo huele a podrido en Dinamarca.»

No!, no!, como decía Raimon en el año 1963: *Diguem no!* «No. Digo no, digamos no, nosotros no somos de ese mundo.» Mientras, el señor Rajoy califica a este dirigente de su partido procesado por dos delitos de cohecho y tráfico de influencias y otros cuatro por fraude fiscal, de ciudadano ejemplar. ¡Coño!, no. Puede creer en su inocencia, desear que sea inocente, pero alguien que arrastra esa carga judicial y que alega que le ha tocado la lotería siete veces, una de ellas 2 millones de euros, para justificar ingresos inexplicables de más de tres millones y medio, no es un ciudadano ejemplar. No hagan caso al presidente, no tomen ejemplo de este señor, por favor: *Diguem no!*

Otro autor levantino, Ovidi Montllor, en su canción *Perquè vull,* «porque quiero», va contando un mundo ideal en el que todo se vuelve a su favor porque, en tanto autor, va haciendo con los elementos lo que quiere. Así, se pone a llover y casualmente tiene un paraguas, tapa a una chica que se acurruca a su lado encantada, y continúa diciendo cosas como: «Vivimos en un mundo precioso, porque quiero, porque sé que es mejor. Y volamos por el mundo, porque quiero, porque quiero volar. Y creamos un mundo nuevo, porque quiero, porque no me gusta éste. Y vivimos con gente preciosa, porque quiero, porque estoy harto de lo contrario... Y acabo la canción, porque quiero: todo empieza en uno mismo.» La canción es en catalán, me he permitido el lujo de traducirla. Tuve el honor de estrechar su mano en vida y tomar alguna caña con él en Las Ramblas. A gente así le debemos salir del letargo y dar la cara, como Ovidi la dio en tiempos mucho más difíciles.

He ahí el quid de la cuestión: todo empieza en uno mismo. Ya no hay Estado que ampare, no hay estructura que te cubra, no hay padre, ni madre, ni papá, ni mamá: eres tú, amigo, el que tiene que cambiar las cosas. El que tiene que frenar esta sinrazón, esta barbarie. El que tiene que mostrar su intransigencia. El que tiene que dejar de vitorear a los que pasean a los presuntos por los ruedos.

León Felipe lo cuenta en «Las tres manzanas»:

«La manzana roja que me dieron a comer ayer tenía un gusano; la manzana blanca que se comieron mis padres tenía dos gusanos; y la manzana verde que se comió la pareja original, ya en la puerta falsa del Paraíso, tenía tantos gusanos que todos pudimos heredar nuestra parte.

»Si hay una manzana sin gusanos en el mundo no está detrás de mí sino delante.

»Ahora bien. El hombre puede retractarse. Todo hombre honrado puede retractarse y decir: yo no quiero la manzana roja. Ayer canté sus excelencias porque creí que era la manzana del hombre. Ahora he visto que tiene un gusano. No la quiero. Iré a buscar otra manzana.

»Lo que no puede decir un hombre honrado es esto: La manzana roja tiene un gusano, no la quiero. Tomaré otra vez la manzana blanca de mis padres, que aunque tenía dos gusanos, tenía también una historia, y de su pulpa podrida vivió todo mi clan.

»Esto es cobardía, astucia y ganas de seguir fumando sin levantarse de la mecedora.

»Desde la mecedora siguen hablando todavía ciertos sabios, de la libertad...»

Si hay una manzana sin gusanos en el mundo no está detrás sino delante. Ésa es la clave. Se acabó el tiempo del: «Todos son iguales», no hay espacio para el conformismo disfrazado de derrotismo. Poner todo a la misma altura es hacer un retrato desenfocado de la realidad, abrir la puerta de atrás para que los delincuentes se escapen sigilosamente camuflados en la espesura. Es decir: «Me quedo con lo que hay; mienten, trincan, pero son de los míos.»

Es la hora de los hombres honrados. Son la mayoría. Deben imponerse, de una vez, para siempre. La clase dirigente ha llevado las cosas demasiado lejos, ha mostrado la inmundicia demasiadas veces, ha jugado con cartas marcadas todo el tiempo, se ha saltado las reglas del juego en cada ocasión, ha prostituido el sistema porque no lo quiere, lo vende por parcelas, lo desmonta. Ellos son los verdaderos, los únicos «antisistema».

De nuevo la usurpación de los términos. Los auténticos antisistema no son esos que nos pintan, cuyo retrato robot es un joven encapuchado, con rastas o rapado que destruye mobiliario urbano o arroja una papelera contra el escaparate de un banco. Los «antisistema» son los que han venido a dinamitarlo desde dentro para que pierda todo sentido la fuerza y el deseo de la voluntad popular de decidir en qué sociedad quiere vivir.

Hay que refundar la democracia. Hacerla más participativa, que las promesas electorales se conviertan en compromisos efectivos, que el resultado de las urnas no se transforme en un cheque en blanco para iniciar aventuras en contra del interés general. Replantear la separación de poderes con una justicia al servicio de los ciudadanos y no del poder, con controles para evitar que las leyes puedan ser interpretadas de forma extravagante. Donde los procesos no se dilaten hasta el infinito generando impunidad. Que el delito de guante blanco sea castigado de forma ejemplar. Que se deje de poner al Tribunal de Cuentas como pantalla de camuflaje cuando se trata de una institución vacía de contenido, cuyos miembros son nombrados a dedo por el gobierno y que tiene una efectividad de control nula. En definitiva, que la justicia cumpla la función que se le asigna.

Dos burladeros

Ningún gobierno será creíble ni puede ser alternativa a esta ola de corrupción que tiene metástasis por todo el sistema mientras no plantee una lucha de supervivencia contra los paraísos fiscales. Allí es donde se refugian los fondos, no sólo de las grandes empresas multinacionales y los capos de la economía financiera, sino también del narcotráfico, el terrorismo y el crimen organizado. ¿Por qué los gobiernos que dedican tanto esfuerzo y presupuesto a la lucha contra estas lacras, lucha que supone, en muchos casos, la supresión de la legalidad vigente o la declaración de guerras como la de Irak, permiten que estos mismos grupos escondan su dinero o se financien en los llamados paraísos fiscales? En esos paraísos fiscales se dan casos tan esperpénticos como que cientos de empresas tengan una dirección común que se corresponde con una casa abandonada.

En ese vacío legal se mueve la economía mundial desde que en los años ochenta Ronald Reagan y Margaret Thatcher apostaran por la desregulación financiera, la globalización y la libre circulación de capitales que nos han traído hasta aquí.

Otra parte de este dinero proveniente de esas actividades delictivas termina en el Vaticano, en el Instituto para Obras de Religión (OIR), que negaba la existencia de cuentas de laicos. No es así. Ese banco ha sido utilizado para el blanqueo de dinero y otras actividades tenebrosas, habiendo pasado por episodios turbios difíciles de investigar en tanto se configura como Estado independiente, y advierte a la justicia italiana de las consecuencias legales que llevan sus investigaciones en cuanto osa meter las narices en los asuntos de su dinero, advirtiendo que el Vaticano: «Pone la máxima confianza en la autoridad judicial italiana para que las prerrogativas soberanas reconocidas a la Santa Sede por la normativa internacional sean respetadas adecuadamente.» O sea, que no ponga las manos en su negocio, que se vaya a hacer puñetas.

El papa Francisco tiene un trabajo complicado para reestructurar el Banco Vaticano, permanentemente bajo sospecha. Estas actividades minan la credibilidad del poderío místico de la institución, pero la cuestión no es sencilla porque las personas que se acercan al divino tesoro, como si de una maldición se tratara, ponen en riesgo sus vidas.

Los dos últimos intentos de ver qué pasa ahí dentro no han acabado bien. Juan Pablo I dijo que llevaría a cabo la limpieza del banco y parecía que hablaba en serio, pero su muerte súbita en circunstancias que no han sido aclaradas impidió que pudiera desarrollar esa labor. Que el Vaticano se negara a hacerle la autopsia, obligatoria ante cualquier muerte de origen desconocido, dio pie a muchas especulaciones, todas en el sentido de que se lo habían cargado.

La llegada de Juan Pablo II tranquilizó los ánimos, y los principales grupos sospechosos de estar detrás de estas cosillas de las finanzas retomaron el poder. Hubo una reestructuración que se saldó con la muerte del responsable del banco, Roberto Calvi, en fin, ya saben, cosas que pasan en las mejores familias.

El segundo intento de limpiar las finanzas lo llevó a cabo Benedicto XVI, tarea que encomendó a un hombre de confianza, Ettore Gotti Tedeschi, que tras repasar la documentación secreta del banco descubrió que detrás de algunas cuentas cifradas se escondía dinero de: «políticos, intermediarios, constructores y altos funcionarios del Estado», pero ahí no terminaba la cosa, también de Matteo Messina Denaro, *il capo di tutti capi* de la Cosa Nostra. Se pegó tal susto con lo que encontró que elaboró un informe detallado con todas estas cositas y abandonó la misión de arreglar el Instituto para Obras de la Religión, procurándose una escolta, recluyéndose en casa y distribuyendo ese informe entre personas de confianza con la orden de que lo hicieran público en caso de que perdiera la vida.

Cuando la policía entró a registrar su casa encontró a un hombre aterrorizado que clamaba por su vida al que les costó calmar. Cuando se tranquilizó les dijo: «Ah, creí que veníais a pegarme un tiro.» Ahí sigue el hombre acojonado, y eso que es del Opus Dei.

Peor suerte corrió, como hemos dicho, Roberto Calvi, que ocupó su puesto unos años antes. También salió huyendo del banco como si hubiera visto al diablo, y tras una rocambolesca fuga con pasaporte falso se escondió en un piso de estudiantes en Londres portando un maletín lleno de documentos comprometedores. Pretendía que le sirvieran de salvoconducto, esperaba, como Gotti, que esos documentos actuaran de escudo protector. No quiso dios. Desesperado, envió una carta al papa asegurando que «no revelaría nada» y le ofrecía la devolución de esos «importantes documentos». No recibió respuesta. La última vez que le vieron, subía a una pequeña embarcación en el Támesis en compañía de unos italianos que, supuestamente, le iban a llevar hasta un barco con rumbo a América. Amaneció ahorcado del puente de Blackfriars, en Londres, el 18 de junio de 1982. Se dijo que fue un suicidio. Cuando se abrió el caso y se le hizo la autopsia se comprobó que había sido estrangulado antes de colgarlo del puente. Las personas que le acompañaban en Londres fueron absueltas en el año 2007. El caso quedó archivado como un misterio, uno más de la Iglesia.

Uno de esos acusados absuelto que acompañaba a Calvi en su fuga de Londres era Flavio Carboni, empresario de la construcción y exsocio de Silvio Berlusconi en Cerdeña. Carboni vendió los documentos comprometedores de Calvi a un obispo amigo personal[120] de Juan Pablo II. De los documentos no se ha vuelto a saber nada.

El diario *El País* publicó este mismo año un extenso artículo en el que relataba los orígenes de fondos millonarios del Instituto para Obras de Religión procedentes del crimen organizado, tráfico de drogas, mafia..., y las siniestras relaciones de esa entidad con dichos grupos. El artículo desapareció de la red a los pocos días y es imposible consultarlo.

El Paraíso que prometen en el cielo tiene, como vemos, una sucursal en la tierra. Fiscal, pero paraíso al fin.

Si Judas llega a saber esto no se habría ahorcado, probablemente habría pedido la presidencia de ese banco.

Otro burladero

La otra cuestión capital que no parece preocupar a los gobiernos es la liberalidad con la que operan las grandes empresas

---

120. Pavel Hnilica, íntimo colaborador de Juan Pablo II, fue el que los compró. Le condenaron a tres años y medio por este asunto, pero le perdonaron. Estuvo implicado en la quiebra del Banco Ambrosiano. Un figura. Como diría Machado: «Aquel trueno vestido de nazareno.»

multinacionales que eluden sus obligaciones fiscales de tributar por el impuesto de sociedades. Algunos expertos dicen que sólo con que pagaran lo que les corresponde, nos ahorraríamos los famosos recortes.

El truco es sencillo. Por ejemplo, Apple compra todo lo que vende en España a una empresa suya radicada en Irlanda a un precio muy caro, digamos que al 99 por ciento del precio de venta al público, por lo que el margen que queda a las tiendas que tiene en España es muy pequeño. Al descontar los diferentes gastos, incluido el de personal, al final, en algún ejercicio, como el de 2011 le ha salido una declaración negativa a pesar de las espectaculares facturaciones de las tiendas y los incrementos de ventas constantes: ha habido que devolverle dinero. Mientras, millones de euros de la venta de ordenadores en España vuelan hacia Irlanda, donde el impuesto es sólo del 12,5 por ciento en lugar del 30 por ciento español, pero no queda ahí la cosa, gracias a una permisiva ley irlandesa, a través de diferentes estructuras, esos millones saltan a paraísos fiscales y no tributan tampoco allí, no cotizan en ninguna parte. Estupendo, no sólo no pagan un duro en España sino que además ese dinero viaja a otro lugar provocando una descapitalización que impide el reciclado, la reinversión, que el dinero se convierta en otra cosa generando industria, desarrollo, empleo.

Mientras este fraude consentido se perpetra por todas partes, el Ministerio de Hacienda se emplea en perseguir a los ciudadanos que, lógicamente, tienen que cubrir el déficit de ingresos que generan estas empresas que, de hecho, operan como si estuvieran en un país libre de impuestos.

Mientras no cambien estos dioses, aquí no cambia nada.

La paz social, esa enemiga del sistema

A menudo me reprochan que defienda los servicios sociales teniendo unos ingresos abundantes, porque esa defensa me sitúa del lado de los rojos, de los progres y resulta paradójico. ¿Paradójico? Por qué debe ser una norma insalvable que el que más tiene se dedique a pisotear los derechos de los que tienen menos. Cuando apuesto por la paz social derivada de una buena administración de las prestaciones sociales, no sólo lo hago porque lo considero justo, mi opinión también está condicionada por el egoísmo. Yo vivo mejor en un mundo donde los demás viven bien. Para mí la vida no es una competición en la que los triunfadores, los listos, restriegan sus logros al exhibir sus signos de poder. Yo sigo creyendo en la igualdad de oportunidades, no en el imperio de los privilegiados. Entiendo que este empeño en reducir el poder adquisitivo de la población, en empobrecer a los ciudadanos, al tiempo que se recorta en todo tipo de prestaciones sociales que dejan a miles de personas sin cobertura, genera un nivel de pobreza que repercute en mi calidad de vida.

En Estados Unidos de América, un país muy rico que podría permitirse una mejor redistribución de la riqueza, el Estado hace una incomprensible dejación de funciones que produce unas inmensas bolsas de pobreza. Recientemente hemos visto como la intransigencia de las fuerzas llamadas conservadoras está a punto de echar el cierre del Estado por no querer consentir una mejora en la calidad sanitaria del pueblo. Algo que aquí consideramos elemental. Pues bien, esa masa de pobres forma guetos separados de la población solvente, donde impera la ley del más fuerte, donde la autoridad no interviene, donde se venden drogas, se trafica con armas y se llevan a cabo todo tipo de actividades delictivas. Allí crecen los niños en circunstancias muy difíciles, estos barrios se configuran como auténticas fábricas de delincuentes. Durante este año de 2013, sólo en seis meses han muerto en EE. UU. 6.000 personas por arma de fuego, de las cuales 75 son menores. Son estudios complicados porque aquel gobierno no lleva un cómputo a nivel federal, pero suponen una media de 1.000 muertos al mes. Es lo que se corresponde con un país en guerra. Mucho más de los que murieron en Irak en 2012, que fue un año especialmente violento, 3.200 personas; o Afganistán, donde durante todo el año 2012 murieron 2.754 civiles y algo más de 7.000 personas en total.

Los ciudadanos que viven en el abandono total por parte del sistema no sienten obligación alguna de respetar sus normas. Saben que su vida no le importa a nadie, y esa conciencia a veces gira e invierte el argumento: «Si no le importo a nadie, nadie me importa a mí.» Sólo con el uso de la fuerza evitan que esas legiones de pobres respeten la propiedad o la vida de sus semejantes. Los episodios de violencia se suceden por todas partes.

Yo no quiero vivir en un mundo de torretas de vigilancia y guardias de seguridad armados que protegen las pertenencias y las vidas de los privilegiados habitantes de zonas residenciales. Quiero que mis hijos jueguen tranquilos en la calle y eso tiene un coste. Si las cosas se llevan al límite y se produce una fractura social es muy difícil reconducir el proceso.

Son muchos los visitantes de países americanos[121] con los que he paseado por Madrid que aprecian el valor de esa paz social que se traduce en poder andar por el centro de las ciudades con tranquilidad, caminar por nuestras calles y plazas, salir a la compra y volver con ella, que los niños puedan esperar tranquilos en la puerta de los colegios; actos cotidianos que nosotros no valoramos. Por eso, la defensa de las prestaciones sociales no es un ejercicio de progres sino, entre otras cosas, de inteligencia elemental, de supervivencia.

Queda dicho: la paz social tiene un precio que podemos asumir con nuestros presupuestos en tanto no podamos garantizar a todos los ciudadanos una vida digna. Los servicios sociales no son la ruina del Estado, son su tabla de salvación. Ya saben: justicia social o Guardia Civil.

Adiós

Por desgracia se pueden escribir muchos tomos como éste, pero en algún momento hay que poner fin. «Todo empieza en uno mismo.»

---

121. Aunque la diferencia económica es tal que EE. UU. se ha apropiado del nombre de América en exclusiva, son los únicos que al ser preguntados de dónde son responden: americano; en ese continente existen más países, como demuestran los mapas.

Creo que ha llegado la gran hora de la Justicia. No está a la altura de la Historia. De nada sirve todo el esfuerzo de los distintos cuerpos y fuerzas de seguridad, de la policía judicial. De nada sirve la indignación de la ciudadanía. Los hechos están sobre la mesa, las esperanzas de regeneración puestas en los tribunales. El triste presente que nos ha tocado vivir pasa por la judicialización de la política. Porque los delincuentes que desde el poder intentan desmontar el sistema paguen por ello. Cumpla cada uno con su papel: los ciudadanos bloqueando este estado de cosas con su intransigencia. Los jueces castigando el delito. No es pedir mucho.

El vaso está a punto de rebosar. La paciencia del pueblo tiene un límite. León Felipe, otra vez, lo describe de forma clara:

«... Y dicen que la libertad es la voluntad de mecerse de izquierda a derecha, de ir en sordos y rítmicos vaivenes, de una manzana podrida a otra manzana podrida, porque más allá de este balanceo no hay más que el muro negro y espeso y si un hombre o un pueblo se levanta de pronto y va a estrellarse los sesos contra el muro negro y espeso, le gritan que es un loco o un violento.

»Pero no es ni loco ni violento. Es un personaje que dice:

»Si no hay una manzana sin gusanos en el mundo... ¿para qué quiero yo los sesos?

»Creo que la última prueba, la Gran Prueba, se encuentra en el cerebro roto del hombre.

»Porque también está escrito: Y el que pierda su cerebro lo encontrará.»

Uníos.

ÍNDICE
—

Impreso en
EGEDSA
Sabadell (Barcelona)